决定一生的
八种能力

(美)钱 斐 著

九州出版社

目　录

序篇 会思想，才能心"想"事成

　　◆我们生活在一个许多人不知道自己是"谁"的时代，一个对自己生活的意义不明确的时代。

　　◆我们在忙于"活着"，而对我们为什么生活或谁在主宰我们的生活等问题感到迷惑不解。

　　◆"未经审视的生活是不值得过的生活。"

　　◆人们在试图理解影响其生活的复杂现象时，通常表现出了迷惑和不知所措，并对这些现象不能加以控制而产生挫折感。

　　◆当我们过着缺乏反省和思考的生活，只是简单地应付生活环境，而不设法去探求更深的意义时，我们的生命就会失去意义和价值，我们将会失去自主生存的能力。

　　◆有许多自学书教给人们一些改进生活的技能，但是，如果这

些方 法不重视清晰思考的重要性,它们就不会有太大的价值。

第一章　思考能力训练

目 录

第二章　创新能力训练

第三章　自由选择生活的能力

　　◆一旦你对生活中遇到困难所作的消极反应提出了挑战,你就 会对遇到的问题作出积极的和建设性的解释,你需要直戳你用来说明逆境的悲观解释风格,并用积极的品质来取代消极 的品质。

　　◆训练题:转换解释风格,改变悲观人格

　　◆你需要对自己作明晰的思考,有一个乐观的解释风格,因为它能使你尽可能地用最有成效的方式来对待生活。

　　◆训练题:增加你的自由

第四章　破解生活难题的能力

　　◆在很大的程度上,你生活的质量取决于你是否是一个称职的 问题解决者。

　　◆本章所提出的解决问题的方法,一直被许多人成功地运用去处 理和解决他们在日常生活中遇到的无数的困难和问题。这样做 的结果,将使你满怀自信地培养自己解决问题的能力。

◆训练题:我想解决的是什么问题?

3. 第一步:我承认我有问题吗? ......(179)

◆仅仅承认问题的存在,对于解决问题来说还是远远不够的。

成功的问题解决者有很明确的目的,克服解决问题过程中出现的许多挑战和挫折。人们常常对解决难题,没有足够的精神准备,也没有全力以赴,因此,他们注定要失败。

◆训练题:承认我的问题

4. 第二步:我对问题了解多少? ......(185)

◆解决某个问题是从收集有关这个问题的信息开始的。

◆训练题:收集有关我的问题的信息

5. 第三步:我如何确定问题? ......(189)

◆如果你没有清楚地了解问题的核心之点究竟是什么,那么,你解决问题的概率就会大大地减小。

◆训练题:确定我的问题

6. 第四步:可供选择的方案是什么? ......(193)

◆不要局限于只提出几个行动方案,因为进一步扩展你的思路,提出更多的可能性,就一定会产生一些确实有创造性的解决办法。

◆训练题:提出解决问题的选择方案

7. 第五步:比较每一种方案的优劣? ......(199)

◆对每一种行动方案进行严格的和详细的评价是既费时间又耗费心血的工作。然而,这个能力可以区分出谁是成功的问题解决者,谁是不成功的问题解决者。"魔鬼就藏在细枝末节里"。成熟的思考者不只要思考重大的问题,他们也需要关注一些具体的细节。

第五章　沟通合作能力训练

◆通过学习使自已能自信、大胆地演讲,你就能为自己创造成功的体验。

◆训练题:计划一个演讲

◆训练题:做一个强有力的沟通合作者

第六章　推理预见能力训练

◆推理是一种工具,它能使你的思考成型,揭示你的现在和未来的奥秘。

◆苏格兰诗人威廉姆·德鲁蒙德写道:"不进行推理的人是瞽瓜;不会推理的人是傻瓜;不敢推理的人是奴隶。"

◆哲学家叔本华得出这样一个结论:"推理值得被称做是一个预言家。它既然能表明我们目前行动的结果和影响,难道不 能告诉我们未来将会是什么样子吗?"

◆如果我们不从未来发展的角度看,而只是就问题本身来看问题,忽略我们的行动对未来的意义和影响,那么,我们就应了这样的一句格言:"傻子在天使害怕走的地方乱撞"。
　　◆训练题:分析问题

第七章　获取幸福的道德能力

第八章　人际交往能力训练

追求天长地久的生活。

◆训练题:反省你的婚姻关系史

◆训练题:了解你的婚姻关系

◆训练题:丰富你的婚姻关系

◆如果我们想培养孩子具备优秀的品质和能力,就必须做到四个鼓励。

◆请遵循九条基本的指导原则。

◆训练题:培养健康的人际关系

终篇 给你一套生活哲学

◆你的生活哲学正确与否,将在很大程度上决定你个人能否幸福和成功,决定你生活的质量如何。

序　篇

会思想，才能心"想"事成

善于思想，才能心想事成，胡思乱想，只能事与愿违。

"塑造自我不分早晚。"

——乔治·埃利奥特

在你的一生中,你可以是一位艺术家,描绘着你自己生活的肖像,每天你使用什么颜料,怎样落下每一笔,都是你自己的选择。现在,我要请你回答:

迄今为止,你对自己创造的形象感觉如何?

你是按心中的自我设计来描绘自己呢,抑或只是"随意地涂抹而已"?

你发挥出了你的全部潜能,即象古希腊人对幸福的看法那样:"积极地发挥了你精神的力量了吗?"

你在你的生活中感受过挫折、遗憾、失败,并对你最渴望的生命意义已感失落吗?

你找到了自己生活的目的和你能完成的使命了吗?

你是否对你生活的方向感到模糊和不确定呢?

你拥有为你指明通向智慧和成就之路的像灯塔一样的生活哲学吗?

很可悲的是,我们中的大多数人不会静下心来问自己这样的问题，即使我们这样做了，作出的回答也往往不令人满意，有时甚至会深深地折磨我们，使我们寝食难安。

不过，正如乔治·埃利奥特所说的，成为自己想要成为的人，创造生机勃勃、充满活力和富有意义的生活，从何时开始都为时不晚。

为了做到这一点，你必须采取第一步，即认真地决策，迈向自我审视、自我改变的旅程。如果你的承诺是真诚的，你决定用你的勇气和毅力完成本书所列的 8 个步骤，那么，你就肯定能使你的生活更完善、更有意义。当你完成了这个旅程时，你将会感到你有着很强的使命感，而不是整日碌碌无为。同时，你也有了完成你的使命所需要的工具。你会渐渐感到你能控制自己的生活，有效地把握自己生命的航程，而不会随波逐流，任人摆布。

要做到这一点，关键是学会最大程度地发挥你非凡的思考的力量。你的思考能使你成为你想要成为的人，并创造富有意义和有所作为的人生。

本书的目的就是帮助你学会思考，挖掘你潜在的思考能力。实现这种人生的转变并不难，因为思考本身就是人生的一个组成部分。一旦我们的思考能力得以提高，我们就会丰富我们的人生，扩大我们的视野，增强我们选择行为的能力。

1

知道"你是谁"？才能主宰你的生活

◆我们生活在一个许多人不知道自己是"谁"
的 时代，一个对自己生活的意义不明确的时代。

◆我们在忙于"活着"，而对我们为什么生活
或 谁在主宰我们的生活等问题感到迷惑不解。

弗兰克尔博士是本世纪 30 年代维也纳著名的精神病医生，
在第二次世界大战期间，他和他的家人被纳粹逮捕，他本人在奥
斯威辛集中营被关押了 3 年。他的家人，包括他的父母、兄弟及
他怀孕的妻子，都惨死在纳粹法西斯的枪口下。他在非人道的环
境中，经历了侮辱、折磨，幸运地活了下来。同盟国的军队把他
解救以后，他完成了迄今仍有很大影响的著作：《人类对意义的
追求》。该书所获得的巨大成功，说明人类对其所经历的意义的
强烈渴求，人们试图回答一个用弗兰克尔的话说就是："终身在
探求"的问题。这种渴望表明我们所处的时代，生命意义普遍丧
失，许多人生活在"生存意义的真空"里。

　　弗兰克尔博士发现，即使在最不人道的环境下，人们也可以过一种有目的、有意义的生活。但是，对于被关押在奥斯威辛集中营的绝大多数囚犯来说，这种生活似乎是不可能的。

　　弗兰克尔博士意识到，处于被关押的环境下，他生活的意义就是设法帮助他的同伴恢复心理健康。他必须为他们找到企盼未来的方法：等着他们归来的挚爱的亲人，尚未完成的工作，或有待发挥的才能等在生命遭到蹂躏的情况下，他试图用这些因素为人们找回生命的意义。他的努力使他对人生得出了如下的感悟：

　　　　我们必须了解我们自己，此外，我们必须帮
　　　助那些处于绝望中的人们。我们对生活有什么企
　　　盼并不重要，重要的是生活对我们的期望。我们
　　　需要静下心来探求一下生活的意义，而不是思考
　　　每日、每时都在被生活所质问的我们自己。我们
　　　的答案决不能由空谈和整日吃喝构成，而应该由
　　　正确的行动和行为构成。生活最终意味着承担责
　　　任，找到解决问题的正确答案，履行生活赋予每
　　　个人的使命。

　　我们每个人都渴望过有意义的生活，希望我们的生活能以某种方式对世界和他人的生活作出独特的贡献。我们每个人都力争发挥创造性，使自身成为一个具有非凡品格的人，被他人所钦佩的人。我们希望我们的生活能有所成就，有所作为，在我们生前或死后能被他人所缅怀。不幸的是，我们一般都不能实现这些高尚的目标。为了探寻生活的意义，我们需要明确我们是"谁"。

我们生活在一个许多人不知道自己是"谁"的时代，一个对自己生活的意义不明确的时代。

当有人问我们"你是谁?""你生活的意义是什么?"这样的问题时，我们通常无言以对。但是，我们迷惑和疏离的更明显的症状，是我们很少对我们自己或他人提出这样的问题。我们在忙于"活着"，而对我们为什么生活或谁在主宰我们的生活等问题感到迷惑不解。但是，我们能由于忙而不去探求我们生命的意义了吗? 毕竟我们的生命取决于我们对这个问题的回答，不仅我们的生物生命是如此，而且我们的精神生命也是如此。我们常常放任自流，信马由缰，日复一日，年复一年，倾其一生，而不去面对这些重要的问题。

如果我们漠视生命的意义，如动物一般度日，我们就会为此付出惨重的代价，因为没有意义的苟且偷生会侵蚀任何生命，蚕食灵魂，直至只剩下一个空壳。存在主义作家加缪曾经说过："失去生命并不可怕，如果必要，我有勇气献出生命。但是，看见生命的意义消失，生存的原因失去，则令人无法忍受。人们不能过没有意义的生活。"

实际上，许多人正在过这种无意义的生活，他们疯狂地攫取权力和金钱，贪图享受和刺激，追赶时髦，以填补内心的空虚。然而，这种做法恰恰表现出了他们的生命缺乏真正的目的和意义，非常苍白和贫乏。

2

不会思考，导致现代复杂
生活中的无数挫折

◆"未经审视的生活是不值得过的生活。"

◆人们在试图理解影响其生活的复杂现象时，通常表现出了迷惑和不知所措，并对这些现象不能加以控制而产生挫折感。

◆当我们过着缺乏反省和思考的生活，只是简单地应付生活环境，而不设法去探求更深的意义时，我们的生命就会失去意义和价值，我们将会失去自主生存的能力。

"未经审视的生活是不值得过的生活。"古希腊哲学家苏格拉底在约 2500 年前提出了这个有争议的观点，今天它仍能引发我们的思考。在许多方面，可以说我们的社会已经变成了一个没有思考者的社会，结果，人们在试图理解影响其生活的复杂现象时，通常表现出了迷惑和不知所措，并对这些现象不能加以控制而产生挫折感。我们经常听到人们这样的说：

> 我生活中的一切变得如此之快，我似乎无法适应。我周围有许多的力量在不停地拉我、推我，我真不知该朝哪个方向走。绝大多数情况下，我都是在手忙脚乱地被动应付，而不是独立地自己把握行动的方向。我该作怎样的选择呢？
>
> 我似乎花费了很多时间把我装扮成另外一个人，我对自己的想法、观点和我自己缺乏自信。
>
> 我担心人们不喜欢"真实的我"，因此，我想方设法在别人面前展示我认为他们能够接受的形象。"真实的我"是谁？什么价值观念在主宰着我的生活？这些是很重要的问题，但是，我没有时间去考虑我想成为一个什么样的人。

苏格拉底的格言所蕴涵的意思是，当我们过着缺乏反省和思考的生活，只是简单地应付生活环境，而不设法去探求更深的意义时，我们的生命就会失去意义和价值，我们将会失去自主生存的能力。当我们缺乏反省时，我们就不会运用人的能力去深入地思考重要的问题，对我们自身和我们生活的世界作出有见地的结论。相反，我们只是停留在生活的表面，应付没完没了的事务，被爆炸的信息所包围，永远都在忙着。实际上，我们就是没有抽出足够的时间去认识我们自己，探究我们生存的意义，确定我们生命的方向，把我们自己塑造成独特的、有价值的生命个体。

你阅读本书的事实表明，你已经意识到了通过改善你的思考能力，来丰富你生活的重要——这的确是有价值的目标。实际上，你的命运就掌握在你自己的手里：你能把自己塑造成你所希望的人，你也能创造一个有效的、有成就的生活。为了做到这些，你必须要会

①批判地思考，②创造性地生活，③自由地选择。

你也需要明确地勾勒出你想要成为何种人的肖像，并运用你的创造力和想象力，把浓墨重彩都倾注在你的肖像上，然后在生活中竭尽全力实现你的构想。塑造自己是一件富有挑战性的工作，但是，它却值得我们去为之努力。你的肖像就是你对世界的贡献，就是你留给今人和后人的宝贵遗产。

本书的目的就是为你创造有意义的自我肖像提供指导和帮助，使你在迎接生活的挑战和丰富你的人生时，有一个理性的工具。

保罗·蒂里奇曾这样写道："人们需要使自己成为他想要成为的、能把握命运的人。"但是，我们怎么能发现我们的命账和我们生命的独特意义呢？如果我们的思想清晰，有见地，那么，生活对我们的要求就会一目了然。

3

人生成功的关键何在?

◆有许多自学书教给人们一些改进生活的技
能，但是，如果这些方法不重视清晰思考的重要
性，它们就不会有太大的价值。

在过去的20多年里，我一直与许许多多的人一起工作，帮
助他们成为有见识、有知识的思考者，这是通向有创造性、职业
生活成功和个人有所成就的关键。我在大学任教的时候，发现许
多学生不断地表露出一种忧虑，即他们无法控制影响他们生活的
力量，他们对自己独立和清晰思考的能力感到没有把握，他们不
敢迎接创造有目的和有意义生活的挑战。

为了解决这些问题，我开设了一门名为"批判性思考"的课
程，目的是为了帮助人们培养思考的能力，以及必要的自我意
识。该课程获得了巨大的成功，达到了预期的目的。在我任教的
学院里，有25000名学生学习了该课程，以我的教科书《批判性

思考》为基础设置的多门课程，在全美各地有 50 多万人学习。

《八项修炼》一书凝聚了我对如何改进我们的思考过程以丰富我们的生活这一问题的探索，该书的目的就是为提高我们的思考能力而提供一定的知识、指导和实践。

在改进你的思考能力方面，本书将帮助你提升生命的质量，完善你的人格。

在我们现有的文化中，人们往往把大量的时间、金钱和辛苦用在增进健康，强健体魄，美化外表上，而忽视了我们生活中最重要的东西：人格、思考和认识的能力、了解过去、创造未来的能力。虽然也有许多自学书教给人们一些改进生活的技能，但是，如果这些方法不重视清晰思考的重要性，那么，它们就不会有太大的价值，因为清晰思考反过来能使我们自己更好地思考，而这也正是形成独立思想的实质所在。在缺乏有见识的思考和真正选择的情况下，"怎样行动"的基础技巧不过是空洞的练习，不会有长久的影响。

我们必须重新确定我们思考问题的方式。我们每个人都想过有目的和有意义的生活，这样的生活就掌握在我们自己的手里，为了达此目的，我们必须能驾御我们思想的力量。多年来，我教授的许多人都渴望过这样的生活，我觉得他们的忧虑和担心对你并不陌生。他们在其生活中用批判的思考方式成功地迎接了这些挑战，这就是对人类精神和思想力量的最好证明。

4

我是这样挽救自己的

◆罗马哲学家塞涅卡说："并不是因为事情难我 们不敢，而是因为我们不敢事情才难。"

实际上，每个人都有自己未达到的目标，有自己未实现的梦想。或许你正在寻觅一个能与你白头偕老的伴侣，或培养你的自信，抑或是寻找一个合适的职业，或赚更多的钱。在许多情况下，如果你能充分发挥你思考的潜能，这些目标可能不难实现。例如，几年前，虽然我获得了哲学博士学位，但是，我却在我居住的城市找不到一份全职性的教职。经过一年间多次令人难堪的面试和虚假的保证后，我决定放弃求职的努力。我后来从事了一份工作，它有保障但却难以取得成就。我告诫自己我能在我的工作之外，即通过家庭、朋友、旅游、文化活动以及其他的方面获得生活的意义。说真的，我是在跟自己开玩笑。我的生活很舒适但却很平凡，我甚至不再认为我能对他人的生活做出特殊的贡献。我的生活显得空虚无聊，这种情况非但没有改观，反而更加严重。我知道只要我紧抱住有保障的工作不放，仿佛它就是我生命的守护神，那么，我就不会有机会重新塑造我自己。当我对我所处的绝望境遇开始有所领悟时，我最终理解了罗马哲学家塞涅卡说过的一句话的要义："并不是因为事情难我们不敢，而是因为我们不敢事情才难。"因此，我辞了职，放弃了我那份有保障但却不值得我做的工作，去寻求新的机会，这条路最终把我引向了我终身从事的工作。

为了转变我自己，挽救我的生命，我需做的第一件事就是确立一个目标。我觉得我真正想做的就是一个教育工作者，于是，我就开始做兼职教师，经过几年的努力，我开设了一门我称之为"批判性思考"的课程。这门课并不是从讲一些大思想家的思想开始，然后再试图给学生讲解这些思想如何应用到他们的生活中，而是从学生的想法开始，帮助他们提高对问题的理解能力，直至其真正理解了大思想家的思想。该课程也是为了帮助学生培养他们的思考和语言能力。最终，这门课要为学生创造一个自己思考，并与他人分享其思考成果的环境。这个方法立竿见影，并取得了极大的成功，这是我在职业追求中迈出的第一步。

同时，我还通过做木工活（靠自学）来补充我有限的收入，但是，我的生活中心则是我的教书职业。这就像走在一条大雾弥漫的小径上，当我达到一个短期的目标时，我能隐隐约约地看见前面的路以及我想到达的下一个目标。我无法看见整条路，它通向何方，我坚信我走路的方向是正确的，我正在做我想做的事。

当我在我的人生旅途跋涉时，我逐渐意识到生活给我提出的特殊的挑战和机会：帮助他人成为更有思想、更加成功的人。通过对我内心的审视，我发现了我生命的意义，这是人们自我发现的一个普遍的过程。伊丽莎白·罗斯曾经写到："学会与你自己内心静静地沟通，你将知道你生命中的每一个部分都有自己的目的。"她的这段话可以说揭示了人自我发现的过程。

5

为什么人们不会思考?

◆有效的思考在我们生活的每个方面,对成功和 幸福都是至关重要的。

◆人们之所以不努力提高他的思考能力,是因为 他们不知道该如何去做。

很遗憾,我们并没有生活在一个"思考的世界"里,我们生活的每一天都承受着没有思考的恶果。人们不是在培养自己的思考习惯,而是逐渐变得不爱思考。因此,人们的行为鲁莽,谈吐迂腐,过于自信而近乎无知。人们通常不愿意倾听他人的意见,而常常自以为是。在工作上,上级对下属不信任,总爱指责,对下属和下属的建议不屑一顾。家庭成员之间的关系充满着火药味,恋人之间的关系也掺杂着怨恨、怀疑和不忠。许多父母对子女不能尽到抚养和教育的责任,他们缺乏爱心,不关心孩子,不能给子女生活上和学习上以必要的指导。

在我们生活的世界上,人们头脑封闭,固执己见,自以为是。我们的社会价值观堕落,讲真话、行为诚实、善待他人,被看作是走向"成功"的羁绊。种族歧视随处可见,由此引发的矛盾也日趋加剧。我们的社会被分割成众多的、由腐化堕落的政治家领导的小集团,这些所谓的政治家为了自己不可告人的目的,拉帮结派,勾心斗角。儿童所处的教育环境只注重灌输信息,而忽视能力的培养和个性的发展。我们每天看的电视节目毫无思想和新意,广播里的节目也都是些刻毒和抱怨的声音,我们听到的音乐震耳欲聋,令你心生烦躁,无法静心思考。我们每天必须和那些没有理智、做事无序、头脑混乱的人打交道。"如果人们不思考,世界将会是什么样?"实际上,在许多方面,我们正目睹着这个问题的答案。

世界何以变得这么糟?如果有效的思考在我们生活的每个方面,对成功和幸福都是至关重要的,为什么大多数人不努力去提高自己的思考能力呢?哲学家伯特兰·罗素说:"对于大多数人来说,他们宁愿去死,也不愿意思考——实际上,他们就是这么做的!"

在现实生活中,人们普遍不善于思考是有其内在原因的。人们之所以不努力提高他的思考能力,是因为他们不知道该如何去做。

许多人对思考的过程感到恐惧,认为思考是人的一种天赋的神秘能力,人并不能加以控制。这种观点显然没有道理。思考并非上天专门赐给个别有福之人的专利,它是每个人都具有的能力。通过学习和实践的指导,我们每个人都可以获得这种能力,并改进这种能力。我们的大脑在活动时是有规律可循的,只要了解了这个规律，我们就能在生活的各个方面改善我们的思考能力。

　　清晰而深刻的思考是一项艰苦的工作，特别是当你在学习如何做时更是如此。因为人们不愿意动脑子，因而他们习惯于对事情的探究浅尝辄止，留于表面，而没有认识到"懒于思考"不能得出正确的结论。此外，思考的过程是很复杂和难以理解的，我们每天步履匆匆，人与人之间缺乏同情，这种生活对我们思考能力的培养极为不利。心理学家大卫·帕金斯说："我们的思考倾向于模糊、急促、狭隘和散漫——这是我们心理冲动的偶然产物。与任何其它的事情一样，思考是一种技能，它也可以通过培养得到。如果我们不对它们加以培养和开发，它们就会枯萎和凋零。"

　　许多人似乎生活在一个与世隔绝的世界里，他们对他人的智慧视而不见，对能在思考方面给予其帮助的人也置之不理。我们已经对过去和现在的智者失去了兴趣，不愿意用他们的智慧激励我们，向我们自己提出新的挑战。实际上，我们这样做是在损害我们自己。对此，哲学家乔治·桑特亚那已经反复告诫过我们："不铭记过去的人，注定要重蹈覆辙。""信息时代"和"信息高速公路"的到来，在客观上已对我们的思考能力提出了挑战。

　　作为一个批判的思考者，意味着在复杂的现实生活中，他具有运用人类的知识进行正确判断的智慧和能力。如果我们不知道如何对信息进行分析、组织、评价和运用，使我们的生活更有意义，而只是掌握了一些信息，这并不能使我们变得更聪明。这也就是我们为什么需要改善知识的来源和我们自己的思考过程，以变得更加睿智的原因。总的来说，我们的社会并不成功，特别是在教育方面失误更多，因为它没有培养出成熟的思考者，这足以给我们的文化敲响警钟。

　　每个人在其生活中，都是多种不同因素影响的产物。在多种影响因素中，有的影响有助于我们成为独立的、有创造力和批判力的思考者，而有的影响不是如此。但是，不论你过去和现在的状况怎样，你仍然可以变成一个思考者。你有能力重新塑造你自己，通过选择创造未来，实现自我设计，使自己成为一个有思想、有知识、有见解、有创造性的人。

◆训练题：

检查一下你的"思想史"

　　　　请对你自己的思考历史和影响你思想形成的因素进行反省。

　　△教育：哪些老师和教育经历对你独立地思考和表达你自己的观点很有帮助？哪些老师希望你只学习"正确的答案"，而不问你正在学什么？

　　△父母：在哪些方面，你的父母鼓励你独立地做决定，表达你个人的观点，选择你认为是正确的行为？在何种程度上，你的父母希望你不加思考地服从他们，为你作重要的决定，不让你承担责任？

　　△同事：在何种程度上，你的朋友即使不同意但也支持你的观点和选择？在何种程度上，你的朋友向你施加压力，让你遵守团体的规则，当你背离这些规则时，他们阻止你的行为？

△上司：哪些上司鼓励你独立地思考，做有创造性的决定？哪些上司为你完成每一项工作提供详细的指导，反对你对工作提出改进的建议？

6

怎样改善你的思考智慧

◆希腊戏剧家索福克勒斯说:"知识必须通过行动来获得。"换言之,成为一个善于思考的人的惟一方法就是去思考。

思考是一种我们可以改善的能力。如果你想发挥出自己的思考潜能,你必须有强烈的意识。通过掌握思考过程运作的机理,你可以经过系统的学习和实践,使自己能更好地思考。

《八项修炼》一书的目的就是促进你的思考,指导你用更加成熟和有效的方式思考。全书将讲述一些具体的思考训练活动,为你提供思考的机会,在此基础上,对你的思考过程进行反省,以进一步提高你的思考能力。这是惟一的能改善你思考能力的有效方法。希腊戏剧家索福克勒斯曾经说过的一句话可以说是一语中的:"知识必须通过行动来获得。"换言之,成为一个善于思考的人的惟一方法就是去思考。

　　我给无数学生上课的教学经历告诉我，如果你保证按《八项修炼》一书中所说的步骤去做，你的生活在每个方面都会发生很大的变化。你的努力会换来有创造性的和批判的思考能力的提高，到那时候，人们会向你讨教，羡慕你的见识，你与所爱之人的关系就会更加令人满意，你对你前进的方向和完成的使命会更明确，你对实现自我会更有自信。

　　你可能也阅读过其它的有关个人发展的书，特别想完善自我，提高生活的质量。虽然你在生活的某些方面已经有所领悟，并有了一些有用的战略，但是，你可能会懊丧地发现这些战略都不能产生持久的影响。《八项修炼》一书将使你获得其它书本上的知识，并使你超越这些知识，因为本书除了为更有效地生活提供一个实践的框架外，也能使你触摸到"你是谁"这个问题的核心——一个善于思考、有见识、有创造性和坚强意志力的个体。

7

八项修炼与八种能力

◆你将发现你会持续不断地运用你在某个步骤
中获得的能力，帮助你在其他的步骤中取得成功。

当你很清楚自己的思考要达到什么目的时，你的思考过程就
能最有效地运作。通过读《八项修炼》，在思考的过程中，你会
觉得你仿佛开始了一个通向更高一级的思考和生活之路的旅程。
本书提出的8个步骤为读者点亮了指导你旅程的灯塔。如果你不
按照这8个步骤去做，你就不能充分地发挥你作为一个思考者的
潜能。当然，以你自己的方式完成每一个步骤并非是一次性的经
历，你会发现随着你的生活的进展，你必须重新回到每个步骤，
并达到较高的理解水平。每一次你返回到特定的某个步骤，与以
前相比，你都处于更深和更高的水平上，把你的见解溶入你更有
意义的生活。这是一个螺旋上升的过程。

此外，你将发现各个步骤的原则和要求共同作用才能促使你

创造思想，发生转变，这就像管弦乐队中不同的乐器合力才能演奏出美妙的交响乐一样。因此，虽然本书提出的 8 个步骤有逻辑的顺序，但是，你将发现你会持续不断地运用你在某个步骤中获得的能力，帮助你在其他的步骤中取得成功。例如，为了成功地：

破解生活难题　　　　　　（步骤 4）

有效地沟通合作　　　　　（步骤 5）

分析推理复杂问题　　　　（步骤 6）

选择正确行为　　　　　　（步骤 7）

进行人际关系交往　　　　（步骤 8）

你需要运用前 3 个步骤的有关方法和原则：

思考智慧训练　　　　　　（步骤 1）

创新能力训练　　　　　　（步骤 2）

争取自由的生活　　　　　（步骤 3）

当你在每个步骤中，逐渐地掌握和完善了思考能力及技能时，你将会发现这 8 个步骤是互相联系，互相促进，共同作用的。正是这种合力将使你转变自己，创造你的生活哲学。

8

转变命运的三种基本能力与原则

◆批判地思考（步骤 1）、创造地生活（步骤 2）和自由地选择（步骤 3），这三种能力是人生转变的三条生活原则。

批判地思考（步骤 1），创造地生活（步骤 2）和自由地选择（步骤 3），这三种能力是人生转变的三条生活原则，也是本书立论的基础。这三条原则把你如拼图般生活的碎片连结在一起，作为一种合力，这些原则能赋予你的生存以意义，为你答疑解惑，使你有成就感。

△批判地思考：如果你能恰当地运用这种能力，你的思考过程就会像一盏明亮的灯塔，为你塑造人格和丰富生活阅历指明方向。清楚地思考是帮助你解开心灵谜团的工具，通过做一个强有力的"批判的思考者"，你就能获得实现目标、解决问题和作出明智决策所需要的能力，你能在生活的各个方面，都已经确立了

正确的、能指导其行为选择的信仰。为了尽可能地确立最科学、最正确的信仰，你需要意识到你自己的偏见，从不同的角度看问题，用有力的理由来支撑你的观点。

△创造地生活：创造性是一种能赋予你生活以意义的强大的生命力，它与批判地思考相结合，就能使你在生活中取得成功。当你用发现和发明的眼光对待生活时，你就能不断地用你丰富的想象力创造生活。用创造性的眼光看待生活，就能使一切变得更美好：问题成为发展的机会，庸俗的惯例是对创新方法的挑战，关系成为能引发兴趣的冒险活动。当你任你创造的冲动自由地发挥时，你生活的每个方面都会发出熠熠光彩。你能摆脱习惯的思考模式，每一分钟都生活得很充实，一切行为表现都很自然，没有做作的痕迹。这听起来很神奇，不过的确是这样。

△自由地选择：人们只有选择他们不同的生活道路，而且他们的选择是真正自由时，才能转变他们自己。要想获得真正的自由，你必须对你的选择有明确的认识，并能据此作出明智的选择。如果你认为你是真正自由的，那么，你就会以一种全新的态度重新确定你每天的生活和未来。通过努力消除对你自由意志的限制，用积极的态度对待人生，你就会看到由于你视野狭隘而以前无法看到的多种选择。你的未来变得更加广阔，选择的可能性和活动的空间更多更大。自由的生活对每个人来说都是至关重要的，它充满了想象不到的机会，也能带给每个人巨大的成就感。

批判地思考、创造地生活和自由地选择，这三个方面和谐地结合起来，能使你具备走向成功的三个要素——明智、有创造性和果敢坚决，从而使你的"自我"达到最理想的生存状态。

不过，在此我们也可以设想一下，如果缺少批判地思考、创造性地生活和自由地选择这三条原则的任何一条,会产生什么灾难性的后果。

如果你缺乏批判思考的能力,你就无法在最具挑战性的职业生涯中有所成就,因为你不能做到清晰地思考,解决复杂的问题,作明智的决定。此外,无论你提出什么样的有创造性的思想都没有根据,缺乏实施的明确的框架或实际的可操作性。你将是一个不切实际的幻想家,注定不能有所作为,由于对自己的认识不足,你的自由将会受到禁锢,因为你不能明确地认识自己的选择,或从限制你的禁锢中解放出来。

如果你缺乏创造性生活的能力,那么,你的思考能力能使你做事有根据,有技巧,但是,你的工作却缺乏想象力,由于你害怕承担失败的风险,因而你不敢大胆地尝试,你的人格将失去他人所钦羡和仰慕的、出自自然的生气和活力。很快,你就会成为一个称职但却缺乏想象力的"工作蜜蜂",只会循规蹈矩地做事,而不能达到你本应达到的高度。这样一来,你的选择范围就会被你的想象力所限制,你实现自我的道路也就十分狭窄。

如果你缺乏自由选择的能力,那么,你批判地思考和创造性生活的能力也无法使你从失望和沮丧的生活中摆脱出来。虽然你可能有一定的分析和理解力,但你将缺乏面对困难作行为抉择和坦然面对挫折和险境的能力。虽然你可能有独特的和有价值的思想,但你却无法集中精力,实施你的构想,最终你的构想只能化为泡影。如果你缺乏把自己塑造成一个强大的、具有诚实品德的个体的意志,你所接触的人们就会把你看成是一个随风而倒的浅薄之人,而不是一个可以赋予职权和职责的人。

想一想你对自己人格的设计:过有目的、有意义的生活,赢得你周围的人对你的尊重和忠诚，在事业上取得成功，明确自己的使命，勇敢地开创未来。如果你能最大限度地做到批判地思考，创造地生活，自由地选择，也即按《八项修炼》一书所阐述的原则生活，你就能把握自己，把对自己的设计变成现实！

◆训练题：

请开始考虑决定你一生的几个重要问题

现在，你获取较强思考能力和正确意识的 旅程开始了。你首先要确立你的目标。研究结 果表明：有成就的人对他们的未来有一个详细 的和立体的设计图，他们的目标和抱负都明确 地写在上面。此外，他们脑子里有一个构想，其中包括他们遇到困难时必须采取的步骤，以及克服困难使用的战略。这种对未来切合实际和具体的认识，对他们走向成功有很大的指导 作用，能使他们为实现自己的目标而牺牲眼前 的利益，在通读《八项修炼》一书的基础上，你可以通过确立你想实现的思考目标开始这个 过程。例如：

△我想对我的价值观、道德问题和精神生 活的信仰等问题给予明确的阐释，使这些信仰 有一个坚实的基础。

△我想能有效地解决复杂的问题。

△我想明确我生活的目标，然后制定一个 切实可行的计划实现我的目标。

△我想能较好地控制我的生活，这样，我就能对所

发生的事情做到心中有数,并作出我心目中理想的人所能作出的明智的选择。

　　△我想使生活中与我最亲密的人的关系更加丰富:在感情上变得更加开通,真正享受亲密无间的生活。

第一章

思考能力训练

"人类一思考，上帝就发笑"，说明我们的思考能力多么需提高。

每个人都"思考"——只是有些人比另一些人更 会思考而已：他们的思考较有见地，较成熟和较深刻。

本章将告诉你如何成为一个较成熟的"批判的思考者"，如何获得实现你的目标、解决你的问题和做出明智决策的能力。

批判的思考者是这样的人：他们在生活的每个方面有坚定而正确的信仰。为了树立这样的信仰，你需要了解你的偏见，从不同的角度看问题，对你的观点提出正确的支撑理由。要想成为一个较有见地和有知识的人——一个"批判的思考者"——你必须具备这些能力。

1

球星刘易斯为什么会死去?

◆莱吉·刘易斯的死说明，人们有必要掌握一种思考工具，用它来准确地分析互相冲突的信息，权衡可能产生的灾难性后果。

几年前，波士顿凯尔特人队的篮球明星球员莱吉'刘易斯心脏感觉不好。于是，由著名的心病学专家组成的医疗小组对他的心脏进行会诊。这些专家得出的结论是，如果刘易斯继续他的篮球生涯，就会有生命危险。刘易斯对专家们的诊断结果不满意，又征求了一位同样著名的心病学专家的意见，这位专家确信刘易斯可以继续他的 NBA 篮球生涯，而不会有生命危险。

在这种情况下，刘易斯该相信哪个专家的意见呢? 刘易斯继续打球的压力很大，他的家庭、队友和成千上万球迷的希望都寄托在他的身上。最终，他选择了听取后者的意见，开始重返赛场。几个月之后，在体育场训练时，刘易斯倒在了地上，不治而亡。

莱吉．刘易斯的死说明，人们有必要掌握一种思考工具，用它来准确地分析互相冲突的信息，权衡可能产生的灾难性后果。刘易斯先生本应该对著名的专家小组的建议，采取特别谨慎的态度，因为他们的诊断结论是令人信服的，充分考虑了刘易斯本人的利益。他也应该认真而客观地对他的决定加以分析，不要被他人期望的压力所左右，更不要凭自己想打球的热情去行事。

同样，你为了达到目的地，要使用行车图作指导，你的信仰体系构成了用来指导你决策的"行车图"。如果你大脑的"行车图"非常正确，那么，它将会给你提供可靠的指导，帮助你明辨是非，作出明智的决定。如果你的大脑"行车图"有问题，那么，就有可能出现不幸的结局，甚至是灾难性的后果。在我们上述谈到的莱吉·刘易斯的案例中，他使用的"行车图"就有致命的错误，结局当然就是悲剧性的。

幸运的是，我们多数人的"行车图"虽然有错误，但却没有导致莱吉·刘易斯那样的悲惨结果，尽管在你的生活中可能有很多次你认为难以避免悲剧的发生。作为一个批判的思考者，当这样的"侥幸避免"出现时，你应该保持清醒的头脑，问自己这样一个问题："我如何能为我自己创造一张较准确的'行车图'呢？"

请考虑这样一个有争议的问题：50 岁以下的妇女是否应该每年去做一次乳房检查，以便及早知道是否患有乳腺癌。据研究显示，50 岁以上的妇女作乳房检查无疑是有益处的——死于乳腺癌的可能性减少了 30%——但是，对 50 岁以下的妇女究竟有什么好处则没有明确的答案。为了解决这个问题，国家健康研究院专门成立了一个专家小组。1997 年 1 月他们提交了他们的研究报告，报告认为没有足够的证据表明 50 岁以下的妇女应该每年作乳房检查。他们建议说，50 岁以下的妇女应该"自己权衡检查的利弊，在此基础上决定该怎么做。"这个结论立即引起了同行其他专家的抗议，其中包括美国癌症学会和一些著名的放射学家。那么，妇女究竟应该听谁的呢？

我们如何对类似这样复杂的问题作出解答呢？我们需要掌握能使我们独立判断和得出正确结论的思考工具和策略。我们不能简单地听专家们的意见，因为他们的意见常常互相冲突，受其自身偏见的影响。

我们现在的确可以得到很多的数据，生活是复杂的，它要求我们掌握正确的思考方法，对这一点有清醒的认识非常重要。但是，如果我们有分析地接受专家的建议，那么，我们应该做什么？我们如何决定相信什么？

在此有一种能培养正确信仰体系的方法，你可用它来指导你越过变化莫测的生活急流。为了在生活的每个方面都形成正确和明智的看法，你需要培养并运用批判思考的技能。

2

检查一下你的思考能力如何

◆我们常常有落伍感，不能合理地运用在复杂
的 社会环境中取得成功所需要的思考能力。

我是一个有见识、强有力和有自信的批判的思考者。我不是
一个像我想像的那样 强有力的思考者。

$$\xleftarrow{\quad 5 \qquad 4 \qquad 3 \qquad 2 \qquad 1 \qquad 0 \quad}$$

你如何评价你自己在这个标尺上的位置？如果你的评价较偏
向右边，那么，你并不是少数。之所以这样说是因为，我们生活
在一个复杂的、具有挑战性的世界里，这个世界对于人在知识上
有很高的要求。每天我们都要解决棘手的难题，分析纠缠不清的
问题，过滤浪潮般的信息。我们需要作明智的决定，有良好的人
际关系，清楚、有力地表达我们的观点。我们常常有落伍感，不

能合理地运用在复杂的社会环境中取得成功所需要的思考能力，也就毫不奇怪了。例如，以下是几个每天都在新闻媒体上出现的，我们对之应该能提出正确看法的问题：

克隆人："决不能！"迅速转向"为什么不能？"

自从"多利"羊成为第一只从成体身上提取细胞而克隆的动物以来，几个月来，人们的态度发生了很大的变化。与以前对"勇敢的新世界"

的恐惧相反，科学家们已经对克隆人的想法变得乐观和自信。一些不育中心已经着手对人的卵细胞进行研究，从而为克隆人打好基础。最终，科学家们希望克隆技术能与遗传学的发展结合起来，使人类的基因能有人们所希望的特质。

——《纽约时报》，1997 年 12 月 2 日

阿拉伯裔美国人在机场抗议"搜查"

去年 5 月 24 日，当退伍军人事务局的外科医生汉沙·阿伯斯博士和他的妻子到达机场，准备离家度假时，他们在登机前，被强行推到旁边，进行仔细的搜查，他们成为千千万万的来自中东的美国人的代表。生活在美国的中东人一直抱怨美国政府所制定的，目的是预防恐怖主义的见不得人的和大规模的"搜查"制度。他们认为这种制度导致他们在机场上受到额外的检查，这是不公正的。这种"搜查"在执法的许多方面被经常地使用，这就提出了一个问题，即在一个自由的社会中，如何在保证国家社会安全的同时，又不至于侵犯公民的自由及其他权利。

——《纽约时报》，1997 年 8 月 11 日

培养对这些以及其它问题的正确的看法，对我们的思考能力是一个持续的挑战。在对上述和任何其它的问题进行思考时，我们应该问自己两个重要的问题：

△我对这个问题有什么看法？（你认为应该从事克隆人的研究吗？"搜查"是保证公共安全的合法手段吗？）

△我的看法的证据和理由是什么？（当你对这些（或其他）问题提出自己的看法时，你能用令人信服的理由回答："为什么你会有这样的看法？"这个问题吗？）

实际上，看法很容易获得，但是，要提出有见地的看法则并非一件易事。为了表达对某事的看法，你只是说，"这个，我认为……"或"我觉得……"，对任何一件事，人们并不仅仅想听到这样的表态。提出有见地的看法意味着，你对你所谈论的事情有某些独到的见解：你对这件事情作了一定的研究，对不同的观点进行了分析，对支撑你看法的理由和根据作了评价，在此基础上得出了有说服力的结论。如果有人问你："为什么你认为应该禁止克隆人的研究呢？"你能对此给予明确和详细的解释。

如果你对你周围的人进行观察——在某种程度上也包括你自己——你可能会发现人们的看法有见地的不多，大多雷同，那么你的看法如何呢？当人们说，"我认为……因为……，"之后用有说服力的理由来解释，那么这样的看法就是有见地的，也即当你问别人，"为什么你这样认为"时，他们能给出清楚的分析和解释。相反，当人们只是说"我认为怎样怎样"，而后不能给以有说服力的解释，或不能用令人信服的分析，对"为什么你认为……？"的提问作出回答，那么，这说明他们的看法没有什么新意和见地。

　　除了我们每天遇到的思考挑战之外，还有更深更复杂的问题需要人们去解决。在序篇里，我们已经对苏格拉底"未经审视的生活是没有价值的生活"这句告诫的含义作了探讨。要成为一个批判的思考者，必须从反省开始，对你的思考过程进行审视，对你的"自我"进行深入的研究，回答生活提出的一些"大"问题。批判的思考者对生活抱反省的态度，能自觉地对其生存的意义进行探究。有关的道德问题（什么是道德上该做的善事?）；精神问题（我如何能最大限度地发挥我精神的力量?）；人道主义的问题（我如何能最大限度地发挥我作为人的潜力?）以及其他的许多问题，他们都进行思考。这些都是很重要的问题，但是，它们却被日常生活的需求所淹没。

3

提高思考水平的实用方法

◆最好方法，就是找你熟悉的、可以作为批判
的 思考楷模的人。

从传统的观点来看，当人们说"批判的思考者"时，他们是
指某人对我们复杂的世界有深刻的理解和认识，对重要的观点和
时下的问题有独到的看法，具有敏锐的洞察力和判断力，以及成
熟的思考和语言能力，这些作为一个批判的思考者应具备的素质
历经几千年而依然未有太大的变化。

"批判的"（critical）一词来源于希腊语"Kritikos"，这个词的
意思是提问、探究和分析。通过提问、探究和分析，你对你的思
想和他人的思想进行审视。这些批判的活动有助于我们得出最令
人满意的结论和决定。批评也是一种建设性的力量——帮助我们
对飞速发展的世界有更清醒的理解和认识。当你培养批判的思考
能力时，你需要有建设性的批评力量的参与。

成为一个批判的思考者是我们了解世界的必由之路，它包括一套完整的思考能力和态度体系。具体来说有以下几个方面：

①认真地分析和评价你的信仰以尽可能地树立最正确的信仰。

②从不同的角度分析问题以达到深入的了解。

③用理由和论据来支撑你的看法，得出有见识、有根据的结论。

④对形成和影响我们看世界方式的我们个人的"认识透镜"进行批判的思考。

⑤在新材料的基础上，综合信息得出我们愿意修改的有说服力的结论。

成为一个批判的思考者，树立正确的信仰的最好方法，就是找你熟悉的、可以作为批判的思考楷模的人。在我的个人生活中，我有许多老师，他们通过他们生活的经历告诉我，做一个批判的思考者究竟意味着什么。我认为他们是杰出的批判的思考者，因为他们的思想是如此的有力量，他们在用心作出承诺。他们对生活有美好的憧憬，总是充满着好奇，以海纳百川的开阔胸襟探究他们生命的意义。当他们努力鼓励他人思考时，他们也是精神慷慨的典范。但是，你不必只在大学教室里寻找批判的思考者，在你的周围到处都有这样的人。希腊哲学家苏格拉底是人类有史以来最早的思考者，在他的学生柏拉图记录的《对话》中，他深邃而明晰的思想永垂青史。在他的出生地雅典，作为一位著名的老师，他创建了自己的学院，并在数十年的时间里，教授年轻人如何通过辨证的提问分析重要的问题，这就是名扬后世的

"苏格拉底方法"。在 70 岁高龄时，苏格拉底被当政者认为是一位制造麻烦的危险分子。因为根据他的教诲，学生们对统治者的权威产生了疑问，提出了很多令当政者难堪的问题，对他们的统治造成了极大的威胁。于是，统治者给苏格拉底发出了最后的通牒：或者离开他所毕生生活的城市，永不回来；或者被处以极刑。苏格拉底没有选择离开他热爱的雅典以及他所创造的生活，而是选择了死亡。当着他亲人和朋友的面，苏格拉底平静地喝了一杯毒茶。他坚信离开雅典就会违背理性的道德，而他正是以此为基础建立生活和教授学生的。他宁愿结束生命，也不愿意牺牲他的信仰。临刑前，他说了这样一句话："现在是我们分别的时候，我将死去，你们将活着。只有上帝知道哪一个更好。"

作为成熟的思考者，他们应该具有活跃的、充满活力的思想。一般来说，应具备以下的特性：

△宽容：在讨论中，他们认真听取每一种观点，对每一种观点都给予认真和公平的评价。

△有学识：当他们谈自己的看法时，总是以事实和根据为基础。另一方面，如果他们对某件事还不太了解，他们会承认这一点。

△思维活跃：他们积极主动地运用他们的智力来面对问题，迎接挑战，而不是简单地被动地应付局面。

△好奇：他们对问题喜欢刨根问底，深钻细研，而不是满足于蜻蜓点水。

△独立思考：他们不怕与他人的观点不一致，他们的信仰都经过认真的分析，而不是不加批判地"借鉴"他人的信仰，或简单地随众。

△**善于讨论**：他们能以一种有条理和理智的方式对他人和自己的看法开展讨论，即使大家对某些问题的看法有分歧，他们能认真地听与自己相反的意见，并在深思熟虑的基础上谈自己的看法。

△**有见识**：他们对问题的看法能一语中的，当别人在细节上纠缠时，他们能抓住问题的实质，既见树木，又见森林。

△**自我意识**：他们能意识到自己的偏见，并能在分析问题时，很快自我反省纠正。

△**有创造性**：他们能打破思考的常规，以创新的方式解决问题。

△**热情**：他们对强烈地渴望了解和认识，总是努力把问题搞深搞透。

4

三种人的思考水平及结果

◆第一种人：什么都听别人的；第二种人：莫
衷一是，一筹莫展；第三种人：在各种情形中独
自拿主意。

在不同的阶段，人们的思考和对世界了解的方式都各有特
点，逐渐从简单走向成熟。一个批判的思考者能跨越所有的认识
阶段，达到对认识性质成熟的了解。这个框架以哈佛大学的心理
学家威廉姆·佩里的著作（《大学阶段智力和道德发展的形式：一
项规划》为基础，佩里经过多年的研究，创建了人的思想的一个
发展模式。在此，我想运用佩里的框架中三个阶段的观点：

阶段 1：伊甸园中人

阶段 2：都有理

阶段 3：批判的思考

每个人可能会同时处于不同的阶段，这取决于个人在不同领

域的经历。如，你可能在你生活的某个领域（你的职业生涯）处于较高的阶段，但是，可能在另一个领域（你的恋爱关系或对道德的认识）处于较低的阶段。

第一阶段的人：弱智的亚当夏娃

处于伊甸园思考阶段的人倾向于用黑白两色和对与错看世界。他们如何确定什么是正确的，什么是错误的，他们该相信什么呢？"权威"会告诉他们。就像在《圣经》里描述的伊甸园中的亚当夏娃一样，知识是绝对的和不变的，但是，知识却掌握在权威的手里。芸芸众生从来不能自己决定对错，他们必须依靠专家。如果某人不同意权威告知他们的道理，那么，这个人肯定就是错的，没有妥协和商量的可能性。

那么，谁是权威呢？我们遇到的第一个权威通常是我们的父母。处于这个思考阶段的父母，他们希望孩子能够按他们的要求去做，不要持有异义，不要怀疑。

在阶段1环境中长大的孩子，成人后也通常会成为阶段1的思考者。作为父母、监护人、朋友，他们既独断又教条，他们自以为曾经接受过权威的教诲，因而知道什么是对，什么是错，他们确信与他们不同的任何观点肯定都是错的。任何组织，从武装机构到"管理严密的"公司，都建立在权威主义原则的基础之上，因此，在这些组织中充斥着阶段1的思考者。

处于伊甸园思考阶段的人，当他们逐渐意识到他们不能简单地以权威的是非为是非时，他们就会对这种状况不满。因为实际上，权威们并不是在每个方面都完全一致的，如果权威们互相争论和讨伐，那么，我们到底该信谁的呢？阶段1的思考者们坚持认为，我的权威比你的权威知道得多，试图以此来解决这个矛盾。但是，如果我们希望清楚和正确的思考，这个解释显然不能说服我们。为什么我们相信某个权威而不相信另一个权威，对这个问题我们必须作出解释。一旦发生这种情况，我们就超越了阶段1的思考。就象亚当和夏娃一旦偷吃了"善恶智慧之树"的果实，他们就不会再回到盲目地、不加批判地接受权威的世界中一样，因此，认识到了阶段1过分简单化的弊端，就不可能再返回去了。

为什么有的人能逾越思考阶段1，而有的人却终身陷于这个泥潭不能自拔呢？其中很重要的原因就在于每个人所处的环境的多样性不同。当人们生活在一个由同族占主导地位的环境中，周围的人在思考和认识的方式上都相同时，就较容易出现伊甸园思考阶段中服从权威的现象。

然而，当人们生活在一个充满着差异的环境中时，各种观点随时都在向我们发出挑战，在这种情况下，就不容易出现思考阶段1中对权威唯命是从的现象。

然而，只是简单地给人们提供不同的生活体验并不能保证他们将受到激励，对思考阶段1的局限提出怀疑并超越阶段1的限制。我们需要从感情上乐意去接触新的可能性，并具备从不同的角度看问题的能力。人们常常在感情上迷恋自己的观点，而不愿意对自己观点的正确性提出怀疑，因此，人们感情的力量限制了其潜在的理性思考能力的发挥。此外，许多人不具备思考的灵活性，而这种灵活性则是把他们自己从自身的观点牢笼中解救出来，从不同的角度看问题所必须的。要想成为阶段2的思考者，必须具备两个条件：感情上愿意，认识上宽容。

第二阶段的人：会认为行凶歹徒也有理

一旦人们排斥阶段 1 教条的和独断的框架，阶段 2 就会把人们带到另一个极端，从而认为任何一方都有理。之所以会出现这种情况是因为，如果权威不是一贯正确的，我们不能相信他们的意见和看法，那么，没有哪一个观点最终比另一个观点更好。你有你的观点，我有我的观点，无法确定哪一个更好。在阶段 1，权威能解决这样的纠纷，但是，如果他们的见解不比你我更高明，那么，就不会有合理的解决冲突的方法。

让我们以流行时尚为例加以说明。你可能认为宽松的服饰，配以柔和的色调，自然的发型，淡妆，再佩带几样首饰，这样的打扮最有魅力。而有的人则可能更喜欢黑色的紧身衣，染发，纹身和在身体的某些部位穿孔，认为这样的装扮很美。在思考阶段 2，没有任何方法可用来评价这些或其他的流行时尚的优劣，每种时尚不过是"各自的趣味"罢了。

虽然我们可能倾向于这种似乎很宽容的态度（谁都有理），但实际上，我们通常并不是如此宽容的。我们认为某些装扮比其他的装扮更美，更令人愉悦，但是，思考阶段 2 面临着甚至更严重的威胁。请想象这样一个情境：当你在路上散步时，突然一支枪顶住了你的后背，抢劫者要你交出所有值钱的东西。你挣扎着，与这个可能会行凶的歹徒论理，说他没有占有他人财产的权利。你的看法可能使这位抢劫者作出这样的回答："我认为'我的做法是正确的'，因为我有武器，所以我有权利得到你的财物。你有你的信仰，我有我的信仰，作为一个阶段 2 的思考者，你无法证明我是错的！"这不是很荒谬吗？然而，这却是由"谁都有理"阶段看问题的方式所必然推出的逻辑结论。

　　如果我们确实这样看问题，那么，我们就不会去谴责任何的信仰或行动，不论它们怎样的可恶和凶残；同样，我们也不会去赞扬任何的信仰或行动，不论它们是怎样的值得赞美。

　　当我们对问题作了全方位的思考后，很显然，阶段2"谁都有理"的思考方式有很大的弊端，因为它得出的结论很荒谬，我们认为信仰有好坏和优劣之分，而"都有理"却与我们的这个认识截然相反。因此，虽然阶段2与阶段相比，在成熟和复杂的程度方面稍有长进，但对于一个有见识和有洞察力的人来说，阶段2必须要向前发展，进入阶段3。

　　第三阶段的人：明智的思考

　　在阶段3：批判的思考中，可以找到阶段1和阶段2这两种相反观点的综合。当人们达到了这个认识和理解层次后，他们就会意识到不同的观点有好坏和优劣之分，之所以如此，并不是因为权威怎么看，而是因为支撑不同观点的理由是否充分，有说服力。与此同时，处于阶段3的人对他人的观点，特别是与自己不同的观点抱着宽容的态度。他们认识到对一些复杂的问题通常都会有几种合理的看法，他们只接受在一定程度上能令人信服、论据充分的观点。

　　请思考一个较复杂的问题：堕胎。处于阶段3的思考者对待这个问题与对待其它的问题一样，他们先了解对这个问题的不同看法，对这些看法提出的理由进行评价，然后在此基础上提出自己独到的见解。如果有人问他为什么会这样看问题时，他会给出合理的解释，但同时他也尊重有合理根据的不同的观点，即使他认为他的观点更有说服力。此外，阶段3的思考者具有开放性的思维，他们乐意吸纳他们认为合理的新论据，并修正自己的观点。

阶段 3 的思考者认为世界是复杂的，不断发展的，充满着分歧。如果我们想了解它，想作出明智的决定，我们的思想就必须深邃、开阔、灵活。

不过，处于"批判的思考"阶段的人，虽然能对不同的观点持宽容的态度，但是，他们也信守自己的观点，对自己提出的论据和理由充满自信。批判的思考者除了有自己很明确的观点外，他们也十分乐意听取与自己不同或截然相反的看法，因为他们知道只有这样做，才能获得最清楚、最有根据、最有见识的思想和观点。他们也知道随着他们认识的深入，他们的观点也可能会发生一些变化。

做一个阶段 3 的思考者，的确是值得每个人去为之努力的目标。我们要想过一种实干、反省、开阔、有目的、有成就感的生活，光付诸努力还不够，还必须全面地培养我们的认识能力和积极的人格品质。

5

成功的根源在于确立坚实的信仰

◆批判的思考者已经学会如何确立坚定而有根据 的信仰，这也是他们为什么能在生活中取得成功的重要原因。随着你成为一个较成功的思考 者，你就会确立能提高你的生活质量的信仰。

要达到阶段 3，做一个批判的思考者，起点是对你的形成信仰的过程和认识世界的过程进行一番检讨。你的某些信仰很深刻，有很深的内涵，如你对上帝的信仰（或不信仰），或你对《基督教·新约》的"待人规则"——你想人家怎样待你，你也要怎样待人——是否应成为指导人们行为的准则的看法。而另外一些信仰则不够深刻，如补充维生素是否能改善你的健康，或让学生穿校服是否有好处。你全部的信仰构成了你的生活哲学，是指引你生命航程的灯塔。你的生活哲学和有坚实基础的自信心既反映在你行为的细微之处，也反映在你行为大的方面。

批判的思考者已经学会如何确立坚定而有根据的信仰，这也是他们为什么能在生活中取得成功的重要原因。随着你成为一个较成功的思考者，你就会确立能提高你的生活质量的信仰，你对你所确立的信仰有着明确的认识，能给予深思熟虑的表述，并有着坚实的基础。确立信仰是形成你正确的人生哲学，描绘一幅展示给世界令人骄傲和满意的画像的开始。

每个人都有一套用来指导其行动的信仰，所不同的是每个人的信仰有正确和错误之分，支撑其信仰的理由和根据有强弱之别。作为一个批判的思考者，你应该尽可能地通过深思熟虑的思考和分析的过程确立正确的信仰。例如，请对下面我以前的一个学生表达的信仰进行思考。他是如何形成和调整他的信仰的？你认为他得出了一个合理的结论了吗？你同意他的信仰吗？为什么同意？为什么不同意？

6

清理你的信仰是提升能力的第一步

◆测试你的信仰是否有力量和准确的最有效方法，是对支撑你的信仰的根据进行检讨。

你对这些问题和其它问题的看法，毫无疑问可以追溯到你的家庭，特别是你的父母。当我们成人以后，我们的思想则受个人的生活经历以及他人的影响，也特别容易被新闻媒体所左右。

随着我们生活阅历的增加，我们的思想和思考能力渐趋成熟。我们不是简单地接受他人的观点，而是逐渐地具备了对他人的观点进行审视，并确认这种观点是否对我们有意义，以及我们是否应该接受它的能力。经过对各种观点的思考，我们在作决定时，应该问自己这样一个问题：我得出的结论有充足的理由和根据吗？如果有充足的理由，我们就可以决定采纳这些观点。如果它们经不起推敲，我们就应对其进行修改或摈弃。经常使用这个方法就能使我们从思考阶段 1 发展到阶段 2，最终达到阶段

3——批判的思考。

　　当然，我们并不总能做到对我们自己的思想或他人的思想作如此认真的审视。实际上，我们常常相信与我们一致的观点，而不去考虑其中的对与错。有时我们也盲目地排斥从小就灌输给我们的思想，而不认真地想为什么。此外，随着我们一天天地成长，我们通常会不加分析地相信某些说法。以下是一些盲目听信别人，缺乏深思熟虑的信仰的例子：

　　　　△通过读书我知道经济正处于过热的危险之中，联邦委员会因而准备提高利率。我完全同意，但不要问我为什么。

　　　　△我听说他是一个口是心非的人，因此，我不信任他。

　　　　△昨天晚上的新闻节目，播发了一条抗议削减社会服务机构预算的消息，从画面上和记者的报道中清楚地说明，抗议者主要是一些爱闹事的人。

　　　　△有一本引起争议的关于种族问题的书，我读了一些关于它的评论，我认为这些评论者是在胡说八道。

　　你怎么知道你是经过自己的审视接受某一观点，而不是简单地从他人那里挪用来的呢？你在何种程度上，感到你的信仰是被你的父母或被你生活中其他有影响的人灌输的？实际上，有时很难理清楚在我们信仰的大厦中，哪块砖来自他人，哪块砖来自我们自己。关键是无论你的信仰历史如何，现在是到了描绘你自己独特的肖像，并决定哪种颜料和形式能反映你的特质的时候了。对你的观点进行思考就可以清楚地表明，你为什么会信仰它们——是什么理由使你得出了这些结论。

批判的思考者要通过运用理性的标准，不断地对他们的信仰进行评价，以确定其信仰的力量和准确性。不进行批判思考的人通常不加分析和评价地相信他人的信仰，而不管这些信仰是多么的不合逻辑和肤浅。

测试你的信仰是否有力量和准确的最有效的方法，是对支撑你的信仰的根据进行检讨。概括地说，共有 4 类根据：权威、书面的参考、真实的证据和个人的经验。

并非所有的证据都同样的有说服力和准确性。这里有一个很明显的例子：在 15 世纪之前，人们普遍认为地球是扁平的，这个信仰有以下的论据支撑：

△**权威观点**：教育和宗教的权威教导人们地球是扁平的。

△**书面的参考**：科学家书面的观点支持地球是扁平的这个信仰。

△**真实的证据**：没有人曾经环地球航行过。

△**个人的经验**：站在高处看，地球的确是扁平的。

因此，我们可以看到，运用这个结构对我们的信仰进行检查的能力，并不能保证得出正确的结论、或一贯正确的信仰。对根据的有力与否与准确性进行检查要涉及许多方面，我们在本章和以后的章节里将要对这些方面进行研究。以下是批判的思考者在检查根据时，要考虑的几个基本的问题。

△**权威人物**：权威人物在这个领域是有见识的吗？他们是可信赖的吗？他们是否曾经提供了不准确的信息？其他的权威人物反对吗？

△**书面的参考**：作者的凭证是什么？有没有不同意他们观点的人？作者的观点是以什么样的根据为基础的？

△**真实的证据**：证据的来源和基础是什么？能从不同的角度对证据加以说明吗？证据能支撑其结论吗？

△**个人的经验**：获得经验的条件是什么？在认识中，可能有曲解和错误吗？其他人有相似的或不一致的经验吗？对你的经验还有其他的解释吗？

你现在从这些和将来的经验中所学习的东西，是解决各种问题的方法，它不同于你以前所学的方法。认识到把握这些理性标准的需要，这种思考方式实际上就会成为一种习惯。

◆**训练题：**

从正反两个方面看问题

△写出一个你认为最有说服力的信念，并给出使你确立这个信念的理由和根据。

△接下来，写出一个与你的信念相反的观点，并给出几个可能导致他人确立这个信念的理由和根据。

△运用"思考者检查信仰根据的方法"，对问题两个方面的根据进行检查。

7

宽容和倾听使你更精明

◆固执地肯定一切是很愚蠢可笑的。你要努力
地创造自己成功的生活，就应学会考虑兼顾他人
的利益。

做完了这个思考活动的练习后，你可能发现，给与你一致的信仰找根据比较容易，而要捍卫与你相反或你不同意的信仰则十分困难。这是因为我们一般不注意相反的观点，而是把注意力全部放在自己的信仰和支撑信仰的理由上。当我们卷入到与持相反观点人的争论中时，我们的目的一般来说，也是想证明自己是对的，而别人是错的，而不是为了增加我们对问题所有方面的了解和认识。

对新观点和不同的看法要做到宽容，就意味着要有很大的灵活性，随时根据新的信息或更合理的认识来改变或修正你的观点和认识。我们每个人都有支持相似的信仰的倾向，然而，如果我

们要继续成为一个思考者，当有足够的证据表明我们的观点不正确时，我们就必须积极地予以改正或修正。

　　实际上，我们每个人随着年龄的增长，都或多或少有一些偏见，其中，最明显的偏见是对与自己意见不同的人感到害怕和怀疑。然而，随着我们的成熟和经验的增多，我们可能会发现，我们的体验与从小我们所接受的观点恰恰相反。作为批判的思考者，我们必须宽容地对待和接受新的证据，并以此为基础适时地改变和修正我们的观点和认识。这意味着要有怀疑的勇气，正如伏尔泰所说的，怀疑比固执地相信一种错误的定论要好得多；"只有庸人才对什么事情都肯定；怀疑不是一种令人愉快的状态，但是，固执地肯定一切是很愚蠢可笑的。"

　　通过努力把自己与别人对换位置，做到换位思考，你会养成人类的一个重要的美德：移情。移情是构成批判的思考的一个关键因素，是许多世界性宗教的重要组成部分，体现在象《圣经·新约》的"待人规则"的道德信条之中。对一个批判的思考者来说，决定做一件道德上的善事，需要你在思想上和情感上把自己放在他人的位置上，这样他们或许会被你的行动感化，从而使你的决定既符合他人的利益，也符合你的利益。这样做并不意味着，要你放弃自己的观点，或牺牲你自己的利益，而是意味着你要努力地创造自己成功的生活，就应学会考虑兼顾他人的利益。

8

人生的失误常来自
"透镜效应"的偏差

◆你需要认识你自己透镜的实质，以帮助你消
除它们可能会导致的偏见或曲解。

你在与他人多次的讨论中会发现，你对世界有自己独特的看
法。你的看法是怎么产生的呢？是你过去的经验和你独特的人格
所致。你成长过程中经历的点点滴滴都会凝聚在一起，形成你独
特的观察和体验世界的"透镜"。你的透镜会对你的认识、信仰
和行动产生影响。问题在于我们中的多数人似乎忘记了，我们是
通过我们自己独特的透镜观察世界的，相反，我们认为我们正在
清楚而客观地体验着世界。这也就是为什么我们会与他人有如此
多分歧的主要原因，我们认为我们正在对有争议的问题进行讨
论，而实际上在许多问题上，我们只不过是用我们的认识透镜来
表述不同和差异而已。

作为一个批判的思考者，你需要认识你自己透镜的实质，以

帮助你消除它们可能会导致的偏见或曲解。你也需要认识他人的透镜，只有如此，你才能更好地了解为什么他人对问题的看法与你不同。我们戴着有色眼镜观察我们周围的人和事，按我们的感觉和思想去衡量他们。虽然我们可能在大的原则问题上与他人趋同，但是，我们并不会完全抛弃我们自己已经形成的思考方式。在绝大多数情况下，我们"戴着有色眼镜看世界"和"先人为主"的做法是无意识的——我们以为我们看到的"色彩"是对世界精确的反映。

你能改正你认识上的错误、曲解和片面性的惟一办法，是对你通常藉此了解世界的无意识过程有一个全面的认识。一旦做到了这一点，你就能对所发生的事情进行批判的思考，然后改正你的错误和曲解，对世界有一个明确和深刻的理解。

认识是一个有规律的活动过程，如果你对它的活动过程的规律和你在其中所起的作用一无所知，那么，你就不能对它进行控制。在这种情况下，你就无法对世界形成正确的认识，无法纠正你的错误和曲解。

下面是来自你的"思想工具包"里的思考工具，你可以用它们纠正你的认识偏差：

　　　　　△提几个有关你的理解和认识方面的问题：

　　我的认识准确和全面吗？其他人对这件事有什么看法？提出这些不同观点的根据是什么？

　　　　△要意识到你的透镜带给你的认识的个人因素。

　　　　△与他人讨论你的看法。

△找出有关你的认识的独立的根据。

我们每个人在面对周围的世界和环境时，都会表现出期望、兴趣和恐惧，这些心理对我们的认识有很大的影响。请考虑下列的情境：

> △在工作中，你的上司要求你对你同事的工作表现给予评价，因为领导正考虑提升这位同事。你打心眼里不喜欢这个人，因为他傲慢、自私。在这种情况下，你该怎么评价他的工作？
> △你的孩子在学校没有被教练放在初级队里，你怎么看待教练的这个决定？

在这两个案例中，你可以想象你的认识可能受某些你在这些情况下所具有的希望、恐惧或偏见的影响，从而导致你的认识和观点不准确或被曲解。虽然你通常不能消除影响你认识上的个人感情和偏见，但是，你能意识到它们的存在，并努力地纠正它。例如，如果让你对一群人进行评价，其中有一个人是你的朋友，你应该尽量克制你的个人感情，以使你的评价尽可能地准确。

你首先要做的第一件事就是努力发现任何有关某种观点的独立的证据或根据，你获得的证据可能是录音、照片、录像带，或是实验结果，这些证据肯定能帮助你，对你认识的准确性进行评价。例如，在要求你对你不喜欢的同事给予评价的情况下，你应该找一些独立的证据，以此来证实你的观点。你找的证据应该包括：

△过去对此人工作的评价：

△准备一张有序的评价表，然后尽可能准确客观地填好这张表；△列出几个客观的问题，然后用你的问题作为指导，征求其他同事对此人的看法和意见；△详细地写出你为什么不喜欢他的理由，然后把重点放在与他的工作有关的方面。

9

澄清信仰，对于你的
未来事关重大

◆你的信仰越准确，你越能更好地理解和认识
世界所发生的变化，越能对未来的发展进行正确
的预测。

你在生活中确立的信仰，有助于你对世界的本来面目作出解
释，它们也会指导你作出决策。但是，并不是所有的信仰都具有
同样的作用。因为有的信仰是有很充分的理由的，因而它们是确
凿可靠的（如："我认为将来的某一天我会死"）。而有的信仰缺
乏有力的根据，因而并不可信（如："我认为在其他的星球上有
生命存在"）。当你基于自己的经验和对经验的认识形成信仰并对
信仰进行修正时，尽可能做到使你的信仰准确无误是很重要的。
越能你的信仰越准确，你越能更好地理解和认识世界所发生的变
化，对未来的发展进行正确的预测。

你所形成的信仰在准确性方面有很大的不同，"认识"是人类发展的一种方法，可用来对有很强说服力和根据的信仰及说服力和根据不充分的信仰加以区分，其它的信仰就根本没有根据，只能导致错误的结论（如认为地球是扁平的）。"信仰"和"认识"之间的区分通过用"知道"一词来代替"相信"一词加以说明。例如：

1．我知道我终有一死。

2．我知道在其他的星球上有生命存在。

3．我知道努力工作会使我过上幸福的生活。

4．我知道地球是扁平的。

在这 4 个陈述句子中，大多数人都认为，使用"知道"一词很清楚地说明问题的惟——个陈述句是第一句，因为有确凿的证据表明这个信仰是准确的。对第二个陈述句，我们可能会说，虽然在其他的星球上可能存在着生命，但目前似乎还没有足够的证据证实这个信仰（尽管有《x 档案》的电视剧）。对第三个陈述句，我们可能会说虽然对某些人而言，努力工作会导致幸福的生活，但这并没有普遍性。第四个句子表达了一个我们"知道"是不真实的信仰。

◆训练题：

对你的信仰的准确性进行检讨

对下面所列出的信仰，你认为哪些是完全准确的（"我知道这是事实"）；哪些是不太准确的（"通常是这样，但不总是这样"）；哪些肯定是不准确的（"我知道这不是事实"）。

用这个方式确定了每个信仰的准确性后，对你为什么选择这种答案作出解释。

△我相信"命运"在决定生活所发生的事件中起着重要的作用。

△我相信你的性格主要是从你父母身上遗传下来的。

△我相信你的星座决定你的部分基本性格。

△我相信人们有改变他们自己和环境的自由，如果他们确实愿意这样做的话。

现在，把你对下列问题的某些最重要的信仰写下来，并用同样的方式对它们进行评价：

△关于爱情

△关于身体健康

△关于幸福

△关于人生怎样发展

当某人说"我知道"以表明他相信一个信仰是完全准确时，你的反应通常会是"你怎么知道?"如果这个人对这个问题不能给你一个满意的回答，你可能就会这样说："如果你不能解释你是如何知道的，那你就是真的不知道——你只是说说而已"。换句话说，当你说"你知道"某事时，你说的话至少包含着以下两个不同的含义。

1．我认为这个信仰是完全准确的。

2．我能给你提供这个信仰的理由或根据。

如果你做不到其中的任何一点，我们就会说你的确不"知道"。通过对信仰的理由和根据（既众所周知的信仰的正当理由）进行考察，我们可以对我们信仰的准确性作出评价。你的信仰可以被看成是，在其准确性和正当理由的基础上形成的一个统一体。随着你对世界和你自己有更多的了解，你就会努力地确立更加准确和正当的信仰。

对你的信仰的准确性和正当性进行确定，是一件颇具挑战性的工作。关键之点在于，作为一个批判的思考者，你应该不断努力形成信仰并对其进行修正，这样你才能更好地了解和认识世界。即使当你发现你长期以来具有某种确定的信仰时，你也应该不断地研究和探索，以对你的信仰达到更加深入和全面的认识。

在对你的信仰进行评价时，使用下面"思考者检查信仰的方法"总结出来的几个标准，来检查你的信仰的真实性究竟如何，是很有帮助的。

△你的信仰对所发生的事情所作解释的有效性如何？

△在什么程度上，你的信仰与他人对世界的信仰一致？

△你的信仰帮助你预测未来的有效性如何？

△在什么程度上，你的信仰有坚实的理由和令人信服的根据作支撑？

10

思考能力测验

下面所叙述的内容是与批判的思考相联系的主要思考能力和个人品质，请对你在每一项能力和品质中所处的地位进行评价，并运用这个自我评价来指导你努力成为一个批判的思考者。

你把批判的思考放在优先地位了吗？

批判的思考在我生活的所有方面都是非常重要的。在我的生活中，批判的思考并不是如此重要。

$$5 \quad\quad 4 \quad\quad 3 \quad\quad 2 \quad\quad 1 \quad\quad\quad 0$$

成为一个较有力的、较成熟的批判的思考者，始自于你想做一个这样的人的决心。

方略：在本章的前面，完成了你的"批判的思考者"的形象设计后，要定期对自我设计的形象进行考察，这样，你就可以制定思考目标，并对你的进步进行评价。做一个批判的思考者是一个长期的过程，它要求有明确的目标，不懈的努力，以及不断的自我检讨。

你在生活中处处都做了阶段 3 的思考者吗？

我在生活的大多数领域，是一个阶段 3 的思考者。我在生活的大多数方面，是一个阶段 1 或阶段 2 的思考者。

```
5        4        3        2        1        0
```

本章介绍的"认识的三个阶段"，对评价你作为一个批判的思考者的全面进展是一个极有用的工具。阶段 3，即批判的思考，代表了最高层次的认识水平，因为人们意识到观点有好坏之分，他们有责任通过自己的思考确立正确的信仰。

方略：一旦你意识到你自己有责任增进对世界的了解和认识，你就会在改进思考方面取得较大的进展。要养成对不同的观点进行考察，批判地评价信仰得以存在的理由，提出你自己有根据的结论和善于吸纳新的观点的习惯。

你确立了有根据的信仰吗？

我努力确立尽可能有根据的信仰。

我没有认真地对我许多的信仰进行审视。

```
5        4        3        2        1        0
```

一个批判的思考者的信仰会形成前后一致的人生哲学，这个哲学是一个充满活力的系统，其中，所有的信仰都有机地联系在一起。由于他们的信仰是认真思考和反省的结果，因而批判的思考者能够对他们的观点给予合理的解释，他们也乐于与自己观点相反的人进行富有成效的讨论。

方略：养成批判地审视你的信仰的习惯，即：我信仰什么和

我为什么信仰？这些信仰来自哪里？确立这些信仰的根据是什么？我没有考虑到的其他观点是什么？我的信仰互相一致吗？如果不是，为什么？

你用充分的理由和有说服力的根据 来支撑你的信仰吗？

我总是努力使我的信仰建立在有说服力的理由和根据的基础上。我通常只是毫无根据地认可 我的信仰。

$$5 \qquad 4 \qquad 3 \qquad 2 \qquad 1 \qquad 0$$

批判的思考者意识到只有信仰还远远不够，必须使你的信仰建立在坚实的理由和根据的基础上。

方略： 每次当你说"我相信……"或"我认为……"时，要有意识地养成解释你为什么会这样或那样认为的习惯。同样，当他人提出他们的看法时，要问他们："为什么你会这样认为？"这样做有助于提高他们批判的思考能力，也有助于提高你的批判的思考能力。运用前述"思考者检查信仰根据的方法"来指导你的思考。

你是个宽容的人吗？

我非常宽容，能从不同的角度看问题。我主要是站在我自己的立场上看问题，我很武断。

$$5 \qquad 4 \qquad 3 \qquad 2 \qquad 1 \qquad 0$$

批判的思考者总是能不囿于自己的观点，做到从不同的角度看问题，特别是能做到站在与自己不同观点的人的立场上来分析问题。这种宽容的态度有助于你确立最有力的信仰和形成最广博的认识，对你建立与他人积极的合作关系也是很有益处的。

　　方略：找出与你的观点不同的观点，特别是那些不同意你的人的观点。以宽容和尊重的态度去听他人提出的论点，在考虑所有观点的基础上，努力地得出有见地的结论。

你反省过你的个人"透镜"吗？

　　我对我的个人"透镜"如何形成和影响我的经验有深刻的认识。我通常认为我看待事物的方式就是事物本来活动的方式。

$$\overset{\longleftarrow}{\underset{5\qquad 4\qquad 3\qquad 2\qquad 1\qquad 0}{\rule{10cm}{0.4pt}}}$$

　　我们所有的人都是通过"透镜"来看待世界的，"透镜"影响我们如何体验世界，如何处理信息，以及如何作决策。批判的思考者能努力做到，对他们自己的个人"透镜"以及他人的"透镜"有更深的认识和了解，这样，他们就能理解人们所思所想的意义，并发现"真理"。

　　方略：通过养成向自己提问的习惯来认识你的"透镜"：我的认识是准确和完善的吗？我的偏见是如何影响我的观点和认识的？有没有其它的、我没有认识到的看待这个事物的方法？哪种看待事物的方法最好？前述"思考者澄清认识的方法"可以为你提供一个有用的指导。

你对信息的准确性和来源的可靠性进行检查吗？

　　我对我接受的信息和提供信息的来源要进行认真的评价。我通常不加批判的分析就盲目地 相信我看到和听到的信息。

```
  5        4        3        2        1        0
←————————————————————————————————————————————
```

正确的信仰是建立在积极的调查和批判的评价的基础之上的，作为一个批判的思考者，你的责任就是认真地分析每一种观点，对信息的准确性和其来源的可靠性进行评价，每一种观点都不可避免地会有偏见，对次要多加思考，然后得出你自己有见地的结论。

方略：当你对信息的有效性和可能的信仰进行检查时，请按前述"思考者检查信仰的方法"中所包括的问题。

描绘一下你作为思考者的样子？

我是一个有见识的、自信的批判的思考者。我不是一个象我所想象的那样有见地的思考者。

```
  5        4        3        2        1        0
←————————————————————————————————————————————
```

本章给你提供了机会，来详细地设计一个批判的思考者的形象，当你想方设法提高你的认识和洞察能力时，这个形象可以作为你的范例。

方略：请在一张你很容易查阅的索引卡上，设计你的批判思考者的形象，提出你想具备的独特的品质。定期把你自己和你设计的形象进行对比，记下你所取得的每一点进步，以及需要引起注意的地方。

11

得分指导

把你在上述每一项自我评价项目上给自己打的分加起来，并运用下面的"得分指导"对你批判的思考能力进行评价。

总分	说明
32—40	非常有批判性
24—31	比较有批判性
16—23	有一定的批判性
8—15	没有批判性

在对你的结果进行说明时，请记住：

△这个评价并不是对你批判的思考能力的一个准确的衡量，而是作为一个衡量你如何批判地对待你的生活的一般显示器。

△你的分数表明目前你在批判的思考方面做得如何，而不表明你潜在的批判的思考能力。如果你的得分比你预期的要低，那就说明你没有充分地发挥出你的思考能力，你需要按照本章的建议，使你的潜能得到充分的发挥。

◆**训练题：**

做一个批判的思考者

选择几个生活领域，在你的"思考笔记本"上详细地把你所付出的提高思想能力的努力和结果记录下来。请记住：要给自己足够的时间来培养这些复杂的能力和态度，如果你没有立即取得成功，或受到了挫折，不要灰心泄气。要培养自己在本章所探讨的批判地思考的品质：

△把批判的思考放在优先的地位。

△在生活的每个方面都做阶段 3 的思考者。

△确立有根据的信仰。

△用充分的理由和有说服力的根据支撑你的信仰。

△努力做到宽容。

△要认识你个人的"透镜"。

△对信息的准确性和信息来源的可靠性进行检查。

△描绘你作为批判的思考者的肖像。

第二章

创新能力训练

　　先哲笛兰说："你最好开始游泳，否则就会下沉——时代在变。"创新是应变世事改变人生的惟一出路。

创造性是一种强大的生命力，它能给你的生活注入活力，赋予你生活以意义。

本章将帮助你发现创造的才能，创造性的发挥与批判的思考密不可分，两者共同作用会使你的生活有成就感，不虚度人生。创造性还将引导你克服习惯的惰性、现实的重压和从众的压力，从而激发你的创新精神和你的创造天性。

通过学会用发现和发明的眼光看待你的生活，你就能发挥想像力不断地进行创新。

1

创新能力是你命运转变的惟一希望

◆你的生活不应该平淡无奇，色彩灰暗。你运
用 这两种思考的方式，就能创造色彩斑斓和充满
活力的生活。展现在你面前的是前所未有的机 遇。

下面的情景我们大家毫无疑问都不会感到陌生：你与 他人
正处于对某个问题的激烈争论中——或是在你工作的 单位，或
是在你孩子就读的学校——正试图解决一个复杂 的、带有感情
色彩的问题。短暂的讨论和越来越大的分歧 只是增加了讨论的
一点气氛，但却没有谁能提出有启发性 的看法，找到一个妥善
的解决问题的办法。就在讨论即将 结束时，突然，就象有一盏
灯照亮了人们纷乱思绪的夜 空，有个人语出惊人，提出了一个
完全不同的想法，一个 极富创造性的建议，它虽简明但却极为
深刻，人们被这个 非凡的想法所折服，纷纷赞叹这是一个有真
知灼见的解决 方案。你环顾屋子的四周，迫切地想知道这个给
人深刻印 象的人究竟是谁，你猜测其他人肯定也在这样做。"这

个人是谁？哇，我也想象他那样有创造性！"这时，你发现了一个角色榜样……一个你想与之交往的人，一个你也想效仿的人。有的人对这样深刻的思想感到有点惊惧，而更多的人则受到鼓舞和激励。这是创造性在行动中显示的力量，是我们大家都具备但很少有人能发挥和使用的潜在的思考力量。

为了确立你的生活哲学，建立一个可用来指导你作决策和解决问题的思考框架，你不仅要做一个批判的思考者，而且要做一个有创造性的思考者。创造性的思考过程能产生独特的和有价值的思想，而批判的思考过程可用来对思想的价值进行评价，并制定计划加以实施。因此，创造性的思考和批判的思考携手合作，能使思考更加有效，使你的生活取得成功。创造性的生活意味着，要把你创造性的才能和批判思考的能力，带到你生活的所有方面，就像下面两段话说的：

　　　　把孩子抚育好，从身心两个方面来说，都是一项具有挑战性的工作，要求有极大的创造性。

　　　　作为一个单亲父母，我尝试了不同的方法鼓励我的孩子，使她用全新方式投入到她早期的学习阶段。例如，一年365天在她学习的背后都有一段故事，为了促进她的学习，我用讲故事的方式对她学习的内容加以解释。我与她一起做游戏，我扮演女儿，她扮演妈妈，这有助于我了解她是如何看待我这个做母亲的，并给她提供一个表达自己感情的机会。通过让她参与做饭，我想方设法激励她的创造性，如，给她一些蔬菜和一只锅，她能够做出很有风味的汤。用一些卡片，我们把它们剪成家具、地毯和窗帘，然后她把它们粘在纸板上，设计出她自己的内部装潢：充满活力的起居室、卧室、色彩鲜艳的客厅。我们用锡纸制作了漂亮的浴缸船，用空汽水罐玩"滚木球戏"，她越过我们设置的障碍，在"田径项目"中成为明星。创造性是隐藏在我内心的一种天然具有的驱动力，它以多种方式表现在我孩子的面前：我为万圣节的到来做女裁缝，为情绪低落的人作顾问，为在生活中遭遇不测的人做护理，我还是一个聚会的策划者，一个厨师，一个获得过奖励的教师，特别是，我是一个朋友。

　　我生活中最具创造性的一个方面是我的饮食，过去的5年来，我一直是一个素食主义者，而我的家人则始终吃肉。我必须克服许多困难来协调这个矛盾，包括解决家庭纠纷。解决的方法很简单：我必须学会如何有创造性地做饭。我逐渐地意识到，我的饮食是一个不断的学习过程，我Ⅰ陧慢地从一个只会用罐头食品做饭的人，变成一个会做面包和酸乳酪的人。我发现学习有关营养和做健康食品的新知识非常能使人放松，也很有益。我喜欢单独呆在房间烤面包，烤面包的香味使人感到很舒服。比较起来，我最喜欢尝试用不同的方法准备饭菜，因为我能充分发挥我的想象力。即使我的努力没有成功，我也从我的经历所学到的

知识中体会到了快乐。例如，最近我发现把茄子
放到汤里简直糟糕透了！犯错误似乎是一个增加
创造力的自然方法，现在，我相信那些说不喜欢
蔬菜的人，就是由于没有学会怎样在饮食中表现
出创造性。

上述的这两段话说明，创造性的和批判性的思考结合起来，
会在多大的程度上丰富你的生活。你的生活不应该平淡无奇，色
彩灰暗，毫无特色，相反，你运用这两种思考的方式，就能创造
色彩斑斓和充满活力的生活。通过批判的和创造性的思考，你能
用一种全新的态度对待生活，用新的方式来表达你独特的个性。
掌握了这两种强有力的思考方式，你就会以更强的自信去实现崇
高的目标，解决具有挑战性的问题。你会用一个较新的、有活力
的方式看待你的生活，展现在你面前的是以前从未有过的机遇。
在你的某个生活领域，你形成了一个新的思考模式，无论是提出
了一个有创造性的解决棘手问题的办法，还是对复杂的问题形成
了有见地的观点，它会很快转移到你的每一个生活领域，你对待
生活更加自信和有把握。通过从你具体的、每天的生活开始做起
——抚育孩子、做饭、交往、工作尽责——你就能扩展你的生活
空间，从点滴小事折射出你的生活追求。

◆训练题：

想一想你在生活中有创造性的事情

对你的生活中有创造性的事例进行叙述，这些创造性的生活
领域能展示出你独特的人格和才能。所述之事要具体并举例说

明。

　　通过回答下列问题对你生活中创造性的领域进行分析：

　　△你为什么感到在这个领域具有创造性？

　　△对你参与这个创造性活动的经历进行叙述．你创造性的想法从何而来？它们是如何发展的？

　　△你使用什么样的方略促进你的创造性？有哪些障碍阻碍你创造性的发挥？你是怎样努力克服这些障碍的？

2

"桶里的螃蟹"和创新障碍

◆当有的人出类拔萃，与别人不一样时，人们
普遍的心理不是希望他好，而是众人共同出击，
把他拉回到跟自己一样的地步。

虽然我们每个人都有创造性生活的无限潜能，但大多数人只
发挥了他们创造性才能的极小部分。实际上，研究发现人们在孩
提时期最具创造性，而以后人们的创造性就逐渐地衰退，变得没
有想象力，喜欢从众。

随着我们年龄的增长，这一切慢慢地发生了变化。"现实"
的力量在扼杀我们的想象力，我们越来越把注意力放在了生活的
大事上，而忽视了对可能性的关注。社会希望人们从众，与团体
保持一致的压力日益增强，无论这个团体是我们的朋友、家庭、
或是同事，对着装、举止、说话和思想都明显的有规定好的"准
则"。当我们对这些准则有所偏离时，我们就不会被社会接纳，
就会受到他人的嘲笑。大多数团体对喜欢独立地思考和有创造性

的人都无法容忍，例如，想想在你的生活中，当你提出了一个新观点或完成某项艰巨任务的独特的办法时，其他人对你有创造性的想法持否定的态度吗？你敢于背离传统的规范，为此而遭遇了严厉的后果了吗？如果答案是肯定的，有此遭遇的人绝不仅仅只有你。

为什么人们要对他人有创造性的观点会持排斥的态度呢？如果看一看"桶里的螃蟹"这则隐喻就能找到部分答案了。如果你把一只螃蟹放进桶里，它会想办法用一只爪钩住桶的边缘而逃走。然而，如果你把几只螃蟹放进桶里，就没有一只螃蟹能逃走，因为只要一只螃蟹靠近桶边，其它的螃蟹就会一拥而上，把它拉回来。当然，螃蟹并不可能有意识地去阻挠同伴的成功，但是，这种现象似乎很典型地反映了人类的行为。当有的人出类拔萃，与别人不一样时，人们普遍的心理不是希望他好，助他一臂之力，而是众人共同出击，把他拉回到跟自己一样的地步。这种缺乏仁爱的表现，通常来源于人类的嫉妒之心，人们可能会感到他人的成功就会映衬出自己的失败。

历史的发展表明，人们提出新的观点往往要付出沉重的社会代价。在你自己的生活中，当你提出了某些有创造性的观点时，你要做好被否定和被怀疑的准备，因为这种情况在社会中很常见，它是人性中阴暗方面的反映。但是，如果你能坚持你的独创精神，那么，你就会发现你的勇气将得到回报，因为虽然创造性的代价可能有时会很高，但人云亦云，从众的做法所付出的代价会更高。

要认识你的创造性的潜能，还存在着其它的障碍。随着我们年龄的增加，我们也会变得不太愿意去尝试新的东西，因为我们变得越来越怕失败。追求创造性不可避免地就会有失败，因为我们要设法打破常规，冲出已有的固定模式，超越传统的做法。创造性发现的历史充满着失败，而当我们在争论我们是否应该尝试新东西时，这一事实往往被我们忘记了。托马斯·爱迪生拥有上千项的发明专利，他的新奇想法在当时本应有很好的应用前景，但是，却未见有任何结果。然而，他只有很小一部分的发明在社会上取得了成功，从而改变了文明的进程，不过，即使这些成功的发明设想也是历经曲折的。例如，当爱迪生正为发明白炽灯泡而呕心沥血时，一位朋友不解地问他；"你为什么要坚持做这种蠢事？你已经失败了不下九千次了。"爱迪生对他这位朋友的问题感到很惊奇，他回答说；"我还没有失败过一次，我九千次知道了怎样做不行。"

3

生存的出路：让创新欲望冲动起来！

◆你需要让你创造的冲动影响你的思考，你的
思考越有创造性，你的观点和想法就越多，你的
能力就越强，成功的可能性就越大。

◆创造性的行为为你提供了体验新奇的机会，
能 使你坦然面对新的挑战，提高你的应变能力。

在本书的开头，我们提到了苏格拉底具有挑战性的论断：
"未经审视的生活是不值得过的生活"，并对它进行了探讨。两千
多年后，哲学家约翰·斯图尔特·密尔提出了一个有争议的论断，
对苏格拉底的挑战作出了回答。密尔说："做一个不满足的人要
比做一只满足的猪好；做不满足的苏格拉底要比做一个满足的傻
子好。"

对大多数选择了过安逸生活的人而言，他们很难理解还会有
其他的生活道路供他们选择。相比较而言，那些不停地去丰富生
活，探求生活奥秘的人是生活的探险者，他们不愿意过一种有安

全感但却缺乏思考的生活。

我们中的多数人属于这两个极端的中间，每天拼命去满足生活的基本需求，与此同时，我们也尽可能地接触新的知识，尝试新的体验。只不过，在常规和创新之间的战斗，常规往往是胜者。现实的重压，习惯的势力，害怕冒险和失败，社会从众的影响以及他人的期望——所有这一切力量结合在一起，把我们固定在了刻板的行为模式之中，扑灭了我们创造性的火焰。然而，如果我们向这些力量屈服，其后果是不堪设想的。

有一句拉丁格言说："每一个人都是他自己命运的设计师。"你通过你每天作的许多选择创造你自己和你的命运，塑造你的个性，就像一位雕塑家通过一刀一斧，慢慢地使其手里的泥土成为艺术品一样。你每天所作的选择要受你的思想的指导，为了把这些思想变成活生生的、有创造性的观点和想法，你需要让你创造的冲动影响你的思考，自由地让这些有创见的观点在天空翱翔。你的思考越有创造性，你的观点和想法就越多，你的能力就越强，成功的可能性就越大。

实际上，过苏格拉底式的反省和有创造性的生活，能给你提供更多的取得成功的机会，而不是表面的满足。创造性能给你的身体和灵魂注入需要的活力，使你过一种充实和满意的生活。创造性的思考是有见识、直觉、内在的力量、启发和想象力的源泉，创造性的行为为你提供了体验新奇的机会，使你重新确定你生活的意义。不断地对自己过去的行为进行重新的思考，迈开生活的新步伐，这是一个持续的过程，这样做能使你坦然面对新的挑战，提高你的应变能力。相对于那些喜欢墨守成规的人来说，有创造性和想象力的人能以更强的自信和意志力面对新环境。

　　创造性能以许多不同的方式丰富人们的生活，帮助人们实现自我，达到生活中和谐的平衡。创造性能使我们胸。怀世界，展现自我。心理平衡、和谐，长期以来一直被看作是健康人格的一个标志。从苏格拉底到西格蒙德·弗罗伊德，所有伟大的思想家都始终强调达到个人和谐和平衡的重要性。根据心理学家马斯洛的观点："自我实现包括永远不停地朝着个人内心的统一、一体化或协调的方向努力。"创造性是一种生命力，它能帮助你使你的人格一体化，使你生活的每个方面都达到平衡。

　　创造性是一种生活方式，一种对生活的态度。它不应该被看成是一个偶然的现象，终生只会显露一次。相反，我们应该把创造性看成是人的天性中不可分割的组成部分，是可以通过培养而获得，并终生有用的才能。我们为什么要创造呢？或许它是想深究自我内心，向世界大声说："我在！"，"我存在！""我是独一无二的！"从而表露真实的自我的一种欲望和冲动。

　　创造性是征服世界的基础，你需要有创造能力！我们生活的世界变得日趋复杂，节奏加快，生存和发展的最好方法就是善于适应它快速的变化。虽然赫拉克利特（"一切皆动。"）和鲍伯·笛兰（"你最好开始游泳，否则你就会像一块石头沉下去/时代在变"）生活在三千年前，但他们两人均阐述了这个基本的思想。创造性能帮助你过不断创新的生活，当你朝着未来迈进时，能摆脱固定的常规，而不至于沉湎于过去而不能自拔。你生活的每个方面都能得到改进，创造性为你开启了接触新的可能性的机会，使你能对新的选择有所把握。

　　创造性也是一种疗法，能使你身心放松，帮助你解决问题，避免生活的挫折。在我们每天的生活中，我们不得已而忍受着守时、聆听、按他人的话去行事、从众、要成功等许多方面的压力，这一切足以使你疯狂！创造性允许你躲进你想象的天地之中，把现实生活的一切喧闹声抛在脑后。为了把你自己发展成一个有思想、有见识的人，你需要用一定的时间来清理你自己的思想，即独处。这样做已变得越来越难了，因为我们大多数人生活在一个我们的注意力时时被干扰的世界里。创造性的能力能给你提供一个减低这个喧嚣世界音量的方法，以及专注于你的追求不受外界干预，而静静地倾听你内心独自的机会。

创造性也能丰富人们日常的交往，两个有活力的自我相摩擦，有时能产生出耀眼的思想火花。正是这些互相作用的创造性的火花把我们联结成为一个整体，尽管我们还有差异。在这些创造性的力量面前，人们没有了彼此的防范心理，大家自然地走到了一起。我们应该用自己的创造性发现世界上以前未发现的美，创造以往没有的奇迹。在创造性处于高峰时期，它给我们的生活添加动力，有时会使我们的认识和情感处于一个不合逻辑的世界中。

◆**训练题：**

想象一种较有创造性的生活

根据前面的论述，运用下面的问题作为指导，对你生活的创造性进行评价：

△在什么程度上，你感到你生活和思想的各个方面和谐地结合，表现出了一种创造性的综合？

△在什么程度上，你感到你能用创造性方式

自由地表现你独特的人格，而不受他人的期望和内心的怀疑所左右？

△在什么程度上，你的生活反映了创造性适应的丰富的色彩，而不是呆板和单调的固定的模式和可预见的行动？

△你能经常地把你自己置于创造性的活动中，排除周围的干扰，而静静地聆听来自你创造性的内心的独白吗？

△你能经常地体验与他人创造性的交往，从而激发你的思考，活跃你的情感吗？

思考完这些问题后，运用你的想象力来设想一下你的由于创造性而更加丰富了的生活。你的生活在哪些方面有变化？你取得了哪些成就？你与他人的关系是如何改善的？你的自我认识和对幸福的感受在哪些方面有了提高？

4

培育创新能力的五种方法

◆对创造性的环境进行全面和深入的探讨。

◆开发脑力资源最佳状态。

◆采取措施促使创造性的思想产生。

◆为创造性思想的酝酿成熟留出时间。

◆当创造性的思想一出现就要及时抓住它们，

并进行跟踪。

发现你的创造才能，需要你了解创造过程是如何进行的，在此基础上要相信创造能产生结果。

对于有创造性的观点来说，没有固定的程序或公式，创造性的观点是超越思考的既定方式达到未知和创新的领域。借用古希腊哲学家赫拉克利特的话就是："你必须期望出乎意料的东西，因为它不能靠追求和追踪来发现。"

既然创造性的观点没有固定的模式，那么，我们就能从事一些活动促使创造性的观点诞生。在这个方面，提出创造性的观点与园艺活动很相似。为了料理好你的花圃，你需要准备土壤，种植种子，确保充足的供水、光照和养料，然后耐心地等待有创造性的观点破土而出。以下是培育你创造性园圃的几种方法：

△对创造性的环境进行全面和深入的探讨。
△开发脑力资源最佳状态
△采取措施促使创造性的思想产生。
△为创造性思想的酝酿成熟留出时间。
△当创造性的思想一出现就要及时抓住它们，并进行跟踪。

方法一 青霉素的故事：对创造性的环境进行全面和深入的探讨

创造性的思想不是在真空中产生，而是来自艰苦的工作、学习和实践。例如，如果你想在烹调方面有所创新，你就需要读有关的烹调书，掌握烹调的技艺，尝试新的食谱，光顾大量的餐馆，接受烹调培训。你懂得这方面的知识越多，你就越有可能做出美味的、与众不同的佳肴。同样，如果你正为一项工作绞尽脑汁，想在这个具体的问题上有所建树，那么，你需要全身心地投入到这项工作中，对其关键的问题和环节作深入的了解，也即对这项工作进行批判的思考：研究这个问题，通过与他人讨论来搜集各种各样的观点，思考你自己在这个领域的经验。总之，要认真地研究具体的环境，为你创造性的思想准备"土壤"。

例如，写作对我来说是一件重要的、有创造性的活动，我首先要做的就是投入到我要写的专题之中：查阅大量的资料，做读书笔记，记录我对这个专题的认识，也不放过他人对这个专题的看法。这样，我"做好了思想准备"。这可以说是创造性过程的第一个阶段。

亚历山大·弗莱明发现青霉素的过程，可以说对创造性过程的第一个阶段作了最好的说明。发现青霉素从表面上看来，似乎是一系列偶然的巧合。虽然弗莱明多年来一直试图发现防止细菌传染的方法，但是，直到有一天，他鼻子里的一滴粘液恰巧掉在了一个盘子里，而在这个盘子里，恰巧盛有他一直用来做实验的溶液。这两中液体的混合导致了抗生素的初步产生，但是，它的效力还很弱。7年以后，一只四处游荡的孢子飘进了他开着的窗户，落在了他实验室内盛有相同溶液的盘子里，导致了我们今天熟悉的抗生素，即青霉素的诞生。但这个发现并不是只靠运气：弗莱明为寻找有效的抗生素已经苦苦奋斗了15年，当这些偶然性来临时，他能意识到其重要性，并果断地抓住了它们。另一位著名的创造性的思想家路易斯·巴斯特对这类创造性的突破作了这样的总结；"运气光顾有准备的人。"

方法二　开发脑力资源最佳状态

有了必备的知识作基础，就可以把你的精力投入到你手头的工作上来了。要为你的工作专门腾出一些时间，这样你就能不受干扰，专注于你的工作了。当人们专注于创造性过程的这个阶段时，据说他们一般就完全意识不到发生在他们周围的事，也没有了时间的概念。当你的思维处于这种最理想的状态时，你就会竭尽全力地做好你的工作，挖掘以前尚未开发的脑力资源———种深入的、"大脑处于最佳工作状态"的创造性思考。

在现实生活中，常常有人试图在精力不集中的时候——看电视、听广播、谈话——工作，这样做根本就不能达到工作的目标。大多数人需要全身心的集中，以便在大脑处于高峰工作期时进行工作。晚上和周末，我的家人往往不太安静，这个时候如果我要工作，有时我就会戴上浅橘色的、专为使用链锯的人设计的消音耳套。我的样子看起来一定很奇怪，但是，这个办法能使我"专心致志地工作。"

有益的环境是重要的，为了点燃你创造性思想的火花，还有一个重要的因素是你的思想要时刻做好准备。这也可能就是赫拉克利特说的"期望出乎意料的东西"这句话的含义，以及希腊戏剧家索福克勒斯写"观察，你就能有所发现——不观察，什么东西都不会发现"这句话时，他脑子里想表达的意思。你需要训练你的大脑做到专心，这样你才能有很高的工作效率。为了从你创造性的"本质"中捕捉一些细微的信号，你需要使你自己变得更敏感。创造性的"本质"一词是由斯坦福大学研究生商学院创造性课程的发起者迈克尔·雷和罗谢尔·迈尔创造的。

这是使你认识到你的创造性自我的一个有用的方法：它存在于你的"本质"，你未污染的自我，你的核心，你真正的人格之中。这个"本质"是我们所有的人基本的组成部分，而创造性的思考则是理解这个真正的自我、你的隐秘的自我、精神的自我的关键。创造性包括你的生活要在你的"本质"的指导下来进行，你的"本质"是你创造性冲动的诞生之地。你的"本质"是你精神的核心，即你大脑中的意识和无意识层次密切配合的地方，它能使独特的创造性在你的身上结出丰硕的果实。用心理学家阿瑟·考斯特勒的话来说就是："创造性的大脑是意识和下意识之间不同层次的统一体。作为'考古学家'，我们有时候必须进行挖掘，去发现我们的创造力。"

具备这种专心致志的能力，对于"思想做好准备"是很必要的，我们可以通过以下几种方式来培养自己这方面的能力：

△调节：当我们进入教堂，我们就会使自己适应这里的气氛，表现出恭敬和虔诚，你可以用同样的方式来调节你在学习环境中的注意力，在选择学习环境时，要考虑到它是否有利于你专心。例如，挑选一个好的地方，你就可以全身心地进行创造性的思考了。这样，当你来到这个地方时，你的大脑就已经进入了专注的状态，你可以立即开始你创造性的过程。

△心理习惯：你的人格中包含着大量的习惯性的行为：有的行为是积极的，有的则是消极的，大多数则居于两者之间。学习全身心地集中和投入，往往意味着要打破影响你全身心投入的习惯，如，同时总想做好几件事，或用有限的时间去完成很重要的任务。同时，培养专心致志的能力，也包括要养成新的心理习惯：找一个合适的地方，调配足够的时间，以及进行认真的和有创造性的思考。这些新的习惯可能需要你付出更大的努力，耗费更大的心血，但是，这些行为很快就会成为你自然的和本能的一部分。

△冥想：你的大脑充斥着思想、感情、记忆、计划——所有这一切都在竞争，想引起你的注意。在你整日沉浸于对来自方方面面的刺激，需要从身心上作出反应时，这种大脑"吵架"的现象更为严重。为了专注于你创造性的工作，你需要净化和清理你

的大脑。做到这一点的一个有效的方法就是做冥想练习。

当你开始你的创造性的思考或活动时，用大约5分钟的时间进入理想的精神状态。舒服地坐在椅子上，紧闭双眼，轮流握紧拳头，然后放松你身体的每一个部分，先从你的脚趾开始，再向上移动，达到你的头顶。特别要做到解除在关键部位已积聚起来的紧张。你的身体放松了以后，就把你的注意力放在放松你的大脑上。把你的大脑想象成一个装满了思想和情感的容器，逐渐地把这些东西腾空直至一片空白。想象你呆在一个漆黑的屋子，它如此之黑以至于你无法看见任何东西。把你的情感沉浸在那个放松的黑色之中，使所有的烦恼和不安都不复存在。过一会儿，逐渐地把你自己带回到意识状态之中，最后，睁开双眼，把注意力和精力集中在你创造性的工作上。

方法三　促使创新思想产生

创造性的思考要求你的大脑松弛下来，创造性的灵魂看着一件事，盯着另一件事，在这些事情之间寻找联系，从而产生不同寻常的可能性。为了把你自己调整到创造性的状态上来，你必须从你熟悉的思考模式，以及对某事的固定成见中摆脱出来。为了用新的观点看问题，你必须能打破看问题的习惯方式。为了避免习惯的"智慧"的束缚，你可以用以下几种技巧来活跃你的思维：

△**群策攻关法**：群策攻关法是艾利克斯·奥斯伯恩于1963年提出的一种方法，它建立在与他人一起工作从而产生独特的思想，并创造性地解决问题这种方式所具有的力量的基础上。在一

个典型的群策攻关期间，一般是一组人在一起工作，在一个特定的时间内提出尽可能多的思想。提出了思想和观点以后，并不对它们进行判断和评价，因为这样做会抑制思想自由地流动，阻碍人们提出建议。批判的评价可推迟到后一个阶段。应鼓励人们在创造性地思考时，善于借鉴他人的观点，因为创造性的观点往往是多种思想交互作用的结果。你也可以通过运用你思想无意识的流动，以及你大脑自然的联想力，来迸发出你自己的思想火花。

△创造"大脑图"："大脑图"是一个具有多种用途的工具，它既可用来提出观点，也可表示不同观点之间的多种联系。你可以这样来开始你的"大脑图"：在一张纸的中间写下你主要的专题，然后记录下所有你能够与这个专题有联系的观点，并用连线把它们连起来。让你的大脑自由地运转，跟随它一般的建立联系的活动。你应该尽可能快地工作，不要担心次序或结构。让其自然地呈现出结构，要反映出你的大脑自然地建立联系和组织信息的方式。一旦完成了这个工作，你能够很容易地在新的信息和你不断加深的理解的基础上，修改其结构或组织。

△坚持写"做梦日记"：根据弗罗伊德的观点，梦是通向无意识的捷径，是发现创造性思想的丰富和肥沃的土壤。除了从你的日常生活中获取思想之外，梦也表达了你内心深处思想过程的逻辑和情感，而它们与你创造性的"本质"紧紧相连。梦具有情感的力量，生动的图象，以及不寻常的（有时候是奇怪的）联结，它可以作为你创造性思考的真正的催化剂。然而，就像是阳光下的露水会被蒸发掉一样，梦是很容易被忘记的。为了抓住你的梦，在你的床边放一个便笺簿，把你所能回忆起来的梦的情景记下来。你的梦的其他情节可能会在白天被突然想起，尽可能地

也把这些额外的细节记下来。记录完你做的梦以后，要想办法破译你做的梦的含义，但是，也要让梦的内容刺激你创造性的想象力。

方法四　裸奔的阿基米德：为创新思想留出酝酿时间

把精力专注于你的工作任务上之后，创造性程序的下一个阶段就是停止你的工作。虽然你有意识的大脑已经停止了积极的活动，但是，你的大脑中无意识的方面仍继续在运转——处理信息、使信息条理化、最终产生创新的思想和办法。这个过程就是大家都知道的"酝酿成熟"的阶段，因为它反映了有创造性的思想的诞生过程，就象雏鸡在鸡蛋里逐渐生长直至破壳而出的过程一样。当你在从事你的业务工作时，你创造性的大脑仍在运转着，直到豁然开朗的那一刻，酝酿成熟的思想最终会喷薄而出，出现在你大脑意识层的表面上。有些人说，当他们参加一些与某项工作完全无关的活动时，这个豁然开朗的时刻常常会来临。

在这方面，最著名的例子恐怕就是希腊思想家阿基米德，当他在洗澡时，他豁然开朗的那一刻来到了，他光着身子跑出来，穿过雅典的街道，大声喊着："我找到了!"你在生活中的某种程度上肯定也有过这种"我找到了!"的体验。有时候，尽管我们绞尽脑汁也想不起来一个人的名字或重要的细节。在这种时候，如果你停下来，不去想这个问题，把你的注意力转移到其他的事情上，你常常会发现这个你百思不得其解的问题，不打招呼会突然出现在你的脑海中，仿佛你在你的大脑中编了一个计算机程序，它不停地进行扫描、处理，直到答案突然地出现在屏幕上。

当然，要想让酝酿成熟的过程发生，你必须给它以足够的时间。回想一下上一次你没有留出足够的时间来准备会议或写一个报告。后来，你可能已经意识到，由于你没有给大脑留出足够的完成工作的时间，所以你与创新的思想和有见地的战略擦肩而过。尽管你可以用给鸡蛋增加温度的办法，加速雏鸡孵化的过程，但是，创造性作为一个自然的过程不能被缩短或删减。如果你过早地让创造性破壳而出，你得到的只是一顿早餐，而不是一只毛茸茸的小鸡。你需要给创造性预留出足够的运作时间，直到"豁然开朗的那一刻"出现，这是你对创造性的过程尊敬的表现。

对这个问题，你可能要问：如果豁然开朗的那一刻不出现，那怎么办呢？如果你竭尽全力，按照所有的步骤为你创造性的园圃整地施肥，那么，有新意的思想一定会破土而出，你看见这个创造性的过程在运转的次数越多，你的信心就会越大。请想想你生活中你曾有过的"我找到了！"的时刻，并在你的"思考笔记本"上把它们记下来。这样做不失为一种解决问题的独特的方法，以及一条实现目标或提出有新意的观点的好途径。如果脑子里一下子想不起例子来，努力按我在这一节里所说的去做：运用上述所叙述的"用冥想集中注意力"的活动方法，让你创造性的"本质"与你对话。只需放松，有耐心，用不了很久，创造性的思想就会开始出现在你的意识之中，就象我所经历过的一样。你创造性的"本质"具有这样的特点，你越是想强迫它运转，它就越是不露面。因而你需要放弃你意识的控制，让你创造性的"本质"用它自己的方式去运作，去创造奇迹。

方法五　尼龙粘扣与口香糖的来历：
追踪思想火花

　　创造性的思想火花一出现，很令人振奋，然而，这个时刻只是标志着创造性过程的开始，而不是结束。如果在创造性的思想出现时，你意识不到，不能对其采取行动，那么，你脑子里出现的创造性的思想就没有丝毫的用处。在现实生活中，经常会有这样的情况，当创造性的思想火花出现时，人们并没有给它们以极大的关注，或者认为不实用而忽略了它们。你必须对你创造性的思想有信心，即使它们似乎是古怪的或远离现实的。在人类发展史上，许多最有价值的发明一开始似乎都是些不大可能的想法，被流行的常识所嘲笑和不齿。例如，尼龙粘扣的想法就来源于发明者穿过一片田地时，粘在他裤子边上的生毛刺的野草。具有粘性的便条，是偶然发现不太有粘性的胶粘剂的结果。1928 年，一个初出茅庐的会计师 w·E·笛墨在业余时间用树胶的处方做实验，无意间他做出了第一批口香糖。

　　有了想法以后，对它们进行创造，使其变成现实，是一项很艰苦的工作。大多数人喜欢提出具有创造性的思想，并与他人进行讨论，但是，很少有人愿意拿出需要的时间，付出努力，使想法成为现实。当发明家爱迪生宣布："天才是百分之一的灵感和百分之九十九的汗水"时，他并没有夸张。在任何一个领域，作出有意义的创造性的成就，一般都需要数年的实践、体验和再加工。即使某项发明是瞬间而作出的，而这个瞬间往往是辛苦和勤奋的冰山一角。这也就是为什么当有人问著名的摄影家阿尔弗雷德·爱斯坦德特，拍一张受人称赞的照片要用多长时间时，他回答是"30年"的原因。虽然爱因斯坦在26岁时就提出了相对论，但事实上，他从16岁开始就一直在潜心研究这个问题。

这一切都说明有效的思考既包括创造性的思考，也包括批判的思考。当你运用你的创造性的思考能力提出创新的观点后，接下来你必须运用你批判的思考能力对你的观点进行评价和再加工，并制定出切实可行的实施计划。然后，你需要有落实计划的决心，并克服在实施过程中遇到的不可避免的困难。虽然本章写作的目的是专门为了培养你创造性的才能，但其他各章通过批判的思考力量，将帮助你把这些思想变成现实。但是，无论是批判的思考还是创造性的思考，你都需要掌握克服阻碍你思考的方法，这是下一部分要探讨的内容。

◆训练题：

学习运用创新方法

找出一个你愿意从事的创造性的活动领域 ——工作中的一个课题、一种人际关系、一种新 活动——有意识地运用创造性过程的步骤。当你 完全沉浸在这个过程中时，在你的"思考笔记 本"上做记录，叙述你从事的创造性活动的每一 个步骤和你取得的结果。这个记录可以作为你将 来把创造性过程运用到你其它的生活领域的一 个 范例。

　　△对创造性的环境进行全面和深入的探讨。

　　△专心致志使大脑处于最佳状态。

　　△采取措施促使创造性的思想产生。

　　△为创造性思想的酝酿成熟留出时间。

　　△当创造性的思想一出现就要及时抓住它们，并进行跟踪。

5

消除创新能力的最大障碍——
不自信的"判断之声"

◆对你的创新能力最大的威胁来自于你自身，
即"判断之声"。

对你的创造新能力最大的威胁来自于你自身，即"判断之声"（Voice ofJudgeent）。该词是由迈克尔'雷和罗切利·米恩创造的。"判断之声"可以损害你对你生活的每个领域的自信，包括你创造性的活动，具体表现为以下的内心自语：

"这是一个愚蠢的主意，没有人喜欢它。"
"即使我能努力实现这个想法，它或许不值得去做。"
"虽然上一次我经过努力成功了，我很幸运，但我以后不会再去这么做了。"

　　这些说法以及无数与此类似的其他说法，使我们对我们自己和我们创造性的思考能力产生怀疑。例如，当你做前面的"思考活动"时，你对你创造性的能力或你的思想的价值产生过怀疑吗？这种消极的自我评价是很常见的，它们对你的自尊有很大的负面影响。当你失去了自信时，你就会变得胆怯，不愿意坚持你的观点，并提出来与他人讨论。用不了多久，你的这种缺乏自信的态度就会阻碍你提出新的观点，你就只能固守原有的思维模式，迎合他人的期望。

　　那么，这些消极的声音是来自何方呢？通常，它们来源于你成长过程中所经历的消极的判断，也即具有毁灭性的批评，长此以往，这样的批评就会内化而成为你自己的一部分。同样，对孩子多表扬有助于使他们获得自信和安全感，而老是批评他们就会产生相反的结果。在实际生活中，虽然父母、老师和朋友习惯于批评指责，不喜欢多表扬，他们这样做的本意并不是想有这些消极的后果，但是，不幸的后果仍然是一样的："判断之声"不断地磨损着你的价值观，你的思想和你的创造性。作为一个老师，当学生们交上他们有创造性的作业时，他们这样向老师抱歉："我做得不好，它可能没有说明什么问题。"由此，我看到了"判断之声"对学生造成的危害。像这些贬低自己的话立刻会给他人传达出这样的信息：你对自己缺乏自信，但更重要的是，它们会降低你的自尊。请认真地听听你使用的语言，因为在沟通中，你选择的词语能揭示你是谁，并形成你与他人的关系。

　　你怎样才能消除这个存在于你自身不受欢迎且有危害性的声音呢？下面介绍几种可供你使用的有效战略，不过，你应该意识到这是一场值得去努力，但不易打赢的战斗。

意识到"判断之声"的存在

你或许很久以来一直都在听着"判断之声"消极的音信，以至于你可能都不会意识到"判断之声"的存在。为了战胜"判断之声"，当它说话时，首先，你需要意识到它的存在。此外，对它传递的消极的音信进行分析，设法搞清楚它们是如何发展起来的，以及它们为什么会发展是很有帮助的。最后，要制定克服它们的战略。像下面的"思考活动"中讲的记"判断之声"的日记，就是一个很好的方略。

◆训练题：

记叙"判断之声"的日记

△某一天，拿一个小日记本或一个便笺簿，记录下你对自己所作的所有的消极的判断，在这一天快结束时，对你的判断进行分类。例如，对你自己的外表的消极判断，对你自己与他人交往的判断，对你自己能力的判断，等等。这样做可能很难，令你心烦，但提醒你自己，注意这些消极的个人判断，是除掉你自己"判断之声"过程的组成部分。

△对每一类判断进行分析，设法确定它们来自哪里，是如何发展起来的。

△运用在"判断之声"这一部分叙述的策略.以及你自己创造的其他的策略,一旦有"判断之声"出现,就与它们进行斗争。

用一种好方式修正"判断之声"

有时候,在我们的自我判断中,有真理的成分,但是,我们却没能很准确地加以表达。例如,如果你没有推销出去你的产品,或没有得到提升,你的"判断之声"可能会由此得出"我是一个失败者"的结论。或如果你与某人约会,得到拒绝,你的"判断之声"可能得出结论说:"我是一个不受欢迎、不可爱的人!"遇有这样的情形,你需要准确地表达实际的情况:"这次我没有取得成功——我不知道哪个地方出了差错?""将来,我该如何改进我的工作呢?"或"这个人拒绝了我约会的请求——我猜想我不是她理想的对象,或者她可能并不完全了解我。"

对"判断之声"采取强硬态度

如果你希望克服"判断之声",你就不能做一个懦夫。相反,你必须强硬和坚定,一旦"判断之声"出现,就要告诉自己:"我要把你拒之于千里之外,不再让你出现!"这种反击一开始可能令人感到奇怪,但是,当那些否定的判断出现时,很快它就会成为一种自动的反应。不要向"判断之声"屈服,丝毫也不,不要说："或许我只是一个有点不成功的失败者。"彻底地清除"判断之声"，很好地摆脱它！虽然诚实和客观的自我评价是完善自我的很有价值的工具，但是，"判断之声"则是一个消极的、有破坏作用的力量。实质上，它从不考虑你的利益。我说得再多也无法强调，竭尽全力去打赢这场内心的战斗是如何的重要，因为每个人内在的"判断之声"总是阻止许多人充分发挥自我的潜力。

创造你的积极的声音和形象

永远摧毁"判断之声"最好的方法，是用积极的鼓励去代替它。你要想向"我是一个失败者"这个判断挑战，你就应该用"我是一个明智的、有价值的人，具有许多积极的品质和才能"这个判断来代替上述的判断。此外，你也应该大量地运用积极的想象，因为这样做，你就能"看"到你自己在工作中干得很出色，与他人相处得很融洽，在你参加的运动项目或戏剧演出中获得了极大的成功。积极想象的重要性已被职业运动员和高级主管等许多成功的人士所证实。如果你努力地去创造这些积极的声音和形象，它们就将成为你思考中自然的组成部分。既然积极的思考会导致积极的结果，那么，你的努力将成为你取得成功的宣言书。

用他人来证实你的消极的"判断之声"

　　来自"判断之声"消极的判断通常是不合理和荒谬的，但是，在没有对其进行考察之前，它们的力量是很强大的。你要勇于把你的"判断之声"告诉你信任的人，这是一种有效的战略，因为你所信任的人可以为你提供客观的看法，指出你的消极判断的不合理性和破坏性。这种用他人来证实消极的"判断之声"的做法，能够摧毁消极的"判断之声"的力量，许多朋友都认为这是一个积极有效的方法。

建立创新环境的办法

　　要培养创造性，消除你头脑中消极的声音，很重要的就是要建立一个使你的创新能力可以得到充分发挥的环境。这意味着要发现或营造有益于创新表现的自然环境和社会环境。与他人一起工作，有时能对你的创新能量起到促进和激发的作用，而在另外的情况下，你可能需要一个工作不被干扰的私人空间。不同的环境可以适合不同的人来工作，你必须找到一个最适合你的创造性能量发挥的地方，然后尽一切努力把工作做好。有时候，你可能觉得你需要一个空闲的、未加装饰的空间，在这里，你可以尽情地进行创造而不受任何干扰；而另外的时候，你可能会感到，你需要一个与同事或朋友在一起的，有刺激性的环境，通过愉快的交谈，能碰撞出思想火花，激发你创造性的灵感。

　　创造性的过程有自己的节奏，在某些阶段，需要认真地研究，完全地投入和单独地思考。但在另外的阶段，我们需要志趣相投的人，因为他们或能点燃我们创造的火焰，并不时地为其添加燃料，或能为我们提供理性的活力和情感的支持。通过与他人的互相作用，我们能够较全面地认识到我们自己对世界的独特的看法。虽然对世界的认识最终要以个人的方式表现出来，但是，这不应该成为妨碍我们吸取他人的观点，并把它们变为我们自己思考养分的障碍。当然，当个人参与了集体合作的项目时，成果应该属于每个参加者。

　　作为集体的成员，我们有责任激励和支持他人创造性的努力。当我们开发我们自己创造性的资源时，我们不应该忘记那些曾给我们以支持和帮助的人，这是我们应该采取的正确的态度。与个人的力量相比，集体的力量表现在每个成员协调一致，共同努力来丰富我们所有人的生活之中。

　　因此，在你的生活中，你周围的人在鼓励或遏制你的创造性方面，具有很大的影响作用。当你的周围聚集着具有积极的生活态度和能给你以支持的人时，就会增强你的自信心，激励你大胆地进行创造，表达你有见地的观点。这些人通过给你提供新颖的思想和新的看法，或参加象"群策攻关"这样的活动，与你一起工作，互相交流想法，来刺激你的创造性，然后帮助你决定怎样实施最有价值的计划。在生活中，许多作家参加了小规模的作家创作组，在这样的集体里，他们通过读彼此的作品，并对各自的作品提出意见，以此来激发大家创作的积极性，锤炼优秀的作品。

　　但是，社会对你创造性的影响也有消极的一面。当你周围的人都是属于消极、爱挑刺和瞧不起别人的人时，那么，相反的结果就会产生：你会失去自信心，不愿意创造性地表现你自己。最终，你会很自然地把这些消极的判断内化，使其成为你自己的"判断之声"。当这种情况发生时，你可以作出这样的选择：告诉这些人，你将不能容忍这类具有破坏性力量的行为，或者如果他们依然如故，就断绝与这些人的来往。当然，有时候，这样做很难，甚至不大可能，因为你与他们共同工作，或他们与你有联系。在这样的情况下，你必须尽力消除他们的消极影响，更多地与那些支持你的人交往。

点菜单、交朋友……培养你的创造力

虽然想象力是创造性的驱动力，但是，由于社会上有的人过分"实际"，或"务实"，因而导致想象力在不知不觉中退化。"你必须去想象！""只有用你的想象才能解决问题。"我们的想象力应该是越多越好，我们需要丰富的想象力。但是，象人的任何本领一样，你的想象力只有在实践中才能得到提高，才能更加丰富和活跃。否则，你的想象力就会渐渐地枯萎。你必须有幽默感，大胆地设想，大胆地去理解，尽管有时它们是空想，可能不切实际，但是，在你大胆的设想中，总会有创造性的观点，或许能导致惊人的发现。同时，培养创造性的态度，会丰富你的想象力，使你的生活充满活力，有独特的风格。作家拉尔夫·w·爱默生说："想象力的特性是流动"。当你创造性地生活时，你就不是"与流动并肩而行"：你就是流动。

学会了信任创造性的过程，减少你脑子里消极的"判断之声"，建立创造性的环境，相信你创造的才能，只有做到了这些，你才能处于创造性生活的环境之中。那么，你怎样做到这一点呢？很简单。找出你生活中某些习惯的模式，并大胆地冲出这些模式的束缚。在可能的时候，选择新的体验——例如，点菜单上没吃过的东西，或者结识你朋友圈外的人——努力对你生活中的事情提出新颖的观点等。要警惕退回到你以前旧的生活模式之中，要记住万物在不断地变化、生长和演进，而不是像机器那样以重复的方式运动。选择过创造性的生活，可能是你所作的最有意义的决定，它将提高你生活的质量，促进你人格的发展。

随着你自己外在行为的改变，你也要不断地刺激你内在的创造冲动。要发展你敏锐的直觉，直觉是洞察力的直接闪光，它能明察一切。敏锐的直觉建立在多年认真的思考和认识的基础之上——这是使直觉敏锐而非鲁莽的原因所在。但是，当敏锐的直觉来临时，你需要及时地捕捉到它，并相信它，即使你缺乏"证实"它的足够证据。例如，如果你对如何创造性地解决某个问题有一个很强的直觉，你就要跟踪你的观点，即使它与某个合乎逻辑的解决方案相冲突。直觉的本质就在于，你能够越过有意识的思考层次而直接得出结论，因为你大脑的深层活动能够觉察到令人信服的模式或有说服力的见识。最终，你就能学会发现并信任你敏锐的直觉，把它们与无根据的预感区分开来。

随着人们年龄的增加，他们就渐渐变得踌躇，遇事小心谨慎，仿佛站在薄冰上随时都会掉下去一样。小说家费奥多·陀斯妥耶夫斯基说："迈出新的一步，讲出一句别人未说过的话，是人们最感到害怕的事。"然而，迈出新的一步，说别人没说过的话，是你实现真正自我的必由之路。你应该克服害怕的心理，把你的聪明才智贡献给世界，这是你应该负起的庄严使命和责任。如果你不这样去做，你的想象尽管十分美好，但它永远也不会变成现实，就象舞蹈家玛莎·格兰汉姆告诫我们的：

> 活力、生命力、朝气、活跃，这一切都要通过你变成行动，因为最终只有你个人的表现是独一无二的。如果你不去做，它们不会通过任何其它的中介存在，并最终丧失殆尽。

6

创新能力测验

下面所叙述的内容是与创造性的生活相联系的主要个人品质，请对你在每一项目中所处的地位进行评价，并用这个自我评价来指导你的选择，把自己塑造成为一个你想成为的有创造性的人。

你把创造性放在人生的优先地位了吗？

我认为创造性对人生是重要的。我认为对创造性的估计过高。

← 5　　4　　3　　2　　1　　　0

研究发现有创造力的人一般会认为，创造性与财富和权力相比更为重要，因而他们以有想象力、好奇和有创新的表现为快乐。作家卡汗利尔·吉布兰说："自我是大海，无边无际，不能测量。"对许多人来说，这个海的大部分仍未被发现。

方略：把警示语贴在显眼的位置上（镜子上、冰箱门上、你办公室的电话机旁），并在每天的工作和生活结束时，在你的

"思考笔记本"上对你每天的进步进行评价，通过这些做法，有意识地把创造性摆在你生活中优先的地位上。习惯和从众心理具有很大的惰性力量，你必须有意识地去克服它们，这样，你才能重塑你的生活。

你敢于冒创新的风险吗？

我愿意冒创造的风险。我倾向于避免冒创造的风险。

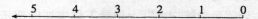

法国有一句格言："只有什么都不做的人才不会犯错误。"大多数人都避免犯错误，这就像蝙蝠想逃避光一样，但是，如果你不愿意冒失败的风险，你就很难表现出创造性。丹麦哲学家索伦·科尔克格德被称为对人的创造性潜能有"坚定信念"的人，通过学习和借鉴他的观点，你就能不怕失败，在曲折中走向成功。

方略：采取一些真正具有冒险性的创造行动，如果遇到了失败，把它们看作是勇气的象征，以及你自己的自信心和独立思考的标志。你的失败说明，你正充满活力地不断学习和成长，最终，你会成为一个独特的、有价值的人。

你注意培养你的想象力吗？

我在生活中经常运用我的想象力。我在生活中几乎不运用我的想象力。

爱因斯坦曾经说过一句让人难以忘怀的话："想象力比知识更重要"。沉迷于"现实"中，我们看不见世界上存在着什么，这是令人可怕的损失，哲学家吉恩—杰奎斯·罗斯乌说："现实的世界是有限的，想象的世界是无限的。"

方略：练习运用你的想象力来改变现实——设想可能性，创造新的情境。沉浸在你的幻想中，向常规的做事方法和思考问题的方式提出挑战，当你在作决定或解决问题时，设法提出许多观点，而不去考虑这些观点是多么的希奇古怪，不合情理。在你的"思考笔记本"上把你的结果记录下来，并对你取得的进步进行评价。

你努力做到独立思考吗？

我的行动反映了我自己的思想。我的行动受他人思想的影响。

```
5        4        3        2        1        0
```

通向增强创造力的旅程，要走与通向独立的思考和行动的旅程同样的路，当我们以牺牲我们自己的思考和人格为代价而服从他人时，我们就是"以他人为导向"，我们的生活就会受外力的控制。为了创造性地生活，我们必须做到"以内心为导向"，坚持用我们自己的观点看世界，在我们自己思考的基础上，作出有自信的选择，就象作家罗伯特·L·史蒂文森说的："了解你喜欢的东西，而不是谦恭地对世界所告诉你应该喜欢的东西说'阿门'，这样做能保持你灵魂的活力。"

方略：在你"思考笔记本"上记录下你表达的想法，这些想法主要是为了想让他人满意或能给他人留下印象。之后，再记录下你没有表述的想法，因为你担心他人对这些想法可能会不理解或不同意。几天后，你应该能辨别出你生活中"以内心为导向"

的模式和"以他人为导向"的模式。如果你的结论是，天平向"以他人为导向"的模式倾斜，你就要开始作适当的调整，并对你每天的进步进行评价。

你培养定力吗？

我常常是"凝神专注"的：敏感、有意识和集中注意力。我不是像我想像的那样"专注"：敏感、有意识和集中注意力。

$$\overset{\longleftarrow}{\underset{5 \quad 4 \quad 3 \quad 2 \quad 1 \quad 0}{}}$$

佛教徒使用"禅定"这个词，来描述人对于自身世界丰富性的专守与开发，和直觉对于精神境界的提升作用。其目的是增强你对生活的奥秘和美好意识的敏感性。从本质上来讲，烦恼和精神的反抗只会创造出忧虑，而忧虑只能阻碍而不是刺激思想的流动。要有耐心，要谐调而不要试图去征服，认真地聆听来自你内心深处的有创造性的音信，用爱因斯坦的话来说就是："解决的办法将静静地出现，并说'我在这里'。"

方略：对你的世界要增强敏感性，每天要努力地通过你实际的丰富体验去进行感受，而不是每天跋涉在你自己与世隔绝的小天地之中。通过汽车的窗口看风景与实际走在田野上，去触摸、感觉、闻、听是不同的。首先，在你体验的某个领域来增强敏感性——如，感觉一下你正在吃的食物的色、香、味——然后，逐渐地扩大到其它领域。在你的"思考笔记本"上把你的进步记录下来。

你培养好奇，避免盲目判断吗？

我用质疑的态度对待生活。我常常对我生活中发生的事情作出匆忙的和最终的判断。

"我喜欢它。""我不喜欢它。""她非常好。""他是一个傻瓜。"像这些无意识的判断，其带来的问题在于，它们封闭了我们的大脑，切断了我们的探求之路，泯灭了我们的创造心。我们不应该对某人的创造性作"我不喜欢它"这样的回答，相反，作出"我想知道她正试图表达什么观点"这样的回答，可以激励你去思考并为自己开辟探求新观点的道路。要问问题，而不要简单地下判断，这样你就会对你自己和世界有新的发现，你就会训练你的大脑有效地、创造性地思考。

方略：设法扮演不同的角色以增强你的好奇心，如，当你与他人说话时，把自己设想成一个心理学家：他们实际上想说什么？在工作中有很强的动力吗？为什么我会作出这样的反应？当你对某人的工作进行考察时，把自己设想成一个调查者：这项工程的目标是什么？我能对提高其效率提出哪些独特的建议？在你的"思考笔记本"上，把你发现的特别有效的问题和新的观点记录下来。

你培养创造性的团体吗？

我常常使他人参与到我创造性的过程中来。我是在与世隔绝的情况下。从事自己大部分的创造性工作的。

虽然独立地思考是创造性的一个重要的因素，但是，为了充分地发挥我们创造性的潜能，多数人也需要他人的刺激，以及各

种不同的观点。如果许多人都去关注一个问题，那么，人们活跃的大脑之间就会发生神秘的变化和综合作用。

方略：寻找有相似的兴趣和创造目的的个人和集体，用一定的时间与他们共同工作来促进他人的创造性。作为一个批判的思考者，要对与自己不同的观点做到宽容，并能作出恰当的反应。请记住：与他人分享知识财富的人，最终比那些知识的"守财奴"要富有的多。

7

得分指导

把你在上述每一项自我评价项目上给自己打的分加起 来，并运用下面的得分指导对你的创造性进行评价。

总分　　　　说　明

28—35　　　非常有创造性

21—27　　　比较有创造性

14—26　　　有一定的创造性

7—13　　　没有创造性

在说明你的结果时，请记住：

△这个评价并不是对你创造性的一个准确的衡量，而 是作为一个衡量你如何创造性地对待你自己和你的生活的一 般显示器。

△你的分数表明目前你在创造性方面做得如何，而不 表明你潜在的创造性如何。如果你的得分比预期的要低，那就说明你没有充分地发挥你的创造能力，你需要按照本 章的建议，最大

限度地实现你的创造能力。

◆**训练题:**

培养你生活中的创新能力

在你的生活中，选择你愿意较有创造性的领域：你工作中的某个课题、你喜欢的活动或你与某人的关系。尽一切努力把新颖的观点和思想注入到这些领域。在你的"思考笔记本"上，把你所作的努力和取得的结果详细地记录下来。请记住：要给自己留出足够的时间来摒弃习惯的势力，并建立新的思考、感觉和行为模式。当你"期望着有出乎意料的发现"时，要把你的注意力放在你创造的触角上，当它们从你创造性的宝库深处探出头时，要紧紧地抓住它们。要培养我们在本章里探讨的创造性的品质：

△把创造性放在优先的地位。

△敢于冒创造的风险。

△培养你的想象力。

△努力做到独立思考。

△培养专注。

△培养好奇，避免盲目作判断。

△建立创造性的团体。

第 三 章

自由选择生活的能力

加谬说："自由不过是达到更好的一种机会,而束缚肯定是
最坏的。"

你有力量通过你的选择创造你自己，但是，只有当你的选择是在真正自由的条件下才会如此。为了拥有真正的自由，你必须了解有关选择的理论以及如何进行选择的方法。

　　在许多情况下，被动的、不合逻辑的和肤浅的思考阻碍着人们作出明智的选择，侵蚀着人们遇到困难时的坚持和不屈不挠的精神。

　　本章的目的就是给你提供一个认识自由选择性质的一般性框架，以及把这个认识运用到改变行为和态度中所需要的实际的思考战略。你可以从一个全新的角度来重新规定你每天的生活，并在批判的和创造性思考的基础上，通过自由地选择提高你生活的价值。

1

能否成功全在自己，不要怨天尤人

◆许多人都表现了这样的信仰：如果不是外界
原因的干扰，他们就能达成他们为自己设定的目
标。然而，这些解释不过是托词而已。

萨特认为，人命定是自由的；我们通过我们所作的自由选择
创造我们自己，我们有能力选择不同的行动路线。

但是，我们常常如此深地沉溺于成规之中，陷入到现实的例
行要求和从众的压力之中，以至于我们都看不见我们的生活中还
有其他的选择，更谈不到这样去做了。我们的抱怨常常远远超过
我们的行动，我们倾向于把注意力放在那些阻挠我们意图的人身
上。

"只要那个人没有毁掉我的前程，我就要……"

"要是我有机会遇见那个好人……"

"要是我能不时地碰到好运气……"

"只要我能清除掉我习惯的倾向，我就……"

"要是其他人像我一样的可靠和体贴……"

"要是我具有多种经历的优势……"

"要是世界不变得如此激烈的竞争……"

"要是给我提供了展示我才能的机会……"

这些抱怨以及其他无以数计的类似抱怨，与威廉姆·E·汗利的观点："我是我命运的主人，我是我灵魂的主宰"格格不入。人们普遍地认为命运主宰着他们，他们从未有足够的机会按照"他们自己的方式"生活。我们不是感到自由，从容地把握着我们的命运之舟沿着正确的航向前进。相反，我们常常感到被人控制，不顾一切地试图防止我们命运的小船在生活的惊涛骇浪之中倾覆。

最终的结果是，当人们想"自由"时，他们常常凭幻想作出浪漫的结论，认为自由就是"摆脱"担忧和责任，想象存在着一个任何事都是可能的，有钱能使鬼推磨的世界。然而，尽管这个幻想可能是吸引人的，但是，这却是对自由的错误和不现实的理解。真正的自由意味着：从可供选择的多种可能性中作出深思熟虑的选择，这个选择反映了你真正的愿望和最深刻的价值观，坚决抵制迫使你的意志自由向外部的或内心的力量妥协的压力。

个人自由最重要的因素是，它必然要涉及到个人的责任，个人的责任是人们为什么不愿意拥有自由，而积极地去"逃避"自由的主要原因。如果你承认你的选择是自由的，那么，你必须承认你对你选择的结果是负有责任的。当你获得成功时，对你的成功承担全部责任很容易，但是，当失败发生时，人们就倾向于躲避掩盖，或责备他人，或谴责他们无法控制的力量。我们上述所列的"要是……"的几种抱怨，就很准确地表现出了这种心态。许多人都表现了这样的信仰：如果不是外界原因的干扰，他们就能达成他们为自己设定的目标。然而，在许多情况下，这些解释不过是托词而已。设法逃避自由的努力是不合逻辑的，它们代表了否定自由和责任的软弱和不真实的企图。

2

用你的自由塑造你的生活

◆人可以决定他自己，无论他是向环境屈服还是勇敢地面对它们。换言之，人最终是自我决定的。人不是简单地存在着，而总是决定他的存在是什么，以及以后他会成为什么。

显而易见，你能够进行自由的选择。但是，你怎么能确定这一点呢？你的遗传基因不仅仅决定你的性别、种族、身体特征，而且也影响你的人格。例如，使同性别的双胞胎（因此具有同样的基因"指纹"）在出生后就分开，并在不同的环境下成长，对其所作的研究得出了有争议的（虽然复杂的）结果。数年后，尽管他们在出生后的经历方面有很大的差异，但是，有的双胞胎表现出了惊人的相似：同样的举止和幽默感，相同的子女人数，相似的职业和爱好——所有这一切都显示了基因因素的影响。

我们知道，环境在塑造人们的性格和人格方面也发挥着重要的作用。儿童的确就像海绵一样，他们吸取他们周围所有的信息和影响，并把这些因素融入到他们的思想和行为之中。我们的态度、价值观、信仰、兴趣以及与他人联系的方式——所有这些和其他的特质都要受家庭、朋友和文化的影响。这是一个过程，通过这个过程，为他人着想、承诺和守信等正确的价值观就会代代相传，而种族主义和暴力等消极的行为，也是通过这个过程而得以长期存在的。

如果我们的基因遗传和环境条件在塑造我们自己的人格方面具有如此大的力量，我们又何以有可能认为我们能进行自由的选择呢？在"步骤1：批判的思考"中，我们能找到解开此谜的钥匙。"步骤1"认为，尽管在我们早期的发展过程中要受到环境和遗传的影响，但是我们的大脑和我们的思考在不断的成熟。你的经历不仅在逐渐丰富，而且你还会对这些经历进行思考，并从中学习。你不是简单地接受他人的看法，而是逐渐地具备了对他人的意见进行审视，并确定它们对你是否有意义，你是否应该接受的能力。因此，虽然你可能与你的父母或你所接受的主流文化有很多共同的信仰，但是，也可能在许多其它的问题上存在着很大的不同。例如，你的父母可能会认为性生活应从婚姻开始，或认为对职业而言最重要的是工作有保障，但是，你对这些问题的看法可能会与你的父母迥然不同。

对你的人格来说也是如此，虽然你的遗传基因和早期的经历可能会决定你人格的框架，但是，你未来的自我究竟怎样则完全取决于你自身的努力。如，你的人格可能综合了你父母许多积极的品质，而摒弃了你不喜欢的品质——如脾气急躁。你能决定不让这个脾气在你的人格中占据主导地位，或不恰当地表现出来。用坚定的意志，你可以成功地控制和改掉这个脾气，虽然其中偶尔也会有失误。换言之；在你早期的发展过程中，你能够形成一种人格倾向，并在后来的发展过程中，根据你个人的目标对自己的人格进行再塑造。同样，如果在你早期的发展过程中，形成了你不满意的品质，如胆怯、害羞、悲观、迟钝、消极等，那么，你会意识到这些品质并不代表你的一生都是如此。你完全可以依靠自己的力量重新塑造你自己，使自己成为你所满意的人。这就是自由的本质，自由的选择意味着要正视现存的环境，从有限的条件中作出选择，努力按未来的目标重新塑造现在。

　　然而，自由并不意味着无限的和没有限制的选择自由——这种自由观是一种幻想，是不切实际的一种观点。自由并不是存在于真空之中，它总是包括具体的选择自由和有限的可能性。在分析你的人格时，你可能会感到你也常常缺乏自信心，并被毫无安全感所困扰。在回顾你个人的历史时，你可能发现在某种程度上，这种情感是由于你的父母批评多而表扬少、不能给予形成稳定的安全感和自我价值所需要的个人支持而造成的。你可能发现在你的成长过程中，其它的因素也对你这种情感的形成起到了一定的作用：如离婚或求职遭到拒绝等痛苦和令人失望的事情。所有这些经历都会对你人格的形成产生影响，而且，这些过去的事情已经不能被改变了。因此，对你来说，重要的是：你现在打算做什么？你该如何对待这些事情对你现在思想和行为的影响？这是自由选择的切入点。虽然你不能改变已经发生的事情，但你可以控制你如何对待已经发生的事情。你可以选择让这些已经过去的事情继续影响你的人格，你也可以选择一条不同的生活道路来超越这些影响，塑造你的未来。维克多·弗兰克尔说：

　　人并不完全是被决定和被限定的，人可以决定他自己，无论他是向环境屈服还是勇敢地面对它们。换言之，人最终是自我决定的。人不是简单地存在着，而总是决定他的存在是什么，以及以后他会成为什么。无论我们的生存环境是什么，我们总是保留了人的自由的最后仅存的东西——在既定的环境中选择个人态度的能力。

　　当然，变化并不会立即就发生。你的人格发展到目前的状态经历了很长的时间，而你对你的人格进行认识和重塑也需很长的时间。这就像改变一条巨轮的航程：你需要转舵来改变方向，但是，该轮过去的力量使得转舵只能是个渐进的过程，而不是一个激进的方向改变。人格的变化也同样如此，有意义的改变是一个过程，但是，通过转舵确定新的航程，并坚定地走下去，你就会发生改变。

3

逃避自由不会有什么好处

◆从自身以外来解释自己不幸的原因，这种态度 最终不仅不会取得任何结果，而且还会导致个人的尊严、自尊和自由的丧失。相反，如果你 能完全地承担个人的责任，那么，你就能通过 你所作的选择，自由地塑造你的命运。

假使自由的力量能创造和改变人们的生活，由此你可能会合乎逻辑地认为，人们将会热情地拥抱这个力量进行自由的选择。不幸的是，人们常常并不是按照这个逻辑去行动。实际上，人们常常花费大量的时间，处心积虑地去设法否定和逃避他们的自由。这是为什么呢？答案很简单：责任。聪明的中国人有一句谚语："好事见者有份，坏事我不相干。"换句话说就是，当人们自由选择的结果取得了成功时，他们通常就很愿意承认他们的自由，但是，当结果是失败时，他们就会逃避责任。

这种对责任的恐惧和逃避明显地表现在生活的每个方面，在此你不妨想想你工作单位的情形。工作取得了成功，受赞扬和奖赏常常是上层的事，上层的大小官员们自己举杯庆贺，享受着成功的果实。虽然下层的人可能也值得分享荣誉，得到奖赏，但是，他们的作用常常被忽略，实际上被遗忘了。而在失败的情况下，情况则恰恰相反——谴责和处罚的对象是下层的员工，最终，最底层的人可能会成为替罪羊。这也就是为什么奥利弗·诺斯最终要为伊朗—康特拉丑闻承担全部责任的原因，仿佛这位地位低下的陆军上校一直在指挥着一场他自己的秘密战争，他的上司完全不知道一样。

在我们的社会中，存在着一种愈益明显的倾向，即通过成为一位受害者而逃避责任。对于许多人来说，成为这个"新的受害文化"的成员是很有吸引力的，因为这样一来能使他们在道德上处于无辜者的有利地位，并避免为他们的行为承担责任，还能通过法律制度获得经济上的赔偿。记者约翰·泰勒在1991年写的一篇题为《不要指责我!》的文章中指出，这种普遍"受害"的趋向已经像滚雪球一样越来越严重，我们已无法控制。因此，吸了一辈子烟的烟民，因他们自己吸烟的选择而指责烟草公司；恶毒的犯罪分子说他们的犯罪行为是由于沉重的社会压力所致；甚至参加"冰箱比赛"的人也指控制造商，因为警告语没有专门列出把巨大的冰箱捆在背上参加比赛的危险性。害怕承担责任的诉讼已经导致公共游泳池取消跳水板；在许多学校，甚至取消了撑杆跳，不购置橄榄球头盔；"小联赛"球队的赞助商也撤退了。律师积极地恳求和鼓励这样的诉讼，他们花钱购买警察的事故和犯罪受害人记录，要求看残疾儿童的注册记录，目的是为了发现可能的受害人。在此还想说的最后一个例子是，一位纽约人在地铁卧轨被截肢，然后他因地铁火车没能及时刹车，把他撞残为由，向这个城市提出了指控，他最终获得了 650000 美元的赔付。

所有这一切都源于人们日益增长的权利意识：人们想当然地认为他们应该有所作为，经济上富足，事业上成功——如果他们不是这样，那么，他们就是受到了他人的伤害，他人就必须为他们的行为负责。他们确信他们不仅有"生活、自由和追求幸福"的权利，而且有得到幸福的权利。实际上，他们认为他们有权逐渐地增加"权利"的范围——而不承担与这些权利相伴随的责任，就像美国权利和责任联盟主席罗杰·康纳说的那样：

> 如果你认为我们走的方向是错误的，错就错在把权利和责任分割开来。人们注视着他们的权利，但是，责任感却日益萎缩，因此，如果他们没有得到他们想得到的东西，他们就认为一定是某人的错误。

从自身以外来解释自己不幸的原因，当然有一定的诱惑性，但是，这种态度最终不仅不会取得任何结果，而且还会导致个人的尊严、自尊和自由的丧失。相反，如果你能完全地承担个人的责任，那么，你就能通过你所作的选择，自由地塑造你的命运。

◆训练题：

我逃避我的自由了吗？

　　对你在生活中所作的选择进行思考，然后在你的"思考笔记本"上回答下面的问题。

　　△在你生活的某些领域，你始终认可你的自由，请确认这些领域，并给出几个具体的实例。如．描述一下具体的情境，其中，你对自己充满了自信，说："我进行了自由的选择，我对所发生的后果负责。"

　　△在你生活的某些领域，你试图逃避你的自由，请确认这些领域，并给出几个实例。你不愿意对你的选择（和选择的结果）完全承担责任，你可用此作为你"企图逃避"的线索。例如：

　　△你发现你试图把工作中的错误归罪于他人或你所无法控制的环境了吗？

　　△在你与朋友、家人和恋人的关系中，你发现当事情出差错时，你试图逃避或减少你的责任了吗？

　　△你习惯于听从某人的意见和想法，允许它们不合理地影响你的思考和行动了吗？

　　△你对自己个人品质方面没有大的改进找合理的辩解理由了吗？

4

消除强制力，增加你的自由

◆为了消除强制力，首先，你必须意识到强制力的存在。一旦你达到了这种 深刻的认识水平，你就会选择一条不 同的道路，使用恰当的决策和解决问 题的方法。

自由是由深思熟虑的选择组成的，这些选择能反映你真实的自我：你真正的愿望和内心深处的价值观。但是，在现实生活中，有许多因素限制你的自由，甚至完全压制你的自由。这些限制你自由的因素，既可能来自于你自身以外——外部的强制力——也可能来自于你自身——内在的强制力。虽然外部的因素可能会限制你的自由——如，受到监禁或从事一项没出路的工作——但是，由你自己内在的强制力所带来的限制，则具有更大的挑战性。如，人们之所以一般会有拖延和吸烟的毛病、忍受焦虑的煎熬、感到抑郁和消沉或人际关系紧张，不是因为有人强迫他们这样做。相反，他们常常是以他们意识不到的方式而使自己成为受害人。

为了消除强制力，首先，你必须意识到强制力的存在。例如，如果某人强迫你以某种方式进行思考或感觉，你只有在意识到这种现象存在的情况下，才可能去解决这个问题。同样，如果你没有意识到无安全感或感情幼稚等属于个人的问题，那么，你就不能解决这些问题，从而形成内在的力量驱动你的行为。一旦你达到了这种深刻的认识水平，你就会选择一条不同的道路，使用恰当的决策和解决问题的方法。但是，许多人对自由选择的性质并不了解，也有的人存在着许多疑惑，因此，下面我们有必要对有关自由的几个主要的误解进行考察。

误解1：自由意味着简单地进行选择

许多时候，我们进行的选择并不自由，因为选择是在他人的强迫下作出的。例如，如果你受到了一个行凶抢劫者或一位野蛮丈夫的威胁，身体面临着受到伤害的危险，那么，你所作的选择就是对这些威胁作出的反应，明显地就是不自由的。同样，如果你在工作中，不得已而向有权解雇你的人向你施加的不合理压力屈服，那么，你所作的选择很明显就会受到这种环境的限制。这些对你自由的限制就是大家都知道的外部的强制力，因为它们是促使你在不得已的条件下进行选择的外部影响力。虽然绑架人质、索要赎金以及敲诈等是这种强制力极端的表现形式，但是，强制力也有许多早期的形式。政治领导人诉诸恐吓、对熟人微妙的操纵、乞丐暗示的威胁、有权人进行的性骚扰等，是限制你自由的外部强制力的普遍表现形式。

把自己从外部的强制力中解放出来的方法是，消除它们或使其成为无效，只有如此，你才能作出反映你真实愿望的选择。例如，如果你的选择受到了野蛮的丈夫或不讲理的上司的限制，那么，你或者必须改变他们的强制性行为，或者你必须摆脱这种环境以获得真正的自由。如果你认为你的选择受到了你所居住的地理位置的限制，那么，你或许必须通过搬家才能增加你自由选择的可能性。

误解2：自由受可供选择的条件限制

关于自由的第二个误解，干扰着人们进行自由选择的能力，因为它鼓励人们被动地接受他们所面临的可供选择的条件。然而，充分地行使自由意味着，你要积极主动地创造现实没有提供的选择的可能性。这种能力既涉及到通过采取积极主动的精神进行批判的思考，也涉及到通过创造独特的可能性来进行创造性的思考。例如，如果你在工作中需要完成一个项目，你不应该只考虑原有的条件来实现你的目标，而是应该积极地寻求更多的可能性。如果你与某人面临着一个困难的处境，你不应该把自己局限在这个范围内来进行选择，而是应该努力找出解决问题的新方法。人们往往满足于坐在那里，听任环境决定他们的选择，而不是采取积极主动的精神，用他们自己的方式去塑造环境。批判的和创造性的思考者把世界看成是一个他们有责任去塑造和改变的可锻造的环境，这样就能使他们放手去最大程度地行使他们选择的自由。

误解3：自由只是意味着
"做你想做的事"

"没有人是自由的，他是自己的奴隶。"这句格言告诉了我们一个道理：虽然你可能认为你能进行自由的选择，因为你不是能见到的外部强制力的受害者，但是，你的选择可能的确是不自由的。为什么会这样呢？因为你的选择可能是内在的强制力的产物，一些非理性的冲动限制奴役着你。即使你是按照自己的"愿望"进行选择，"愿望"本身也不代表你最真实的自我——你内心最深刻的愿望和价值观。请思考下面的例子：

△你是一个嗜烟的人，尽管作了很大的努力也没有戒掉。

△你的嫉妒心很强，你发现自己无法挣脱这种感情。

△睡觉前，你如果不检查三遍门锁，你就睡不着觉。

△无论何时你一想到在众人面前讲话，你就感到担忧，认为自己肯定要砸锅。

△你经常感到自己很消沉抑郁，常常无法自拔，使自己振作起来，这使得你无心从事任何事情。

这些只是一部分很常见的行为"不自由"的例子，尽管在社会生活中，没有外部的威胁能强迫人们进行选择，这样的事实的确存在。不过，在与上述这些例子类似的许多情况下，对人的限制不是来自外部，而是来自人的自身，这种内在的限制使人们无法进行源于他们真实的自我的选择。你怎样才能知道自己的选择是源于你真实的自我，或它是内在的强制力的产物呢？对此没有简单的答案。你必须批判的思考你所处的境遇，以对它有一个全面的了解，但是，下面的一些问题能指导你进行进一步的思考：

△你感到你能进行一个自由的和没有限制的选择，如果愿意的话，你能很容易地"作出相反的选择"吗？或者在某种意义上，你感到你的选择超越了你意识的控制，你受到一种不反映你真实自我的力量的"控制"，在某个方面，某种冲动"支配"着你？

△你的选择丰富了你的经历，为你的生活增加了成功、幸福等积极的品质了吗？或者你的选择为你带来了消极的后果，损害了你努力要实现的许多积极的目标了吗？

△如果有人问你，你为什么要进行选择，你能给出一个有说服力的、合理的解释吗？或者你对解释你为什么会有这样的行为感到不知所措，而只是说："我无法控制自己。"

让我们把下面的标准运用到吸烟的例子中。

△当人们吸烟成瘾时，他们常常感到，他们不是在进行一个自由的和没有限制的吸烟选择，因为对他们来说，要戒烟是非常困难的一件事。相反，他们常常感到他们被习惯所困扰，尽管他们也曾作过无数次的戒烟的尝试。

△吸烟给一个人的生活增加了许多消极的因素，包括对他自己及他周围的人健康的损害、牙齿有锈斑、呼吸困难等。从积极的方面来看，人们认为吸烟能减少忧虑、抑制食欲、缓减社会的压力等。但是，吸烟只能是治标之举，而不是治本之策。总的说来，吸烟最终的后果是消极的。

△想戒烟的大多数人对解释他们为什么吸烟的原因感到不知所措，而只是说："我无法控制我自己。"

现在我们使用这些标准对吸烟进行分析。习惯性吸烟似乎明显是一个内在的强制力的例子。当然，虽然吸烟可能不是你的问题，但是，你可能要考虑你生活中其它的事情。虽然你可能发现，作出别吸烟的劝告是很容易的，但是，当你面对巧克力包奶油小蛋糕的诱惑，面对缺乏安全的恐惧感或严重的消沉抑郁时，你可能就不会很容易地接受这类简单的劝告了。

有的内在强制力来源于他人的期望，而我们渐渐地在无意之中把这些期望"内化"为我们自己的一部分。例如，在你的生活中，某人可能要求你无论在什么情况下都要依从，你可能逐渐地把这种期望内化，真的认为表现出这种自我克制是你自由的选择。不过，虽然你在表面的层次上可能能使自己确信，但在一个较深的层次上，很明显你放弃了你的心理自由，而服从了他人的要求。这就是人们为什么很难挣脱虐待的和破坏性的夫妻关系的原因：他们不把这种关系看作是虐待的或破坏性的，相反，他们可能认为这样做是他们的自由选择。

在你全部的社会生活中，这种同样的心理模式不断地出现。希望被爱、被人接受、被人尊敬，适应社会整体，得到他人的奖赏，这一切都是人的天性。不过，虽然你可能努力地使自己确信，但是，你在对这些压力和需要作出的反应的选择常常真的是不自由的，因为促使你行动的驱动力不是来源于你自身，而是来源于自身之外的力量。这里的关键是你自我意识的程度。自由选择要求你能意识到社会的压力和期望，你能有意识地选择如何对它们作出反应。但不幸的是，我们这个关键的自我意识常常是缺乏的，因此，我们的行为是外部操纵的结果，而不是源于自我的选择。心理学家埃里奇·弗罗姆在他颇具创新的著作《逃避自由》中，对这种复杂的现象作了深刻的阐述：

　　　　大多数人确信，只要他们不过分地被外部的
　　　力量所驱使去做某事，他们的决定就是他们自己
　　　的，如果他们希望某个东西，那是他们想要它。

　　　　但是，这是我们对我们自己存有的一个大的幻
　　　觉。我们的许多决定实际上并不是我们。自己的，
　　　而是由外部给我们建议的，我们成功地说服了我
　　　们自己，这是我们所作的决定，但其实我们是在
　　　服从他人的期望，被害怕孤独隔绝和对我们的生
　　　活、自由和舒适的较为直接的威胁所驱使。

　　即使你可能认为你在进行真正的自由选择，但实际情况可能
是，你对内在的或外部的强制力的反应所作的是"虚假的选择"。
因为你没有意识到对你的行为产生影响的某些因素，所以，你生
活在玩偶的幻觉中，你的每一项活动都被你看不见的提线所操
纵。

　　虽然每个人都参与了某些虚假的思考和虚假的选择，但是，
这里的关键问题是，在什么程度上，我们大家都这样做了。如果
你是一个对你的信仰和选择进行反省、推理和批判思考的人，那
么，你基本上是一个"内在导向"的人，也即你是一个独立地进
行思考和选择的人。相反，如果你是一个很少对你的信仰和选择
进行批判思考的人，那么，你基本上是一个"他人导向"的人，
也即你是一个受他人的期望或你几乎不能控制的内在力量决定的
人。真正的自由要求我们具有对"自我"进行反省、推理和批判
思考的意志和能力，缺乏这些能力，我们就会处于成为"虚假的
自我"的危险境地之中。

我们会很自然地认为，既然你的自由常常受内在的和外在的强制力所限制，因而你的责任就会被减少，因为这些内外的强制力似乎是你无法控制的因素。然而，实际情况并非如此，你仍然是有责任的。为什么呢？因为你感觉到你自己所承受的限制，主要是你以前进行选择的结果。例如，虽然你现在可能感到迷恋某些药物，或处于身心上受到虐待的夫妻关系之中，但事实上，你的这种被奴役和束缚的状况是多年来就发生的。现在，你可能感到你深陷其中，甚至想象不到会有不同的可能性。然而你的处境不是一夜之间发生的，它是你进行的一系列选择的结果。就如同用线慢慢地把你的手缠住，一开始，你很容易挣脱，但是，如果你不采取行动，就会逐渐地达到这种程度：没有外界的帮助，你就无法使自己得到解脱。在此，寻求这样的帮助仍然是在于你自己的选择。因此，你应该对所发生的事情负责。

但是，周期性的抑郁消沉、恐惧、情绪不安以及其他的一些心理问题又是怎么回事呢？人们也应该对这些情况负责吗？虽然我们已"进步"到对几乎每一种病症，特别是心理领域，都有药可治的地步，但是，我们需要回首去审视，在上述情绪失调中思考应起什么样的作用，因为我们常常在无意之中，通过我们的思考和选择使情绪失调得以存在，甚至使它们得以强化。当然，在严重的、慢性的和长期的情绪失调的情况下，专业的治疗帮助是必要的，但是，对于较为常见的并影响我们发挥潜能的失调病症，如果我们能做到清晰的思考和自由的选择，我们就常常能想方设法，努力地冲破这些障碍和困难。

◆训练题：

是什么在限制我的自由

全面地运用你的自由，首先涉及到要消除限制你自由的强制力。运用这个"思考活动"来开始这个"探求、挑战和解决"的行动，这将有助于增加你的自由。

1. 在你选择的活动中，你周围的人和环境会形成一些外部的强制力和限制，请找出一些这样的强制力和限制。在你的生活中，有人积极地试图限制你的自由吗？你陷入只提供了有限机会的处境中了吗？找出一些重要的外部强制力之后，通过缓和或消除它们，找出减少它们对你的自由 影响的方法。

2. 请评价你在何种程度上，被动地同意从你所面临的有限的可能性中进行选择。找出几个你开始积极地创造你自己的可能性的领域。

3. 通过确认下列的行为：

△你感到无法控制的行为；

△给你的生活带来消极后果的行为；

△你不能提供合理解释的行为；

找出你生活中一些重要的内在的强制力。

5

把自己从抑郁悲观中解脱出来

◆如果能说明抑郁症常常是人们进行选择的结果，他们能在其生活中通过不同的选择来祛除这种病症，那么，很明显，自由和清晰的思考就是在生活的所有方面走向幸福和成功的关键。

在现实的生活中，以上抽象的观点如何能发挥作用呢？让我们考察一个每个人或多或少都很熟悉的例子：抑郁。请想想你上一次抑郁的情况。你对前途感到倦怠、目标不明确、悲观了吗？你感到这种低落的情绪即使你付出了很大的努力也是无力改变的吗？对严重的抑郁症进行的研究揭示了如下令人不安的事实：

△当今，患抑郁症的人数与50年前相比，增加了10倍。

△妇女患抑郁症的人数是男性的两倍。

△当代人患抑郁症比上一代人在年龄上提早了10年。对慢性的抑郁症有两种传统的解释：（1）它始于由来已久的心理疾

病，反映了悬而未决的童年期精神上的冲突和无意识的愤怒，它需要数年的临床治疗来进行分析和改善。

自然，这种方法需要花费大量的时间和费用，即使如此，这种症状也没有把握彻底治好。

(2)它始于大脑的化学失衡，需要服用抗抑郁的药。实际上，这些化学的治疗不仅对严重的抑郁症患者正变得日益普遍，而且对一般的病人也是如此。越来越多的人正寄希望于科学的力量，为他们提供简便的治疗方法，帮助他们治愈复杂的心理疾病。

如果我们通过简单的服用药片就能"治愈"抑郁症，或许我们用同样的药物手段就能治疗任何的情绪疾病。

如果对抑郁症只有两种可能的解释，那么，它是在什么地方遗弃了自由呢？从表面上来看，抑郁似乎是一种如此普遍和衰弱的内在强制力，以至于用任何认真的方法谈论选择的自由都是毫无意义的。

人们如何能为他们似乎明显所无法控制的处境而负责呢？另一方面，如果能说明抑郁症常常是人们进行选择的结果，他们能在其生活中通过不同的选择来祛除这种病症，那么，很明显，自由和清晰的思考就是在生活的所有方面走向幸福和成功的关键。

◆训练题：

对你的抑郁症进行分析

想想你上一次感到抑郁的情况，尽可能具体地描述你的体验。它是因哪件事或哪些事而引起

的? 你的抑郁症发作的频率是怎样的? 它一般延
续多长时间? 你的抑郁是以怎样的方式影响你的
动机和行为的? 它是如何地影响你和他人的关系
的? 你对未来和控制你生活力量的感觉如何? 你
使用了哪些方法来消除抑郁症? 它们是成功的吗?
为什么你认为抑郁症最终能被消除?

　　首先要意识到, 即使当你处于抑郁症这样强有力限制的痛苦
中时, 你仍然能够进行选择。例如, 当现任南非总统纳尔逊·曼
德拉被监禁在一个小牢房里长达 30 年时, 对他来说很容易得抑
郁症, 并静等死亡的来临, 如果他这样做了, 我们没有人会去责
备他。不过, 尽管曼德拉的自由受到了极大的限制, 但他还是选
择了最大限度地发挥他自由选择的能力, 继续在南非开展反种族
隔离的斗争。他所作的这些努力对于他后来的释放, 以及最终当
选为关押他如此之久的该国总统, 都起了很重要的作用。

　　同样, 当你感到特别的抑郁时, 你可以选择向抑郁屈服, 让
它剥夺你过有意义和有作为的生活的愿望, 或者你也可以选择战
胜抑郁。你用什么武器来打败这个始于你自身的敌人呢? 你具有
思想的力量, 能够进行批判的思考, 清楚的推理以及自由的选
择。这也正是心理学家爱尔伯特·艾利斯 30 年前得出的结论。艾
利斯提出了一个对人的行为进行解释的非常直接和容易使人误解
的方法。顺应不良的行为和神经过敏的情感, 都是基于不合逻辑
和自我毁灭的信仰的基础之上的, 通过改变你思考的方式, 可以
把行为和情感转变到积极的方面来。虽然艾利斯接受过传统的弗
罗伊德心理疗法的训练, 这种疗法把重点放在无意识的童年期创

伤和长期的治疗上，但是，他最后得出的结论认为，实际上所有严重的情绪疾病——如抑郁——和神经过敏的行为都是"不良的思考"的结果。不明晰、不合逻辑和方向错误的思考会产生心理疾病，通过清除不恰当的思考模式，这些心理疾病可以得到缓解和减轻。艾利斯通过研究发现，个人通过选择他们的思考方式，可以改变思考的模式。以前，学者们认为，人们的思考或是被内在的心理驱动力所"推动"，或是被外部的力量所"拉动"。但是，艾利斯得出结论认为，如果人们能够控制他们的思考，也就能够控制他们如何感觉和如何行为。下面让我们来分析一个实例。

假定你正耐心地排队等候公共汽车，这时，突然有个人猛地从后面推了你一把。你会有怎样的感觉？如果你认为这个人是有意地推你，那么，你很可能会感到很气恼或甚至是愤怒。现在，假定当你转过身来看看是怎么回事时，你看见那个推你的人戴着一副墨镜，手里拄着一个拐杖向前探着路。你现在的感觉又是如何呢？如果你认为那个人是个盲人，你可能对你最初的愤怒感到很尴尬，认为你得出的结论是错误的。现在，假定每个人都上了汽车，你把这个人领到了座位上，他摘下墨镜，开始读报，现在你的感觉又如何？是的，你肯定明白了一切。我们对世界上所发生的事情的情绪反应，直接建立在我们对事情如何思考的基础上。当你的思考变化时，你的情感也会发生变化。

这是在艾利斯博士提出的"合理的情绪心理疗法"的基础上得出的一个基本的观点。"合理的情绪心理疗法"是改善人们生活质量的一种方法，它是建立在以下的原则基础之上的：

△神经过敏的倾向常常是天生的或是在童年期就有的，但

是，这些倾向由于个人不断重复早期就有的神经过敏的信念而延续下来。

△既然情绪是密切关联的，是人的思考的产物，那么，神经病就是由错误的、不合逻辑的信念组成的，这些信念导致某人会用自我毁灭的方式去感觉和行动。

△人们可以通过改变他们不正常的思考模式，并代之以明晰的、理智的思考模式，来清除他们身上这些自我毁灭的倾向。要做到这一点，就必须找出那些不断反复，使人们的情绪失调和行为失当的不合逻辑的信念，向这些信念提出挑战，并代之以正确的信念，最终达到对影响生活每个方面的个人生活哲学作基本的调整。

多年来，这种"合理的情绪心理疗法"的方法，在帮助人们解决个人问题方面，被证实为特别有效。因此，让我们把这个方法应用到我们一直在探讨的抑郁这个问题上，看看它究竟是怎么回事。对这个方法如何运作有了一个明确的认识之后，你就能够把它运用到你生活的任何领域，使你的生活更加自由和幸福。

根据心理学家马丁·塞利格曼和阿容 T·贝克的观点，慢性的抑郁症是一种被意识到的思想失调，是对世界悲观认识的自然结果。当我们每个人都可能遇到的不幸降落在一个悲观者身上时，悲观者对此反应的方式是抑郁："这完全是我的错，它将永远地持续下去，它将损害我所做的一切。"这种反应是习惯性的和自动的，反映了一种在塑造个人的生活中发挥着重要作用的思考模式。当同样的不幸降落在一个乐观主义者的身上时，他的反应方式是尽量减少挫折和不幸感："这个错误主要是由环境造成的，无论如何它会很快地消失，此外，在生活中，还有很多值得我们去追求的东西。"这种反应方式在帮助乐观者深处逆境而不抑郁是很有作用的。

悲观者对不幸的这种习惯性的消极反应方式，反映了错误的和不合逻辑的信念，这种信念会带来许多的情绪问题，其中包括抑郁。根据心理学家艾利斯、塞利格曼和贝克的观点，解决这些问题的方法是用正确的信念代替错误的信念，以确立新的思考和反应模式。例如，悲观者可以通过改变他们的"解释风格"，学会像乐观者那样去思考和感觉，"解释风格"是悲观者习惯性地向他们自己解释事情为什么发生的方式。你的解释风格反映了你对自己和世界的基本信念——它体现了你的生活哲学。你是一个可尊敬的、有价值的人，还是一个一钱不值的人？你能完善你自己并提高你生活的质量，还是你对有意义的改变无能为力？正如塞利格曼博士所说，你的解释风格反映了"你心目中的世界"是肯定的还是否定的。随着你对自己不断地重复音信——这也反映了你的解释风格——日复一日，年复一年，你就会建立塑造你人格的思考和感觉的模式。

例如，假定你刚知道两周后你将失去你的工作，你对就业的前景感到很渺茫，每个人面对此种情况都会有这种心理体验。虽然同样的事情可能既会降临到悲观者的头上，也会降临到乐观者的头上，但他们对此所作的反应是完全不同的，从中反映了他们不同的解释风格。让我们来作一个比较：

悲观者说：　　　　　　　　乐观者说：

1．这是我的错，我太差劲了，我应该被解雇。

2．我可能永远都不会得到另一份工作。

3．它将对我生活的每个方面都造成损害，一切都完了。

1．在某种程度上，我是环境的受害者。我本来能克服我的不足之处，但是，公司不认可我的价值。

2．我能找到一份更好的工作，从而更好地发挥我的才能，我将继续努力。

3．在我的生活中，我还有好多的事可以去做，我不会让这件不幸的事影响我生活的其它方面。

（1）个人化：正如这些陈述所反映的，悲观者倾向于指责降临在他们身上的不幸，从而导致削弱自尊心，他们的结论是他们毫无价值，才能平庸，不值得人们去爱。相反，乐观者清楚地看到了外部的环境在其不幸中的作用，他们能够客观地评价他们自己的力量和失败，乐观地面向未来，更好地完善自己，这样使得他们的自尊心比那些不断地责备自己的人更强。当好事来临时，情况就会是另外一个样子：悲观者习惯地把荣誉和赞扬送给外部的环境和人们，而乐观者则倾向于认为这是他们自己努力的结果，自己应受到赞扬。

（2）永久：正如上述所的陈述所表现的，悲观者倾向于把不幸看成是永久的、一系列消极的事情，它们总要发生，并毁灭他们的幸福。相反，乐观者则倾向于把不幸看成是暂时的，把消极的事情看成是，他们能克服和战胜的暂时的挫折。从积极的事情来看情况也恰恰是相反的：悲观者倾向于把成功和幸福看成是暂时的，而乐观者则坚信这样的成功和幸福是一种正常的状态。

（3）渗透：最后，正如上述陈述所反映的，悲观者认为，不幸的事情会渗透到他们生活的所有方面，表明他们的生活是一场失败。相反，乐观者认为，消极的事情是特定的和孤立的，与生活的其它方面没有什么联系。在积极的事情方面，两者恰恰也是相反的：悲观者认为他们的成功仅限于那一件事上，而乐观者则把成功看成是他们生活获得全面成功的标志。

塞利格曼在他的《学会乐观》这本书中，提出了很有说服力的研究成果。他认为在生活的每个方面——学习、工作、运动、健康，甚至是长寿——乐观者都比悲观者有更大的成功的可能。就象才能和动机在取得成功方面是非常重要的一样，乐观可以被看成是继才能和动机之后第三个取得成功的重要因素。当你面对逆境时，不能给自己说泄气的话（我们在前一章所论述的"判断之声"），这是很重要的乐观技能，它能使你学会一系列新的认识的技能和态度，从而以更有效的方式重塑你对世界的看法。这种新的看法会使你获得解放，给你进行真正的自由选择的力量，这种选择能反映你最真实的和真正的自我。当你学会了这些积极的思考技能时，你也能把它们传授给你的孩子和你生活中其他的人。

6

战胜悲观的"三合一"法

◆一旦你对生活中遇到困难所作的消极反应提出了挑战，你就会对遇到的问题作出积极的和建设性的解释，你需要直戳你用来说明逆境的悲观解释风格，并用积极的品质来取代消极的品质。

我们将运用一种由三个部分——寻找、挑战和解决——组成的方法，从而用一种全新的视野和积极的观点来对待你自身以及你的生活。这种方法是建立在艾利斯和塞利格曼所提出的经验实证方法的基础之上的，反映了《八项修炼》基本的原则。

找出你的消极的判断

悲观者的解释风格由不合逻辑的信念和消极的自我判断构成，对他们来说，这种消极的自我判断是一种习惯和自动的行为。你只有意识到它们的存在，你才能通过一定的方法适当地加以改变。为了做到这一点，找出你长期存在的悲观的判断，并在你的"思考笔记本"上做记录，一开始这样做是很必要的。只有如此，才可能清除这些消极的判断和信念，并代之以合乎逻辑的信念和积极的自我判断。

向你消极判断的逻辑提出挑战

一旦明确了"大敌"是谁，你就需要运用本书教给你批判的思考技能向它提出强有力的挑战。

△你所作出的消极判断是以什么为根据的，是建立在什么信念基础之上的？

△还可以从其它的角度来看待这个问题吗？

用新的思考方式解决问题

一旦你对生活中遇到困难所作的消极反应提出了挑战，你就会对遇到的问题作出积极的和建设性的解释，并对"有没有切合实际的解决办法？"这个问题给予回答。简单地重复空洞的"感觉不错"的老生常谈，对重塑你的思考方式没有任何的帮助。相反，你需要直戳你用来说明逆境的悲观解释风格的要害之处，并用积极的品质来取代消极的品质。下面让我们用这种"寻找、挑战和解决"的办法，来具体地分析一些实例。

寻　　找

（1）未按时完成工作。我又失败了。我承担了一项工作，但我没有按预定的时间完成，我什么事情都不能做得（2）约会被拒绝：我最终鼓起勇气，与一个女孩约会，但她拒绝了我的要求。毫不奇怪：我缺乏魅力，也令人厌烦。为什么别人会跟我一起出去呢？我从来没有找到能与我共同生活的人。

（3）对孩子发火：我失去了控制，又冲着孩子大喊大叫。我实在不是一个合格的家长，一点小事就会使我发怒，失去自控。我知道我是在向他们撒气，但是，我无法控制自己，我的生活真是一团糟。

挑战

（1）未按时完成工作

证据：虽然我确实没有在规定的期限内完成我的工作，但是，这件工作是在最后才交给我来做的，当时我手头还有许多其它的工作。我尽了最大的努力来完成我应该做的工作，但是，实在找不出时间。

可供选择的看法：换一个角度看，因我在规定的时间内做了力所能及的工作，我可能还会受到称赞，而不会因没有按时完成这件工作而受到责备。然而，既然这个例子是常见的没有按时完成的情况，那么，就表明这是一个需要进行分析的问题。

（2）约会被拒绝

证据：虽然我有时感到自己缺乏魅力，但是，许多人说我很迷人，我只是对他们的话不太相信。约会被拒绝，不过是因为我俩不太合适，这并不反映我的价值如何。要找到一个与自己情投意合的人很难，但是，如果我不放弃，肯定有机会成功。

可供选择的看法：或许我约她出去的那天晚上她真的很忙，她说过如果换其它的时间她很愿意出去。我具备某些很好的素质，我们有机会相处一段时间后，我们肯定能和睦相处。

（3）对孩子发火

证据：我的确对孩子发了火，但是，这只是偶尔为之，大多数时候我与他们相处得很好，因此，我必须正确地看待这件事情。这并不意味着我不应该努力去克制自己，但我也不应该对我的发火作出过分的反应。

可供选择的看法：抚养孩子有一定的压力，在生活中，我还面临着许多其它的压力。有时候，我真感到被压垮了，当孩子们调皮时，他们就成为我发泄紧张和压力的出气筒。

解决

（1）未按时完成工作

解决办法：既然这个问题涉及到给我分配的工作任务太多，我需要与我的上司商量这件事，在工作中，我该如何突出重点应该多听取她的意见。但是，我不应该为此和自己过不去，因为这是一个普遍的问题，我能够妥善地把这个问题处理好。我将不断地提醒我自己，我是一个有能力和认真的人，但是，我不能做不可能的事。当我在很短的时间里被分配了许多工作时，我需要与我的上司商量，看看该先做哪件事。既然偶尔我也有拖延的毛病，我将对这个问题进行分析，并力争解决它。

（2）约会被拒绝

解决办法：我需要确立我的自信心，并利用一切可能的机会与他人交往，在社交方面取得成功。我将不断地提醒我自己，我是一个有魅力、有价值的人，我能找到一位与我性情相投的人，我确信我能做到。同时，我需要积极主动地结识新朋友，如果这些努力都未获得成功，我也不会感到气馁。

（3）对孩子发火 解决办法：我需要把我的生活安排得井井有条，这样，我就不会感到生活单调，令人乏味。我也必须找出更加积极的方式控制和释放我的紧张。最后，当我的孩子调皮时，我需要找到一些富有建设性的方法来解决这个问题。我需要不断地提醒我自己，我是一个有爱心、有责任心的家长，我将努力地减少我生活中的压力，控制我的脾气，向孩子们解释在解决我们的共同问题和实现我们的目标时，我需要他们的帮助。

◆训练题：

转换解释风格，改变悲观人格

请关注你人格中长期悲观的一面，并运用本节介绍的方法帮助你形成一个较乐观的解释风格和对世界的看法。

寻找：在你的"思考笔记本"上，把你一段时间来消极的解释风格记录下来，运用你在本章第4节"思考训练"中找出的强制力作为开始。

找出你的解释中的模式，并确认哪个错误的模式 说明了"个人化、永久和渗透"。

挑战：通过回答下面的这些问题，对你所记录的解释风格的逻辑性和准确性提出挑战：

△证据：你的解释风格有证据支撑吗？这些证据能说明问题吗？

△可供选择的看法：有没有其它的、较积极的解释？有什么证据能支撑这些解释？

解决：对你的解释风格进行分析之后，找出解决你的问题较乐观的办法。消除你习惯性的解释风格，并通过发展乐观的解释风格来改变你的思考（和感觉）。把这些都写下来，可以经常地运用这些材料。

7

选择幸福的生活

◆你需要对自己作明晰的思考，有一个乐观的解释风格，因为它能使你尽可能地用最有成效的方式来对待生活。

你生活的最终目的是什么？你努力要实现的幸福生活是什么？

心理学家卡尔·罗杰斯对这些问题作了深入的研究，提出了很多有价值的思想，他认为幸福生活不像美德、满足、离世或愉快一样是一种固定的状态；也不是像得到调整、实行和实现这类的目标状态；也不像是驱动力或减少紧张那样的一种心理状态。

相反，幸福生活是一种过程，而不是一种固在的状态；是一个方向，而不是一个终点。但是，是什么方向呢？根据罗杰斯的观点，"构成幸福生活的方向是当心理自由能指向任何方向时，由全部的有机体所选择的东西。"换句话说就是，幸福生活的核心就是通过真正的自由选择来创造你自己，把自己从外部的和内在的强制力中解放出来。当你过着这样的生活时，你就可以在你生活的每个方面都发挥出你的潜能，就能够完全地向你自己敞开心扉，按照自己的意志行事，体验自己内心的力量。你就不仅能较清楚地意识到象恐惧、失望和痛苦等这样的情感，并坦然地接受它们，而且也能体验到勇气、体贴和尊敬这样的情感。你就能完全基于自己的体验生活，而不是通过防御和否认而把它们都排除在外。

你怎么能知道你应该进行什么样的选择，什么样的选择最有利于创造你想像中的自我，并实现幸福生活呢？随着你达到了心理的自由，你的直觉就变得越来越可信，因为它们反映了你内心深处的价值观，你真正的愿望和你真实的自我。当我们受到内外强制力对我们自己的阻碍时，我们的直觉就会受到曲解，其结果常常是自我毁灭。如前所述，你需要对自己作明晰的思考，有一个乐观的解释风格，因为它能使你尽可能地用最有成效的方式来对待生活。当你达到了这种思想明晰和精神和谐的境界时，"感觉不错"——你的反映意识和常识的证明——就是对你应该进行的选择的一个有力的和可信赖的指导。在这种良好的状态中，所进行的选择将有助于你创造一种丰富的、令人振奋的、具有挑战性的、有激励作用的、有意义的和有所作为的生活。它将使你不断地发展自己，发挥出自己的潜能。

自由不过是达到更好的一种机会，而束缚肯定是最坏的。

——阿尔伯特·加缪

8

自由能力测验

下面所描述的内容是与自由地选择相联系的主要个人品质。请对你在每一项品质中所处的地位进行评价，并运用这个自我评价来指导你的选择，把自己塑造成为一个你想成为的自由的人。

你把自由放在优先地位了吗？

我认为个人的自由是最重要的。

我认为个人的自由与满足我的需要相比，并不太重要。

$$\longleftarrow \quad 5 \qquad 4 \qquad 3 \qquad 2 \qquad 1 \qquad 0$$

你自己要拥有较大的自由，就要把个人的自由放在一个重要的位置上，如果你主要关注的是满足你现实生活中的需求，那么，扩大你的选择，拓宽你生活的范围就不会成为你最优先考虑的事情。如果你感到对现状不满意，希望增加你的选择自由和选择的能力，那么，增加你的个人自由将会是一个非常重要的目标。

方略：把你的生活列出一个简单的目录，找出你想进行改变的某些领域，以及你基本上满意但是想丰富的领域。思考一下增加你个人自由的方法，进行不同的选择能够帮助你实现这些生活的目标。

你承认你的自由和责任吗？

我愿意承认我的自由和我的责任。我常常设法逃避我的自由和个人的责任。

你对责任的反应是你对自由态度的一个有效的晴雨表，如果你能担负起个人的责任，公开地承认你的错误，并从你的成功中能感受到快乐，那么，这表明你承认了你的自由。同样，如果你以你的独立性为荣，对你个人有责任进行选择的机会抱欢迎的态度，那么，这也表明了你愿意接受你的自由的态度。

方略： 制作一张"责任图"，用它来评价你在生活的各个方面承认责任和自由的状况，在稿纸的一面，描述你参加的一些共同活动（"工作中作决定"、"与我的同事冲突"）；在另一面，列出你作的典型的判断（"我个人对那个错误的分析负责"；"你让我做那件尴尬的事情，我不会原谅你"）。经过几天的记录和思考，你应该开始对你自己在何种程度上接受（或拒绝）你个人的自由有一个更加清楚的认识。

你强调你的创造自我的能力吗？

我认为通过我自由的选择能创造我自己。我认为我是由我所几乎无法控制的力量所创造。

5　　4　　3　　2　　1　　0

虽然你可能没有完全地意识到这一点，但是，你对人性有自己的心理理论，你如何看待你自己和如何对待他人可以反映出你的这一理论。你认为你的人格是由你的遗传基因或塑造你的环境条件决定的吗？或者你认为人们能超越遗传基因而进行自由的选择吗？

方略：我们不是完全要根据基因和环境条件来解释你的（和他人）行为，而是要根据你进行的选择来分析你的行为。我自己亲眼看到了许多人他们战胜了不利的条件，我也看见其他人尽管在生活中有许多有利的优势，但还是可悲地失败了。关键的因素是什么呢？一句话，就是要坚信每个人有选择自己命运的能力。

你能意识到对你自由的限制力吗？

我能意识到对我的自由的限制力。我一般意识不到对我的自由的限制力。

5　　4　　3　　2　　1　　0

开启自由之锁的钥匙，就是要意识到对你有影响的外部和内部的限制条件，如果你意识不到外部的操纵和内部的限制，你就无法逃避它们的控制。然而，通过运用你批判思考的能力，你就能够找出这些影响，并且消除它们的后果。

方略：在你的"思考笔记本"上，找出对你的自由的外部限制（人或环境），并想出消除这些限制的方法。然后尽你所能找出与你的愿望不一致的影响你行动的内部限制。然后运用"寻找、挑战和解决的方法"减小或消除它们的影响。

你努力使自己挣脱限制力吗?

我对自己摆脱限制力的影响有很明确的目标。对我来说，很难摆脱限制力的影响。

```
    5       4       3       2       1       0
◄───────────────────────────────────────────
```

人的行为的源泉是什么？为什么有的人能用坚韧的意志战胜逆境，而有的人处于相似的环境中却意志软弱，缺乏毅力呢？根据哲学家尼采的观点，每个人的"权力意志"是个人身份的最终来源和行动动力，你必须努力使自己去行动，通过实施你的意志，你的意志会变得更强大。

方略：努力去认识你的"意志"，把重点放在你实施意志的方式上，以及随着实施你的权力意志增强的方式上。首先确定不太高的目标，并努力实现这些目标，不让怀疑、恐惧和惰性影响自己的方向。然后逐渐地扩大范围，包括要敢于对生活的难题提出挑战。

你创造新的选择机会吗?

我常常设法创造更多的选择机会。我常常接受提供给我的选择机会。

```
    5       4       3       2       1       0
◄───────────────────────────────────────────
```

象被动的思考一样，积极的思考也是一种养成的习惯。但是，一旦你形成了不满足现有的信息，不断地超越你活动的范围的习惯，你将越来越不喜欢被他人决定的选择范围所限制。相反，你将创造新的可能性，积极地去改变环境，使其适应你的需要。

方略： 当你发现你自己处于具有不同选择的环境时，要努力寻找与提供给你的那些可能性明显不同的选择方案。你不必非得去选择你所创造的新的选择自由，如果它们不比他人的更优越，但是，你需要开始培养运用你的想象力来超越现有环境的习惯。

你能意识到你的解释风格吗?

我能意识到我内心反复对自己说的音信。我很难"听到"我内心反复对自己说音信。

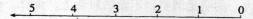

思考的过程包括你的解释风格，即与你自己内心的对话，它可以养成对你的生活进行积极的或消极的思考方式。意识到你内心的音信，被称之为"超越认识"，即一种被强化的认识敏感性。它就像发展了一种新的感觉，一种"内心的听觉"，它能使你调整到这些音信上，如果必要时，对它们进行修改。

方略： 在你的"思考笔记本"上记录你的结果，把你的注意力放在你内心的对话上，记录下积极的陈述（"这是一个明智的想法"）以及消极的陈述（"我怎么会犯同样的错误呢? 我实在是不可救药了"）。做完这个工作的几天后，对你的陈述类型和出现率进行分类，看看你对你看待自己和你的生活的方式会作出什么样的推论。

你能用乐观的解释风格取代
悲观的解释风格吗?

我能够对我消极的态度提出挑战,并用积极的态度来代替它。

对我来说,把我消极的态度改变成积极的态度很困难。

$$\overleftarrow{\quad\underset{5}{\mid}\qquad\underset{4}{\mid}\qquad\underset{3}{\mid}\qquad\underset{2}{\mid}\qquad\underset{1}{\mid}\qquad\underset{0}{\mid}\quad}$$

一旦你把内心的听觉调整到不断的对话上,那么,你就能开始重新改变这个对话,使其能更好地反映你想成为的人。

方略:那些消极的、悲观的陈述像不受欢迎的病毒一样不断地出现,你应该运用本章"战胜悲观"中所叙述的战略成功地向它们发起挑战,由此,那些积极的和乐观的陈述也可以得到加强和扩展。你通过成功地选择,形成你以前没有意识到的有力的个人对话,来发展"内心的自由"。

你有办法实现你和他人的幸福生活吗?

我对我想实现的幸福生活有明确的想法。我对幸福生活是什么和如何实现它感到困惑。

$$\overleftarrow{\quad\underset{5}{\mid}\qquad\underset{4}{\mid}\qquad\underset{3}{\mid}\qquad\underset{2}{\mid}\qquad\underset{1}{\mid}\qquad\underset{0}{\mid}\quad}$$

幸福生活对每个人来说是不同的,实现它也没有统一的途径和公式。它是一个每天创造自己的过程,在这个过程中,你需要运用能表现你内心最深处的愿望和最高价值的方式——你真实的自我。批判的和创造性的思考为你提供了明确的认识,通过这个认识你能清楚地知道你究竟想做一个什么样的人，而自由地选择则给了你实现你心目中的人格的真实力量。

方略：在你的"思考笔记本"上，描述你理想的幸福生活，运用你的想象力，对你自己展望的幸福生活的细节要尽量地具体化。把你想象的幸福生活与你现在的生活进行对比，为了实现你的幸福生活，你必须进行哪些不同的选择？

9

得分指导

把你在上述每一项自我评价项目上给自己打的分加起来，并运用下列的得分指导对你个人的自由进行评价。

总　分	说　明
36—45	非常的自由
27—35	比较的自由
18—26	有一定的自由
9—17	没有自由

在对你的结果进行说明时，切记：

△这个评价不是对你个人自由的一个准确的衡量，而是作为一个衡量你如何自由地对待你自己和你的生活的一般显示器。

△你的分数表明目前你的自由程度如何，而不表明你潜在的自由选择的能力。如果你的得分比预期的要低，那就说明你没有充分地发挥你自由选择的能力，你需要按照本章的建议，使你自由的潜能得到充分的发挥。

◆**训练题：**

增加你的自由

选择你生活中你想达到较自由的某些领域：个人的习惯和行为、与他人的关系、你的职业等。努力意识到限制你自由的内外条件，以及塑造你思考的内心音信。在你的"思考笔记本"上做记录，详细地说明你的努力情况和取得的结果。切记要给你自己留出足够的时间以摆脱习惯的模式，并建立新的思考、感觉和选择的模式。培养我们在本节所探讨的自由选择的品质：

△把自由放在优先的地位。

△承认你的自由和责任。

△强调你创造你自己的能力。

△要意识到对你自由的限制力。

△努力使你自己挣脱限制力。

△创造新的选择机会。

△要意识到你的解释风格。

△用乐观的解释风格取代悲观的解释风格。

△努力地实现你自己和他人的幸福生活。

第四章

破解生活难题的能力

　　人生不如意事十之八九，善解者无虑无忧，不善解者日坐愁城。

有效地解决具有挑战性的问题需要运用一整套综合性的思考能力。

在本章，你将学习如何确定"真正"的问题，提出不同的解决方案，根据其各自的优缺点对方案进行评价，制定有具体行动计划的解决办法，并对计划的结果进行检查，以利于今后对计划作尽可能的修改。

通过运用这个方法解决你生活中遇到的各种各样的问题，你将学会把这个思考的模式内化，成为你处理问题，寻求解决问题办法的一种自然方式。

1

你属于哪一类问题解决者？

◆在很大的程度上，你生活的质量取决于你是
否 是一个称职的问题解决者。

有时候，我们的生活会面临许许多多的问题、困难和窘境，从而给我们带来很多的忧虑和烦恼。有许多难题和复杂的问题需要我们给予更多的关注。

精神病医生和作家 M·s·佩克对我们生活中问题的意义位进行了总结：

问题能唤起我们的勇气和智慧；的确，它们创造了我们的勇气和智慧。因为有了问题，我们的大脑和精神才得以发展。当我们企盼着人们的精神能得到发展时，我们就鼓励人们提高解决问题的能力，并向这种能力发起挑战，就像在学校，我们要为孩子们精心地设置问题一样。

问题,是锻炼我们品质的熔炉。当你受到生活的考验,必须克服逆境,想方设法迎接挑战时,你可能会以一个有主见、机智和心情愉快的形象出现。然而,如果你的生活无忧无虑,未经任何的磨练和考验,或者如果你一见困难就退避三舍,那么,你将会变得十分懦弱,无法去应对那些即使在你被精心受到保护的世界里也难免出现的许多问题。在逆境中,你能锤炼自己,造就自己的品性,他人也才能看出你究竟是一个怎样的人。

在很大的程度上,你生活的质量取决于你是否是一个称职的问题解决者。在现实生活中,有的人始终是解决问题的高手,这主要是由于他们具备了用明智的和有条理的方法处理问题的能力。相反,对于不善于解决问题的人来说,当身处逆境时,他们就会手足无措,慌乱应对,其结果可想而知。你认为自己属于哪一个层次的问题解决者? 你一般能满怀自信地对待困难,对它们进行清晰的分析,并能提出有效的解决方案吗? 或者你发现处于这样的环境中,你常常不知所措,感到迷惑,不能清楚地认识问题,摆脱头脑中固有的陈规? 当然,你可能发现在你生活的某个领域,你很善于解决问题(譬如,在你的工作中)但在其它的领域则是一团糟,如在你的爱情生活中或在与你的孩子的关系方面。

如果你解决复杂的和具有挑战性的问题的能力不象你想象的那样好,请不要灰心! 善于解决问题的行家里手并不是生来就如此的,而主要是在后天的社会生活中习得的结果。通过按照本章所论述的原则去实践和运用,你就可以获得这种能力。你就能学会把问题看成是挑战和发展的机遇,而不是阻碍和负担,你就能成为一个用自信和热情去战胜逆境的人。

2

有条理解决问题的七步骤法

◆本章所提出的解决问题的方法，一直被许多
人 成功地运用去处理和解决他们在日常生活中遇
到的无数的困难和问题。这样做的结果，将使 你满
怀自信地培养自己解决问题的能力。

让我们从一个几乎与每个人都有关联的棘手问题——拖延时
间开始说起。不止一次，我曾问我的学生有多少人有这个毛病，每
次都是我的话刚一说完，几乎人人都举起了手，并常常伴之以悔恨
和会意的笑声。

拖延时间者说："我是一个喜欢拖延时间的 人，
无论何时我有要事要做，特别是如果它很难 或令人
不愉快，我总是把它往后拖。虽然这个毛 病一直在
困扰着我，但是，我 却无法根除它。我 并不在乎在

多长时间干多少事,我总是要等到最后才去集中精
力,做我该做的事,或把所有的事情都堆在有限的
时间里去做。我一般能按时完成任务,但并不总是
这样。我不喜欢在有压力的情况下工作,在许多情
况下,我知道我的工作做得并不好,更糟糕的是,我
总是落在人后的感觉使得我感到真的很紧张,并对
我的自信心有很大的损害。我也曾努力去改正我的
这个毛病,但是每次都不能持久,最后又回到了我的
习惯之中。我必须学会把事情分成先后的顺序,有
条理地去完成它们,只有如此,我才能过明智和较幸
福的生活。"

在生活中,当我们遇到类似这样的问题时,我们往往不知道从
何处人手来解决它们。每个问题都与其它问题相互关联,由于我
们常常被不知道从哪里开始去着手解决问题所困扰,因而我们通
常放弃努力地去认识问题。在许多情况下,我们可能什么也不做,
静等事情为我们作出决定("我将等着看看什么会发生"),或希望
问题会自己消失("或许情况会变好")。抑或我们可能采取"人没
有十全十美的!"以及"我正是那样做的"这样的态度。不经思考和
分析,凭冲动去行事,是另外一种常见的反应("我将推掉所有不必
要的活动,这样我才能有更多的时间")。有时候,我们征求他人的
意见,然后不加判断就完全按照他人的建议去做("告诉我,我应该
做什么——我实在是不愿意去想它了")。

从长远来看,这些方法都是行不通的,它们将会逐渐地削弱我
们解决复杂问题的自信心。我们需要的是一种多方面适用的、有

力的解决问题的方式,这种方式能使我们对最具挑战性的问题进行有效的分析,并提出明智的和持久的解决问题的方法。

本章所提出的解决问题的方法,一直被许多人成功地运用去处理和解决他们在日常生活中遇到的无数的困难和问题。这个方法直接建立在本书的步骤1、步骤2和步骤3的基础之上:要成为一个成熟的问题解决者,你必须批判地思考,创造性地生活和自由地选择。为了运用下面列出的"七步骤法",这三条是你需要具备的品质特征和思维工具。

步骤1:我承认问题吗?

步骤2:我对问题了解多少?

步骤3:我如何确定问题?

步骤4:可供选择的方案是什么?

步骤5:每一种选择方案的优与劣各是什么?

步骤6:解决办法是什么?

步骤7:解决办法的效果如何?

这是开始你的分析的最好方法。当开始学习这个解决问题的方法时,一般不能越过某个步骤,因为每个步骤都要解决问题的一个重要方面。当你能熟练地运用这个方法时,你将发现你能够用一种较灵活和自然的方式应用它的思想和战略,就象学习一项运动或舞蹈一样,刚开始,你必须一丝不苟,完全按照每个动作的要领去练习,逐渐地你才能达到运用自如,游刃有余的地步。

在本章下面的内容中,通过把这个解决问题的方法运用到各种复杂的难题上,包括上文谈到的拖延时间的问题,你将逐步掌握这个多方面适用的解决问题的方法。最重要的是,你将通过选择你生活中一个没有解决的难题,具体地去运用这个方法去尝试着解决它,这样做的结果,将使你满怀自信地培养自己作为一个问题解决者应有的能力。

我们中的多数人不用费劲就能找出我们想解决的问题,当你开始思考你生活中的某些问题时,不妨先看看下面我曾接触过的人们对有些问题的叙述。

减肥:"我的问题是,我身上长的不受欢迎的赘肉。我年轻时体形特别好,如果我的体重有所增加,我稍微调整一下我的饮食或做些运动就能恢复正常。但是,随着年龄的增长,体重很容易增加,而减肥却相当地困难。我在饮食方面比以前讲究多了,参加体育活动也比以前多。但是,体重却不断地增加,我的衣服都小了。我感到我现在的行动很迟缓、笨重,我的自尊也受到了损害。我怎样才能把这些赘肉减去呢?"

讽刺挖苦:"讽刺挖苦是我人格中重要的部分,它在我的生活中有很多的作用。它是一个情绪的释放口,通过它可以发泄我对环境和人的不满;它是一个心理防御,可以保护我自己不受他人的指责和批评;它也是我引起大家注意和取乐的工具。然而,我的讽刺挖苦会造成他人的情感受到伤害,或使他人的权利受到侵犯。我意识到我的讽刺挖苦对他人是特别有害的,我不想彻底放弃我的这种做法,只是想去掉其中有害的那一面。"

吸烟:"在我的生活中,已经持续了12年还未解决的一个问题就是我无法戒烟。我知道吸烟对身体有害,我告诉我的孩子们不要去吸烟,他们对我说,我应该戒烟,我对他们解释说,戒烟是很难的。我已经多次做过努力,但没有获得成功。惟有几次成功的是在我两次怀孕期间,因为我不想损害我的孩子的健康。但是,当他们出生后,我又开始吸烟,虽然我意识到间接吸烟也会对身体造成很大的损害。我想戒烟,因为吸烟很危险,但是,我又很喜欢它。我为什么知道吸烟对我自己和孩子都不好而继续这样做呢?"

对付唐氏先天愚症:"我最大的问题就是担心我的儿子迈克尔,他得了唐氏先天愚症。他今年 14 岁,很可爱,也很懂事,大家都很喜欢他。我的问题是使他能在日常的生活中自己料理自己,他必须学会如何讲话以使他人能听得懂。他必须学会如何去商店,如何使用钱。他必须学会如何旅行、做饭、打扫房间等。一般来讲,这些事情对别人来说都算不了什么事,但是,对迈克尔则不是这样。我为他担心,因为如果他不学会如何独立地生存,当我不在这个世界上时,他将会怎样呢? 他极有可能大脑有残疾,整日蜷缩在家里。如果是这样的话,我会感到很难过,因为我知道他在这样的环境中,肯定会很不愉快。每天我都与他呆在一起,教他一些生活自理的能力,但是,成效却不大,我真的发现这是一个很难解决的问题。"

◆**训练题:**

我想解决的是什么问题?

通过对上述这些问题的叙述,我们知道生活在现实社会中的人们有许多的难题。请想一想你自己的生活。你想解决的最棘手的问题是什么?

请选择一个(或多个)这样的问题,并尽可能详细地对它们进行叙述。随着本章论述的展开,你将运用"七步骤问题解决法"的步骤和方略对你的问题进行分析。通过对你的分析得出结论,你将发现你在找出解决问题的办法方面已经取得了很大的进展。如果你在思考问题方面还有困难,请看下面列出的观点。虽然列出的观点似乎多了些,但是,当与生活中面临的许多问题比较起来,它们实际上并不多。

我不能全身心地为实现我的目标而努力。

我很难对任何事情或我生活中的任何人作出认真的承诺。

即使我需要,我似乎也找不出时间来锻炼。

我的儿子染上了毒瘾,家庭由此也受到了破坏。

我害怕在众人面前讲话。

在孩子的监护问题上,我与前夫达不成一致。

我不能从我父亲去世的痛苦中解脱出来。

我的家庭不同意我和我的女朋友来往,因为她属于不同的种族。

我的母亲经常批评我抚养孩子的方式。

我丈夫和我常常斗气。

人们说我有时候自大、高傲。

我对我的工作不满意,我不知道我对什么工作感到满意。

我有精神障碍,这影响我创造性的工作。

我与父亲的相处不融洽,尽管我们以前很亲密。

我常常感到抑郁,不想做任何事情。

我的孩子们不告诉我他们在想什么。

在我的生活中,我的占有欲和控制欲都很强。

在我生活的多数领域,我都是一个平庸的人。

对我来说,要做到向他人表达我的感情很难。

我有嗜酒的毛病。

作为一个新的移民,我还不能一下子适应这个新的文化。

我不好意思对他人说"不",他们也利用我的这个特点。

我的饮食习惯不好,吃饭不定时。

我对人们的缺点和愚蠢的行为没有一点耐心。

我总爱挽乎朋友的事,我自己的事则无暇顾及。

我爱以他人的是非为是非,而不表明我的爱或憎。

我不愿意表明我的观点,特别是当我的看法与他人的不一致时。

我患有慢性周期性偏头痛。

我儿子在学校的行为表现不好。

我吃糖,特别是巧克力上瘾。

我对自己的评价很低,因此,在许多方面常常落在他人之后。

我的老板给我提出了一些不恰当的建议。

我感到我需要减肥,虽然我的朋友不同意。

我没能说服我的母亲服药,坚持她的饮食。

我需要进行调整,我的生活太混乱了,没有一点条理。

我非常胆怯、害羞,我极不愿意与人打交道,结果是我感到很孤独。

我很不愿意接受批评,我用极不友好的方式对批评作出反应。

我无法接受与之一起工作的人。

我过分地依赖他人,我害怕自己出头露面。

一位多年的朋友想与我建立爱情关系,但是我并不想。

我与家人的关系不融洽。

我是被领养的,我总想我的亲生父母。

我没有合理地利用自由的时间,而是把它们都浪费掉了。

我在群体中感到惊慌,因此,我大多数时间都是自己呆在家里。

我最近分居了,一下子还不能调整我的生活。

不论我挣多少钱,我花的比挣的多。

我缺乏自信,总感到能力欠缺。

我的孩子总惹我生气,我总爱冲他们喊叫。

我以前的男朋友一直在追踪、骚扰和威胁我。

我的老板和我的看法不完全一致,我们总是有冲突。

当我对某人恼火时,我不能控制我的感情,事后我总是后悔。

我的父母年龄大了,我不能很好地照顾他们。

3

第一步：我承认我有问题吗？

◆仅仅承认问题的存在，对于解决问题来说还是远远不够的。成功的问题解决者有很明确的目的，克服解决问题过程中出现的许多挑战和挫折。人们常常对解决难题，没有足够的精神准备，也没有全力以赴，因此，他们注定要失败。

许多人不愿意承认他们有问题。他们可能感到承认有问题会使他们出丑。我们都有自我观念，即我们精心创造的自我形象，以及常常提出的理想化的我们是谁的思想。我们也有社会观念，即我们在他人面前表现出来的自我形象。我们创造的这些社会形象与我们的自我观念相比，更趋向于谄媚世俗，即让别人看了显得不错。如果我们承认我们生活中存在着问题时，我们就会感到这些积极的和乐观的形象受到威胁，也就是向我们自己和他人承认：我们是不完美的，是有毛病的，是尚待改进的，而我们对我们想改进的事情又是无能的。

人们不愿意承认问题的另一个原因是,正式地承认你有问题,就意味着你应该对它做点什么。但是,对问题做点什么常常意味着要努力地工作,付出辛苦,打破你已经形成的行为习惯,以及其他令你不愉快的事情。例如,一旦你承认你不能按时完成工作任务,很明显你应该努力去解决这个问题。或者如果你愿意宣布:"我与家人的关系不好,"那么,就意味着你应该采取措施改善这种状况。如果你不承认问题,你也就不必对它采取任何的措施。当然,问题依然没有得到解决。

然而,仅仅承认问题的存在对于解决问题来说还是远远不够的。一旦你承认了问题的存在,你必须竭尽全力去解决它。成功的问题解决者有很明确的目的,愿意克服解决问题过程中出现的许多挑战和挫折。这是你的选择自由发挥作用的切入点。你的自由意志是一种巨大的能量和动力,一旦你确定了一个重要的目标,你就能调动这个权力意志和选择来实现它。人们常常对解决难题,如吸烟,没有足够的精神准备,也没有全力以赴,因此,他们注定要失败。

例如,你可能曾经与你的朋友详细地谈过他们存在的问题,并帮助他们找出解决问题的办法,但你失望地发现他们并没有采取行动。通常我们从主观上讲是想去做的,但是,我们的意志是软弱的。牛顿定律"一个物体在静止时倾向于静止",也适用于人类的行为。惰性和习惯是强大的力量,要克服它们必须采取强有力的和有意识的意志行动。你在行使你的自由意志方面越成功,自由意志就会变得越强大,因为你对自己调整生活方向的力量有了自信。

在此,强调另一条牛顿定律是很有必要的:"一个物体在运动时倾向于运动。"成功是形成的习惯,它是我们应该努力去培养的习惯。

承认问题的方略

在理智的层次上了解这个解决问题的方法,与在实践和感情的层次上实际地使它运作之间还是存在着很大的差异的。因此,除了叙述不同的解决问题的步骤和用实例对它们进行说明以外,还应该提出一些具体的方略来帮助你用有意义的方法把这些观点运用到你生活中。

正式承认问题:当你正式地承认问题时,你或者要准备一份签名的声明,或者要与他人签署一份"合同",这样做的目的就是使你对问题的承认"有案可查"。这个正式的承诺可以作为你最初意图的一份明确的声明,鼓励你"在立场上划清界限",并坚持你的决定——不允许你逐渐地模糊这个界限,直到它不再存在,你发现自己仍然处于你开始所处的相同的窘境。下面是从我的研究班中选出的几个实例,它们有助于人们承认他们的问题,并作出承诺解决它们。

拖延时间:"我,———,特此宣布我是一个爱拖延时间的人。意识到我的这个毛病后,我也在始终不懈地努力去克服这个不好的习惯。即使拖延时间使我学会了在压力下工作,以及独立地思考,但是,我想改掉这个不良的习惯。我将努力地做到守时,无论何时我接受了任务,我必须在规定的时间之内把它完成,我保证尽我的所能这样做,只有这样,我才能避免把事情拖到最后去做。无论何时我的惰性又使我回到原来的旧习惯中,这个声明的内容都可以提醒我想起我在今天所作的保证。上述声明代表了我对自己作的庄严承诺:'今天我能做到的,明天我想我也能做到。'"

吸烟:"我,——保证戒掉烟。虽然有很多因素可能会引诱我吸烟,但是,如果我感到有烟瘾了,我将尽一切努力抑制它,使其不再反复。我将出去散步并与能帮助我的朋友交谈,我已经意识到吸烟是我用来逃避问题的代替物,我意识到惟一能帮助我的人就是我自己,为了戒去烟瘾我必须通过正视我的问题自愿地承担起责任。我想长寿就不能继续吸烟,否则,我最后会得癌症和心脏病。我爱我的亲人,我不能危害他们的健康。在我的生活中,有许多爱我的人,他们想让我戒掉烟瘾,到了我该采取行动的时候了。"

列出好处:从你成功地处理问题的行动中详细地列出好的方面,这是帮助你承认问题的一个好的战略。它将有助于你阐释清楚你为什么想要解决这个问题,并激励你着手去做。列出好处会得出清楚的使你的生活通过解决问题得到改善的方法,当你遇到困难或失去动力时,你能够运用这个方法作为一种激励。这里是一个列出好处的实例:

拖延时间:通过解决我爱拖延时间的问题,我将得到下列的好处:

△生活不会过分的紧张,因为我不会在最后的时候才去做我该做的事。

△由于合理地安排了时间,因而有了较多的空闲时间。

△按时完成了应该做的事情,因此心情特别激动和轻松。

△对生活有了较自信和乐观的态度。

△甩掉了"最后一个"的名声。

△减少了"我等的太久了,"或"我将不能按时完成"的担忧。

△有了解决这个问题的确定性。

△生活变得有条理了,有了一切尽在"把握"中的感觉。

△当我思考我必须做的一切事情时,没有太大的内疚感。

△有了把工作做得更好的机会。

想象最坏的结果:由于你忽略了某些问题可能隐含的意义,因而它们一直存在着。当你运用这个策略时,你要尽可能用形象化的图示,提醒自己你的行动所具有的潜在的灾难性后果。例如,使用生动的彩色图片和研究结论,你就能够使你自己接受过度吸烟、饮酒或吃东西会引起许多的健康问题、社会和心理难题以及过早地死亡。下面是一个"想象最坏的结果"的实例:

吸烟:"现在是 2003 年。我 44 岁,正是孩子已经独立,我该好好地享受生活的时候,而此时我正躺在斯露恩—凯特林医院的床上,因肺癌而接受第三次化疗。我的癌细胞正在扩散,摧残着我的身心。由于放射治疗,我的皮肤被烧伤,体重减少到 80 磅,头发都掉了,更糟糕的是,我对任何东西都不在意了。我不能走路,几乎不能说话,出气都很困难。我的家庭在情绪上和经济上为我的病付出了许多,对我和我的病越来越不满意。多年来,我从未接受过家人和我的医生的警告。我本不应该发展到今天这个样子。我祈求死去,但是,死神却不肯收留我。我日复一日,月复一月地苦熬着,医学技术能让我苟延残喘,但是,我已经不能把握我的生命。我失去了生活的质量,也失去了人的尊严。我生活的最好时期都随着袅袅轻烟飘去。"

◆**训练题:**

承认我的问题

请思考在本章的前面你决定解决的问题，或许有很强大的力量使得解决这个问题有很大的难度。对你来说，承认这个问题很难吗？你经历过努力解决问题的困难了吗？如果答案是肯定的，选择本章所叙述的一些战略(或创造你自己的战略)，然后运用这些战略说明你对问题的认识，并坚定你解决问题的决心。

△正式承认问题。

△列出好处。

△想象最坏的结果。

在你的"思考笔记本"上记录下结果。

4

第二步:我对问题了解多少?

◆解决某个问题是从收集有关这个问题的信息
开始的。

解决某个问题是从收集有关这个问题的信息开始的,你怎样做到这一点呢? 首先,你要把你所知道的有关这个问题的所有情况都记下来。通常,我们知道的都比我们所意识到的要多,动笔的过程可以挖掘出潜在的认识,使它露出水面。此外,还有许多其它的策略,你也可以用来挖掘重要的信息。下面将对这些策略进行具体的论述。

发现有关我的问题的信息

对关键的问题进行提问和回答:通过对你所处的境遇的基本问题进行提问,并设法作出回答,你就为探讨你的问题奠定了坚实的基础。

在这个情境中涉及到哪些人？

谁能帮助我解决这个问题？

这个问题可以从哪些方面或角度去看待？

我解决这个问题的实力和对策是什么？

我解决这个问题还需要哪些其它的信息？

我从哪里可以找到人或其他的信息帮助我解决这个问题？

这个问题开始于何时？

这个问题将会在何时解决？

这个问题是怎么发展或出现的？

为什么解决这个问题对我来说很重要？

为什么很难解决这个问题？

问题是怎么发展起来的？ 大多数严重的问题都不是突然产生的，它们都有一个逐渐发展的过程。为了对你的问题的现状有一个彻底的了解，很有必要对这个问题的起因和发展过程进行追溯。就象只拔掉野草而不除根是无法除掉野草一样，想解决问题而不了解它的发展过程常常也是不能彻底解决它的。下面是某人追溯其问题发展过程的一个实例：

讽刺挖苦：我必须深挖我的思想根源，看看我为什么如此地爱讽刺挖苦和不成熟。从某种意义上讲，这样做很伤我的感情。这要回到我的孩童时期，那时，我很胆小、害羞、孤僻。我喜欢独处，凡事爱在一边看而不愿意参与。我感到我是一个局外人，与别的孩子相比，我感到我有点不正常。在我生活的某个时期，大概是8岁吧，我开始意识到讽刺挖苦是我能用来引起别人注意的一个工具。人们用不同的方法来处理冲突：他们叫喊，行使暴力，或放弃……而我则讽刺挖苦！这是我感到能控制我的生活的一个方法。

妨碍我解决问题的阻力是什么？ 如果你一直在努力地去解决一个重要的问题,但却没有成功,那就很可能因为有某些因素在遏制着你。这些遏制力或是某种很难打破的习惯;或是如果你设法解决问题而对惨痛结果的恐惧;抑或是某些外部的障碍。你在努力收集有关你的问题的信息时,找出妨碍你寻求成功的解决问题办法的障碍是很有裨益的,因为这可以帮助你制定出具体的战略来克服这些障碍。下面是某人找出遏制力,并制定出恰当的"解毒药"的一个实例:

吸烟:为什么我一直不能戒掉烟瘾呢:

遏制力:我以前曾努力戒掉烟瘾,但失败了。

解毒药:以前的失败给了我一个有利条件,我已经知道问题出在哪里。

遏制力:吸烟成为我的拐杖,当我感到紧张或悲伤时,我就点根烟。

解毒药:或许记日记,把我的感情写下来可以帮助我对付紧张,梳理情感,能作为吸烟的替代物。

遏制力:我吸烟已经有很久的历史了。

解毒药:我广泛的经历应该坚定我戒掉这个自我毁灭的习惯的决心。

遏制力:这是我每天仪式的组成部分,醒来后,就要喝咖啡,抽烟。

解毒药:改变我早晨的仪式,创造新的仪式。

◆**训练题:**

收集有关我的问题的信息

把注意力放在本章你正努力想解决的问题上，写下你所知道的有关你的问题的所有情况。然后运用本章叙述的战略帮助你发现有关的其他信息。

△对关键的问题进行提问和回答。

△问题是怎么发展起来的？

△妨碍你解决问题的阻力是什么？

在你的"思考笔记本"上记录下你的结果。

5

第三步:我如何确定问题?

◆如果你没有清楚地了解问题的核心之点究竟
是什么,那么,你解决问题的概率就会大大地减
小。

承认了你的问题,并收集了有关问题的背景信息,下一步就是
准确地确定问题的核心之点是什么。如果你没有清楚地了解问题
的核心之点究竟是什么,那么,你解决问题的概率就会大大地减
小。你可能认为问题的来源是一回事,而它实际上可能变成完全
不同的另外一回事。例如,你可能发现"焦虑发作"(或抑郁、吃的
太多、拖延时间等等)是你正面临的一个问题,尽管焦虑很可能是
其它真正问题的一个症状。

在准确地确定你的问题方面,另一个常见的困难是用太笼统
的词语进行思考。例如,请想一想下述这些互相对比的陈述如何
引导你从不同的方面去设法解决问题:

△"我是一个失败者"与"我不能完成一项重要的工作。"

△"工作令人乏味"与"我对这个特殊的工作感到厌倦。"

△"我不讨人喜欢"与"这种关系不令人满意。"

上述的每一种情况,都是一个非常笼统的结论(第一句陈述)被一个较为具体的对问题的叙述(第二句陈述)所代替。

确定我的问题所在的方略

在这种情况下,我要达到什么样的结果? 这个方略主要是要求你,找出你在解决问题时努力要达到的具体的结果或目标。确定结果是很重要的,因为它可以为你分析问题提供一个明确的方向,并建立检测你是否获得成功的水准。如,就拖延时间的这个例子来说,结果包括按时完成任务;制定出有条理的计划使你的生活井然有序;消除把事情放在最后才去做的焦虑和内疚感;做事要赶早不赶晚等等。一旦实现了这些目标,你将知道你的问题已经获得了圆满的解决。

找出问题的元素:大的问题常常是由一些具体的问题组成的,为了确定大的问题,常常需要确定并叙述其具体的问题。如,工作做得不好可能是由不良的工作习惯、效率低下的时间安排、与同事或上司的关系不好、心思都用在个人问题上或身体欠佳等问题元素造成的。确定并有效地处理大问题,意味着首先要处理一些次要的问题。以下是由一些问题元素构成较复杂问题的实例:

复杂的问题:拖延时间 问题元素:

△我有时候缺乏动力,因为我常常不喜欢我所做的事情。

△我已经养成了找借口而不是承担责任的习惯。

△我常常禁不住诱惑,这使得我难以履行我最初的职责。

△我害怕失败,缺乏自信心,这妨碍了我兑现自己的诺言。

△我不喜欢被他人的最后期限所控制,因此,我用拖延来与之对抗。

复杂的问题:吃得过多问题元素:

△我不喜欢锻炼身体。

△我喜欢喝啤酒、白酒和汽水。

△我认为体胖可以反抗他人的攻击,也可以不受性侵害。

△我没有很强的自尊心,我吃得多也可以作为自我实现的征兆:既然我看起来缺乏魅力,我不能什么都不行。

从不同的角度看问题:多角度透视是批判的思考的重要组成部分,它能帮助你集中精力去确定你的问题的实质。例如,当你叙述不同的个人可能如何看待一个给定的问题时,这个问题基本的组成部分可能就会清楚地显现出来。这是一个与航海中进行三角测量——通过使用三个或多个固定的参照系的点,你就能够确定你准确的位置——相类似的过程。以下是使用多角度看问题法帮助你确定重要问题的一个实例:

问题:吸烟

角度:

△孩子:我的孩子坚决反对我吸烟,他们恨抽烟! 他们摆手,捏鼻子,清楚地表明他们不想让我吸烟。

△丈夫:我的丈夫虽然自己也吸烟,但是他愿意看到我戒烟,他总是支持我任何戒烟的行动。同样,我也很为他的健康担心,希望两个人共同行动来戒烟。

△母亲:我的母亲为我的嗜好而指责她自己,因为她感到她没有把我管好。

△朋友:我多数的朋友都不吸烟,他们总劝我戒掉它,他们的劝告是典型的不吸烟者用的语言:"戒掉它。"

△我自己:我开始意识到我的吸烟是一种感情的需要,它之所以持续到今天,是由于我缺乏处理我的感情问题的能力。

◆**训练题:**

确定我的问题

把注意力放在你本章一直在分析的问题上,设法确定"真正"的问题究竟是什么。要意识到这需要你由表及里,触及问题的本质。运用本节我们所探讨的战略(或创造你自己的战略)帮助你进行分析。

△在这种情况下,我要达到什么样的结果?

△找出问题的元素。

△从不同的角度看问题。

在你的"思考笔记本"上记录下你的结果。

6

第四步:可供选择的方案是什么?

　　◆不要局限于只提出几个行动方案,因为进一步扩展你的思路,提出更多的可能性,就一定会产生一些确实有创造性的解决办法。

　　一旦你确定了你的问题,你现在要做的事,就是提出可能帮助你解决问题的行动方案,并对其进行评价。

　　人们常常习惯于不对问题进行确定,就急于寻找解决问题的行动方案。这样他们确定的行动方案或许就毫无用处。例如,我认识的一个家庭有一个上四年级的学生,名叫菲利浦,他在学校是一个调皮捣蛋的学生。学校的领导得出结论说,这个孩子有情感障碍,建议他去进行心理咨询,并决定把他安排到一个特殊班上课。在常规的测试期间,心理学家发现菲利浦的阅读水平已经达到8年级学生的程度,数学能力也已达到7年级的水平。这个例子说明,对问题——菲利浦厌学——重新确定,其结果就会提出不同的行动方案。菲利浦转到了另一所学校的超常班,在那里他学习得非常愉快,茁壮地成长着。

当然,当你一开始着手解决你的问题时,真正的问题究竟是什么可能还不是很清楚,就象菲利浦的问题一样,你只有随着对问题分析的深入,逐渐地对问题的核心有了较深入的了解后,你的问题才可能变得明晰起来。这也就是你作为一个批判的思考者,为什么在思考问题时要做到宽容和有灵活性,总要寻找更好地确定问题的新的线索,并重新调整你的分析的原因。相反,不是批判的思考者则顽固地坚持原来所确定的方向,他们最终所达到的目的可能与他们所要解决的问题相去十万八千里。

对你的问题作了认真的分析和确定后,现在就到了制定具体的解决问题方案的时候了。

设法提出 10 多个可供选择的行动方案,在这个过程中创造性的思考就要介入。不能局限于只提出几个行动方案,因为进一步扩展你的思路,提出更多的可能性,就一定会产生一些确实有创造性的解决办法。在解决问题的这个阶段,你要集中精力,尽量多提出一些解决问题的可能性,而不要急于对它们进行评价,这样做是非常有必要的。最大限度地运用你创造性的思考能力,建立新的联系,提出甚至是怪诞的想法,开拓新的思路,而不要去重蹈覆辙。在过程的下一个阶段,你将会有大量的机会对你的想法进行批判的评价,但现在,你需要让你的思维自由地驰骋,敢于大胆地怀疑和批判。有时候,最牵强附会的想法最后可能会成为最好的和最有效的解决问题的方法。

为了提出有新意和有效的解决问题的方法,你可以运用以下的几个方略来激发你创造性的思考能力。

怎样提出行动方案:三个方略

(1)与他人讨论问题:与他人讨论具体的行动方案,需运用前几章探讨的一些批判的和创造性的思考能力,包括从不同的角度看问题,运用你的想象力提出独特的想法等。作为批判的思考者,我们并不是孤立的,只靠自己来解决问题,而是在团体中生活,与他人一起协商解决问题。其他人常常能提出许多我们意想不到的行动方案,这部分由于旁观者清,作为局外人,他们有较为客观的看法,部分则是由于他们基于过去的经验,自然与我们看问题的方式不同。此外,你与他人共同讨论你的问题,这样做也有情感上的宣泄作用,通过与他人讨论,可以使你茅塞顿开,精神振奋,从而开辟出摆脱你的二难处境的新道路。

(2)群策攻关法:在一个典型的群策攻关的过程中,一组人一起工作,在特定的时间内提出尽可能多的想法和观点,提出想法和观点后,不要急于对它们进行评价或判断,因为这样做有可能遏制思想自由地流动,不利于人们提出建议。评价要推迟到后一个阶段来进行,要鼓励参加者多吸取他人的观点,因为大多数有创造性的想法常常是通过不同思想的相互交流而产生的。对群策攻关法有用的一个形象化的辅助手段就是创造"思想图",这个过程我们在步骤2:"创新能力"中探讨过。

(3)不要做无用功!虽然我们喜欢把我们的问题看作是独一无二的,但事实上,有许多人已经对与我们一样的或相似的问题进行过思考。之所以我们认为这些问题是独一无二的,就是因为我们遇到了这些问题。在某种意义上;说,这些问题是普遍存在的,许多专业人士有过论著,搞过计划,出版过录像带,也向支持者进行过引导。总之,就在你离得最近的书店或手头的报纸上,就有许多现成的资料。然而,虽然这些资料是很有帮助的,你应该去认真地研究它们,但切记它们是资料,而不是解决问题的方法。你是惟一的最终能解决你的问题的人,你需要发挥你批判的思考、创造性的生活和自由选择的能力,以实现你的目标。

下面是参加我的研讨班的学员,运用上述三个战略就"拖延时间"这个问题提出的 35 个可供选择的行动方案:

问题:拖延时间

(1)制定一个具体的完成任务的时间表——并坚持它!

(2)想一想这个问题将来的结果,甚至夸大结果。"如果我不改正我爱拖延时间的毛病,我将被解雇,或神经崩溃,或失去我的朋友,或得病。"

(3)为我自己定一个早一点的最后期限,以强迫我提前完成任务。

(4)首先做最难干的工作,而不是最容易的工作。

(5)完成工作后,要安排闲暇的活动,以此来激励自己。

(6)迫使我自己现在就去工作。

(7)严禁我自己把时间耗在看电视或电话聊天上。

(8)计划一次只做一件复杂的工作,而不是立刻把所有的事情一次都做完。

(9)不要对它想得太多——亲自去做!

(10)把在规定的最后期限内完成工作看成是一种非生即死的处境。

(11)想象一种很有条理的和能控制的生活,其中我能在规定的期限内轻松地完成所有的工作。

（12）与一个也有拖延时间毛病的朋友一起工作，这样，我们能够互相提醒和支持。

（13）鼓励不拖延时间的朋友和家人经常地向我提醒我所作的保证和我的责任。

（14）当＃13发生时，不要为自己辩护。

（15）多找出几种有效率、节省时间的做事方法。

（16）安排好事情的轻重缓急，并坚持按照这个顺序去做。

（17）要记住拖延时间会限制我成功的机会，并影响我与朋友的关系。

（18）去进行咨询看看我为什么会有这个毛病：它是对成功的恐惧，还是害怕失败，反抗权威？

（19）去掉我生活中一些不必要的活动。

（20）当我按时完成了某件事时，把我愉快的感受写下来。

（21）把每天要做的事情列出来，当我完成时，进行核对并作记号。

（22）在做某事之前先想一想：还有什么更紧急的事需要做吗？

（23）把我写的声明随时带在身上，以提醒我曾经作过的保证。

（24）合理地利用所有的闲暇时间。

（25）在任务布置的当天就要开始着手去做。

（26）阅读有关拖延时间的文章和书。

（27）把必须做的事情写在纸上，贴在家里和办公室的墙上。

（28）想想每个人是多么的赞赏一个有责任感的人。

（29）学会对要求帮忙的人说"不"。

（30）制定具体的、合理的和现实的目标。

(31)经常过高估计事情所用的时间。

(32)不要反抗权威，不要逃避责任。

(33)看看是否能发现其它的完成我不喜欢的工作的方法（如，每隔两周让别人打扫我的房间）。

(34)记住立即就做某事比拖延时间要容易得多。

(35)去拜访已经克服了这个毛病的人，看看他们是如何做到这一点的。

◆**训练题：**

提出解决问题的选择方案

确定了你的问题，然后就为解决你的问题 提出几个可供选择的行动方案。不要急于对它 们进行任何的审查和评价，让你的大脑尽量创 造性地工作。设法提出至少10种方案——当然，越多越好。如果某些方案相似或重叠，也不要 担心。尽你所能提出尽量多的方案后，也不要 忘了在适当的时候运用本节提出的战略：

△与其他人讨论问题。

△群策攻关法。

△不要做无用功！

在你的"思考笔记本"上记录下结果。

7

第五步：比较每一种方案的优劣？

◆对每一种行动方案进行严格的和详细的评价是既费时间又耗费心血的工作。然而，这个能力可以区分出谁是成功的问题解决者，谁是不成功的问题解决者。"魔鬼就藏在细枝末节里"。

成熟的思考者不只要思考重大的问题，他们也需要关注一些具体的细节。

你为解决你的问题提出了许多可能的行动方案后，下一步就是对你的方案的可行性和实用性进行评价。哪一种方案最好呢？

例如，解决"拖延时间"问题的一种方案是"制定一个具体的完成任务的时间表——并坚持它。"

△这个方案的好处是，如果它有作用，要解决你的问题你将要走很长的路。

△这个方案隐含的不好的方面可能是，一个积习难改的拖延

时间的人的合理担忧:"为什么这个方案现在就能起作用,而以前从来不起作用呢? 我已经制定了无数的时间表,最后都不再重视它们了。时间表太严格而没有灵活性:总要有意想不到的事情发生,从而干扰已经定好的计划。"

此外,要确定每个行动方案的优与劣,就要确定是否还有另外所需要的信息,以全面地考虑行动的方案。换言之,对于每个方案来说,如果你要确定这个方案是否合适,或许有一些问题必须回答,你也需要知道在什么地方能够找到信息。有一个能找到你所需要信息的有用方法是,问你自己这样的问题:"如果我选择这个方案结果会如何?"("我能制定一个具有灵活性,从而允许意想不到的事情发生的时间表吗? 一旦制定出来,我能始终如一地坚持它吗?)如我们所见,对每一种行动方案进行严格的和详细的评价是既费时间又耗费心血的工作。然而,这个能力可以区分出谁是成功的问题解决者,谁是不成功的问题解决者。"魔鬼存在于细枝末节里",这句话可以用在这里。成熟的思考者不只要思考重大的问题,他们也需要关注一些具体的细节,并用全面和系统的观点来对待它们。你越是用这样的方式来习惯性地运用你的思维,你精神的力量就越强大,你就越能自然地像这样严密而有力地运用你的思维。下面是从我们已经讨论过的问题中,选取的几个行动方案的样本,同时也有对其优与劣的评价以及所需要的进一步的信息。

讽刺挖苦

行动方案 1:提醒我自己,我是多么的鄙视讽刺挖苦的人格。这些品性一般不会得到他人的尊敬,因为这是一种消极的态度,我不愿意被别人看成是爱侮辱和伤害他人的人。

好处：我这样做可能有助于我看到他人坦率地看待我的方式，并抑制这种讽刺挖苦的行为。坏处：我可能不能承受这些爱夸大的人们对我自己的认定。

需要的信息：我真的认为我具有与这些极端玩世不恭的和讽刺挖苦的人同样的品质吗？我能用他们来帮助我自己吗？

选择方案 2："悄悄进行录音"。当我与她或他人进行交谈时，我让我的妻子悄悄地给我录音。

好处：这将给我一个听自己说话的机会，从而知道我是一个怎样地爱说消极的讽刺挖苦的话的人，以及听起来有怎样的感觉。

坏处：我可能当我妻子在跟前时会过分地在意，知道她可能给我录音。

需要的信息：我的妻子同意这样做吗？我能在她录音时做到自然吗？我的行为能使我确信我有时候讽刺挖苦做得太过分了吗？

患唐氏先天愚症的孩子

选择方案 1：继续设法在家里满足迈克尔的需求。

好处：迈克尔大部分时间将继续和我在一起，他很有安全感，似乎也很高兴。我可以教他持家的技能以及在其他领域与他一起去努力。

坏处：我并不具备教他语言技能的资格，我也不能一直保持应有的耐心。既然他大多数时间呆在家里，而这毕竟是一个很有限的环境，他不能接触到许多的人和事。如果我有点什么意外，他将无法适应新的环境。

需要的信息：迈克尔将会错过重要的经历吗？有没有他应该学会而我又不能教他的一些事情？

选择方案 2：让迈克尔上一所满足特殊需要的学校。

好处：他可以学习如何在家以外的环境中与人交往，并学习其它的技能。他将找到许多与他同龄的朋友，并培养一些必要的社交技能。如果我有个三长两短，他将能更好地面对这个世界。

坏处：他对去这个地方感到恐惧，他的安全感会受到损害，他可能会被其他孩子排斥，因为人们并不了解他，所以也谈不到喜欢他。

需要的信息：还有什么可选择的计划吗？它们的课程有哪些？工作人员称职吗？其他的孩子们会接受迈克尔吗？它需化费多少钱？能得到州财政的支持吗？

8

第六步：敲定最终方案

◆对你的价值观和你想解决问题的结果进行认
真的思考，然后选择你认为最可能取得成功的行
动方案。

没有简单的公式或诀窍会告诉你应该选择什么样的行动方
案。随着你尽可能地提出不同的行动方案，你可能就会发现，你能
立即淘汰某些不合适的方案。例如，在我们所举的拖延时间的实
例问题中，你可能确切地知道，你不想取消或限制你目前正在参加
的任何活动，因为它们对你来说都是很重要的。然而，要选择你希
望实行的其他行动方案可能就不是这么容易的了。那么，你该如
何决定呢？

你所作的决定常常取决于你认为什么对你来说最重要，这也
就是大家都知道的价值观，通过帮助你确定生活中的优先顺序，你
的价值观会强烈地影响你的决定，即决定你生活的哪些方面对你
来说是最重要的。例如，你可能决定改变你的职业，因为从事个人

喜欢的工作要比工作有保障或高收入更重要。不幸的是,你的价值观并不总是和谐一致的,虽然你可能期望着具有挑战性的职业,但是,你也可能仅想有一份有保障的和高收入的工作。你的价值观之间的冲突常常会造成问题。在这种情况下,你需要决定哪些价值观是较重要的,要作出这种权衡常常是一件很复杂的工作。例如,你可能愿意接受一个低工资、没有安全感的职位,因为这是学习新的知识或与具有非凡创造性能力的人一起工作的绝好机会。在另外的条件下,你可能决定接受工资高,而你不太感兴趣的工作,因为你需要在经济上有稳定感。关键是每一种处境都是不同的,为了达到最清楚的了解,你需要批判的思考。

一旦你决定了你最满意的行动方案,接下来就要制定周密的实现这个方案的行动计划。这是许多人在解决问题的过程中容易犯错误的地方,他们或让惰性捆住了手脚,或因害怕而裹足不前。有时候,为了克服这些困难和障碍,你需要重新审视你最初对问题的承认,或许要运用你在那个阶段所使用的某些承认方法。

如何选定行动方案

把行动方案与你最初的目标进行对比:虽然每个行动方案可能都有利有弊,但并非所有有利的方面都同样令人满意,或都有潜在的效果。例如,辞掉你的工作以减少你的压力,肯定会解决你某些方面的压力问题,但是,它明显的弊端很可能会使大多数人取消这个行动方案。因此,使你所提出的不同的行动方案与你在步骤3:"问题是什么?"中确认的"结果"相一致是很有意义的。对每个行动方案进行考察,并对它们是否有助于你目标的实现而进行评价,你可能想根据它们相对的效果把行动方案分成等级。

综合成一个新的行动方案:对你提出的行动方案进行考察和评价后,你可以把几个选择方案的优点结合起来,形成一个新的行动方案,从而避免它们各自所具有的弊端。例如,在我们所举的拖延时间的问题实例中,你可以把下面的各种方案综合起来:

△制定一个时间表;

△把最后期限提前;

△列出每天所做的事情,并进行对照检查;

△确立事情的轻重缓急,并坚持按照这个顺序去做。凭想象尝试每一种行动方案:把注意力放在每个行动方案上,并尽可能具体地去凭想象尝试每一种行动方案,如果你实际地选择它,它将会有什么结果。想象你的选择对你的问题会有什么影响,以及对你的生活有什么意义。通过凭的想象进行尝试,有时候,你能够避免不愉快的结果或意想不到的后果。作为这个战略的·个变异,有时候你可以在实践环境中有限的基础上,对行动方案进行测试。例如,如果你正努力地克服你害怕在众人面前演讲的毛病,那么,你可以与你的朋友或家人一起,练习不同的演讲技巧,直到你觉得满意为止。

◆**训练题:**

选定解决问题的行动方案

对你的价值观和你想解决问题的结果进行认真的思考,然后选择你认为最可能取得成功的行动方案。如果认为合适,可以运用本节介绍的战略:

△把存动方案与你最初的目标进行对比。

△综合成一个新的行动方案。

△凭想象尝试每一种行动方案。

在你的"思考笔记本"上记录你的结果。

9

第七步：评价效果

◆解决问题是一个过程，作为一个批判的思考者，你有必要保持走向成功所需要的灵活性和乐观精神。

当你努力要得出一个合理的和有见地的评价结论时，你不应该落入思考的陷阱，即误以为"正确的"决定只有一个，好像你若作不出这样的决定，并加以实施，就将一事无成。你应该记住，对问题处境的任何分析，无论是多么的认真和系统化，最终都是有局限性的，你无法期望或预测将来所发生的一切事情。结果，你所做的每一个决定都是暂时的，在这个意义上说，你持续的经验将告诉你，你的决定是否起作用或它们是否需要改变和修正。这正是一个批判的思考者应该具有的态度，即愿意接受新的思想和经历，对自己的信仰抱灵活的态度，只要有新的信息，就愿意改变或修正自己的信仰。

你如何评价你的成功？在许多情况下，你的努力总会取得一定的效果，你的问题或是得到了解决，或你将明确地朝着成功的方向前进。祝贺你！开启瓶塞，让我们喝一杯香槟酒——愿你满怀更强的自信去解决你的下一个问题。

在另外的情况下，去实施一个较系统的评价将会很有帮助。通过回顾，你可能发现你所选择的行动方案是不可行的，或不能导致满意的结果。

而在有的时候，你可能发现你选择的行动方案工作得很好，很有成效，但是，随着你继续朝着理想的结果努力，仍需要对它作出某些调整。实际上，这是一个你应该希望发生的典型情况。即使事情一开始似乎进行得很好，一个积极的思考者也应该继续问这样的问题："我可能忽略了什么？""我如何能用不同的方法来做这件事？"

有时候，你提出的解决方案可能不可行，甚至出现了预料不到的灾难后果。在这种情况下，请不要灰心泄气！解决问题是一个过程，作为一个批判的思考者，你有必要保持走向成功所需要的灵活性和乐观精神。实际的情况是，我们常常更多的是从效果不好的行动方案中而不是从有效的行动方案中吸取教训，增长见识。有了这种认识，你应该回到你最初的分析，并：

△把你新发现的认识增加到你对问题的了解中。

△更精确地确定问题。

△增加任何新的行动方案，或在你的体验和新知识的基础上修改原来的方案。

△设法提出新的行动方案。

通常，难题需要我们作出必要的努力，直到克服了它们为止。

我们始终在朝着这个目标努力,我们也一直在培养自己在生活的每个方面要取得成功都必须的坚持不懈,守诺和自信的品质。

以下是你可以用来帮助你对你解决问题努力的结果进行评价,并对行动方案进行适当修改的几个战略。

对你提出的解决办法进行评价检查

写一个评价:写出一个评价,能激励你用系统和全面的观点,对问题的处境进行考察,而只在你的脑子里进行审视常常是做不到这一点的。评价的实质是把你努力的结果与最初你想达到的目标进行对比,在什么程度上,你的解决方案满足了你最初的需要?有不可能实现的目标吗? 问这些或其他的问题将帮助你走向成功,并为你未来的决定奠定基础。

借鉴他人的观点:你已经知道了解决问题的全过程,借鉴他人的观点在每个阶段都是很有成效的战略,这对评价来说的确也是如此。他人常常能提出与你不同的或更加客观的看法,为了从他人那里得到具体的和实际的反馈,你需要问一些能获得情况的具体的和实际的问题。一般性的问题("你如何看待这个问题?")常常导致太一般化的和毫无用处的回答("我觉得还不错")。要想得到反馈,就请记住:你有权利要求人们在他们的评论中提出有建设性的建议,为行动方案进一步完善出谋划策,而不是只表达他们认为哪些是错的。

下面是人们对我们一直在讨论的问题所作的一些评价:

拖延时间:"我开始按我的想法去做,效果还不错。特别是我制定了一张完成任务的时间表,这样我能够清楚地知道我应该去做什么,做每件事得用多少时间。最明显的一个好处是,当我做完了一件事,我就能把它划掉——这是一种真正的打了胜仗的感觉。我也决定要采取积极主动的态度。经过对与这个问题有关的合理化、歉意和内疚进行全面的检查,我现在将承担责任,并把事情掌握在自己的手中。我对改变我周围环境的力量充满了自信,现在,我被我实施改变的情感力量所激励。恐惧、不稳定、威胁和不确定已经把我束缚得太久了,一旦我追溯问题的发展过程,我就能看到对付处境的不同的和较有成效的方法。我决定继续前进,现在就开始动手。在最后的两个星期,我要努力完成几项困扰我许多年的工作,我已经把有条理和准时引进到我的生活中,我现在的感觉真好!我现在感觉到我能把握住我的生活,而不是被外部的力量所控制。解决了这个问题使我明白了如何去解决生活中其它的问题,这种思考已成为我生活的一部分,现在我明白了无论过去如何,只要我下决心,我就总能改变未来。我已经克服了拖延时间的毛病,现在我做事都是雷厉风行,这似乎已成为我生活中的一种习惯。我喜欢这样,每天都是一个学习的过程。现在,该是我去解决下一个问题的时候了!"

吸烟:"我选择两周前的 5 月 24 日这一天开始戒烟,我之所以要选择这一天是因为它有象征意义。13 年前的这一天,我的父亲死于由一辈子吸烟而直接引发的心脏病。在这个时期里,我一直在记日记,努力恢复我的自尊。我是半路开始吸烟的,每天限制在5 支,并是在浴室或屋外去吸,避免我的家人被动地吸烟。我已经制定了一个逐渐减少吸烟的计划,到目前为止,我正一步步地朝着这个目标前进。我也正努力说服我的丈夫努力戒烟,我已经要求我的朋友和家人支持鼓励我。我常常会想象到我每天吸烟双肺都变黑的惨相。我也画了一张图表，记录我抽了多少支烟，更重要的是，我弄明白了我为什么要吸烟的原因：身体的渴望、心理的需求、不在意的习惯。至于现在，我感到我用于解决我的问题的时间和精力已经给我提供了有价值的认识和有利条件，这是我以前努力戒烟所没有得到的。我开始感到身体在好转，我又有了自信和自尊，我坚信我能成功。但是，如果3个月之后，我没有达到我的目标，我将尝试催眠术，或参加戒烟计划。"

唐氏先天愚症："我最初的目标是想让迈克尔改善他的交往能力，学会在家庭以外的环境中如何去生存，生活得愉快和有安全感。最终我认为我没有时间和专门的技能来实现这些目标，他需要外界的帮助，在上个星期，我已经——

△与我们地区的残疾人委员会联系，看看有什么样的计坩能帮助迈克尔；

△与一位演讲教师联系，对孩子将来学习的可能性作了评价；

△与我遇到的他们的子女也患有唐氏先天愚症的其他家长进行了交谈；

△与我的家人和朋友进行了交谈，以得到他们的支持。

我对得到与之交谈的所有人的帮助和支持感到非常的高兴，我坚信我这样做是正确的，我感到有许多人在帮助我，我不是一人在挑这副重担，我感到我比以前放松和乐观了许多。

讽刺挖苦："我对我发明的名为'一周的人生历程'方法的效果进行了评价，该方法是以一个1—10分的体系为基础的。"

△合同：一般来说，我尊重法律的文件，但是，在这个问题上，我没有做到。没有权威约束我要遵守它，我的妻子作为合同的见证人，很容易原谅我违约的软弱。3分

△讨厌的讽刺挖苦人格:随时提醒我自己,讽刺挖苦的人格是受人蔑视的,这样做效果不错,而且也很容易,因为在某些媒体上它们经常出现。这个方法每天通过听哈沃德·斯特恩在广播里主持的节目和看电视就能够做到。7分

△在不知道的情况下录音:我没有想到这个方法会成功,但是,它却成功了。我妻子在一个星期的时间里,为我录了四次音。当我们倒回录音带去听时,我简直不敢相信那都是我说过的话,有的很可笑,但大部分则令人震惊,我对自己感到很难为情!我说过的大多数话都有讽刺挖苦的意味。要改变的确很难,因为我们必须首先了解我们自己,要知道这需我们付出很大的努力和勇气。但是,现在我保证要改掉我身上消极的讽刺挖苦人格,而不让别人把我看成是不值得去交往的小人。9分

吃得太多:"我已经开始按照我制定的计划去行动,现在已经减掉了约8磅。为了我能继续坚持下去,我把有我签名的有约束力的合同贴在冰箱上,提醒我要按照自己选择的饮食方案去做。经过对这个问题进行广泛的分析,我认为这个问题的真正症结在于——自尊心不强——而我却一味地抱怨这个问题的表面症状——体重。我认为我能控制这个问题,因为虽然我很在意吃的太多,但我更在意我自我价值的感情。明白了吃得太多与自尊心不强之间的联系后,我不信在今后我还会去无节制地去吃。我认为确立自尊和加强自我约束不仅有助于我实现我近期的减肥目标,而且有助于我成为一个更完善的人,并改善我未来的生活。"

(注:当我一年后看到这个人时,他的体重已经减轻了15磅,而且精神状态特别好。)

◆训练题:

对我的解决方案进行评价

　　经过对你选择和实施的行动方案进行尝试后，对你的努力取得的相对成功进行评价。在你的"思考笔记本"上写下你的评价意见，确定你的行动方案在什么程度上有助于你实现你最初的目标。如果你到目前为止一直是成功的，请解释为什么；如果没有成功，也请解释为什么。讨论你能做的其他事情，以改善你的处境。你可能想征求熟悉你的问题的其他人，他们对你解决问题的努力是怎么看的。如果你发现对你来说很难采取行动或继续干下去，回头看看你贴在冰箱上的警示语，再集中精力去解决这个问题。如果你的行动方案一点儿都没有效果，请分析一下问题到底出在哪里。是新的信息改变了你对问题的看法了吗？你是否有新的解决问题的方案了？请提出一个新的行动计划，并去付诸行动。不要灰心！提醒你自己，要达到生活中有意义的目标，几乎总要去奋斗，在取得最后的胜利前，失败是不可避免的。

10

解决问题能力测验

下面所叙述的内容是与称职的问题解决者相联系的主要个人品质,请对你在每一项品质中所处的地位进行评价,并运用这个自我评价来指导你的选择,使自己成为一个你理想中的称职的问题解决者。

你把解决问题放在优先地位吗?

我在生活中积极地确定和解决问题。我在生活中对解决问题并不特别关注。

$$5 \quad 4 \quad 3 \quad 2 \quad 1 \quad 0$$

善于解决问题的人愿意承认他们生活中的问题,并满怀热情地去解决它们,而不是设法去否定、躲避或忽视它们。运用思考能力去解决复杂的问题,通过你积极的努力找到有效的解决问题的方法是很令人愉快的,也是值得去做的。

方略:列出生活中你正面临的或大或小的所有问题,在你一直都躲避或忽略的那些问题旁边注上星号,想一想为什么会这样。

然后按照你对问题轻重缓急的看法把它们进行排列,从今天开始
采取措施,运用本章介绍的方法逐一去解决它们。

你确立了自信的态度吗?

我是自信的、有效的问题解决者。我被生活中的问题所困扰
和折磨。

成功培育着成功。当你解决问题获得了成功时,就会增强你
的自信,这反过来又会鼓励你去积极地、认真地去解决其他的问
题。

方略:如果你发现自己被生活中的问题所困扰和折磨,那么,
就努力去学习本章叙述的解决问题的方法。首先,你应试着去解
决一些容易解决的问题,当你的自信增强时,逐渐地转向解决你面
临的最困难的问题。

你承认有问题吗?

我愿意承认我的问题,并努力去解决问题。我常常逃避我的
问题,不能坚持到底 最终解决它们。

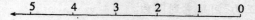

承认问题意味着要诚实地说:"是的,我有一个问题,我要竭尽
全力去解决它",而不能为自己找借口。奇怪的是,有许多人不愿
意说出这句简单的和有勇气的话。

方略:运用你在"把解决问题放在优先的地位"中所列出的问
题,制定一个解决这些问题的时间表。如果你发现你在承认或努

力解决某个问题方面有特殊的困难,就去看一下本章"解决问题的七步骤法"所叙述的方略,以激发你的决心。

你会收集有用的信息吗?

我总是全面地研究问题,以设法去解决它。我常常是用我已有的信息去解决问题。

每一个问题都是在联系中存在的,你需要全面地了解它们的互相联系,以顺利地解决问题。这个问题是如何发展起来的? 其他人是如何卷入到这个问题中的? 影响你解决问题的因素有哪些? 这些和许多的其它问题都需要——回答,以深入到问题的内部,全面地了解问题的错综复杂性和细微之处。

方略: 运用"我对问题了解多少?"中所叙述的方略,就你努力解决的每一个难题写一个完整的"报告"。你将发现你所知道的所有信息,以及为了继续解决这个问题你需要知道的信息。

你能清楚地确定问题吗?

我触及到了问题的"核心",并清楚地确定了它们。我常常对设法确定"真正的"问题感到困惑。

许多人从始至终都在围着问题转圈,因为他们不能透过现象看到问题的实质。他们在问题的表面徘徊,把一些表面现象错当成问题自身。作为一个批判的思考者,你不应该相信对问题所作的最简单化的解释,总要问自己这样的问题:"这个问题的主要原因是什么?""我可能忽略了哪些问题?""有没有我没有考虑到的看这个问题的其它方法?"

方略:通过培养你作为一个批判的思考者的能力,你将自然地学会透过表面现象看到问题的实质,你也能运用本章"确定问题"中所叙述的方略,包括具体地说明结果、确认问题元素以及从不同的角度观察问题等。

你能提出许多可供选择的行动方案吗?

我常常提出许多不同的解决问题的行动方案。我一般把注意力只放在解决问题的两个或三个行动方案上。

```
   5      4      3      2      1      0
←————————————————————————————————————
```

善于解决问题的人思维特别活跃,他们往往能提出许多不同的解决问题的方案,他们不会提出几个方案就停步不前,相反,他们迫使自己去想出许多其它的可能性,运用他们创造性的才能提出有新意的和独特的方案。同时,他们也把他人看成是帮助他们思考他们可能想不出来的行动方案的来源。

方略:在对一个问题进行分析时,你的目标是提出 10、15 或 20 个行动方案,迫使你自己摆脱原来固定的思维模式,大胆地提出新的可能性。第三章步骤 3:"创新能力训练"将能帮助你发挥你生活中每一个方面潜在的创造性。

你会认真地评价行动方案吗?

我对行动方案进行有条理的评价。我用直觉确定哪个是最好的行动方案。

5   4   3   2   1   0

虽然创造性的思考在提出许多不同的行动方案中起着主要的作用,但是,你批判的思考能力在对这些行动方案的可行性进行评价时,也发挥着作用:有利的方面、不利的方面和进一步需要的信息是什么等。如果你过早地开始评价,当你仍然在提出可能性时,你就会切断创造的灵感。然而,已经提出了可能的行动方案,如果你不能严格地有条理地对它们进行评价,那么,你就失去了提出有见地的解决问题方法的基础。直觉只有建立在深思熟虑和分,析的基础上,才是可信的。

方略:为了得到一个明智的结论,有必要对这些行动方案用严密的和有条理的方式进行评价,这种严格的分析是一个称职的问题解决者的标志,也是提出有创建的可能性能力的标志。运用第181—184页所叙述的框架,在设法得出结论之前,对你的行动方案进行评价。

你能找到明智地解决问题的方法吗?

我擅长为我的问题找到解决的方法。我常常不能顺利地找到解决问题的方法。

5   4   3   2   1   0

虽然许多人非常愿意对他们的问题进行认真的分析,但是,当需要他们对其想法进行综合,并努力确定行动方案时,他们常常又感到力不从心。为什么会这样呢?或许他们对自己的思考能力缺乏自信,或是不愿意冒险去采取行动。无论原因是什么,长期不能提出解决问题的方法,以及不能努力去制定出行动的计划,是一种无能的表现。实际上,这也会使你的生活充满挫折、后悔和无法实现的梦想。

方略:如果你在提出解决问题的方法和采取实施行动方面存在着困难,就要认真地把这种无能当作问题来对待,运用解决问题的方法对它进行分析:问题是什么? 是缺乏自信,缺乏清晰还是缺乏意志力? 你的解决方案是什么? 等等。

作必要的调整

我采取灵活的办法作出调整,并设法提出新的方案。我倾向于坚持我最初的计划,即使它们遇到了困难。

$$\longleftarrow \quad 5 \qquad 4 \qquad 3 \qquad 2 \qquad 1 \qquad 0$$

你要坚定而努力地去提出解决问题的方案,这是很重要的,同样重要的是,当实施你的行动方案时,你要有宽容和批判的意识。在大多数情况下,你的方案将需要调整,你应该愿意进行调整。

方略:全身心地投入到提出解决问题的方案中,但是,要立即开始对你计划的结果进行考察,作出必要的调整以适应无法预见的环境。如果你解决问题的方法很明显不适用,那么就根据你所了解的情况,赶快行动,坚决地实施新的方案。解决问题是一个过程,重要的是不断地朝着正确的方向前进,不要固步自封。

11

得分指导

把你在上述每一项自我评价项目上给自己打的分加起来,并运用下面的得分指导对你作为一个问题解决者的效果进行评价。

总　分	说　明
36—45	非常有效果的问题解决者
27—35	比较有效果的问题解决者
18—26	有一定效果的问题解决者
9—17	无效的问题解决者

在对你的结果进行说明时,请记住:你的得分只说明你目前解决问题的有效情况,而不说明你潜在的解决问题的能力。如果你的得分比预期的要低,那就意味着你需要按照本章的建议,提高你解决问题的能力,并达到你所期望的水平。

◆**训练题:**

做一个精明的问题解决者

无论你作为一个问题解决者成绩是多么的斐然,你都可以通过选择追求这个目标来提高你的能力。你的批判的思考能力将给你以超人的见识来探索解决你的问题的手段，而你的提升自我的志向将为你提供不断的激励。请记住：做一个称职的问题解决者既需要平时的努力，也需要终身去努力。为了使你生活的每个方面都能有大的改进，你需要培养我们在本节所探讨的品质：

△把解决问题放在优先的地位。

△确立自信的态度。

△承认问题。

△收集有用的信息。

△清楚地确定问题。

△提出许多可供选择的行动方案。

△认真地评价行动方案。

△找到明智的解决问题的方法。

△作必要的调整。

第五章

沟通合作能力训练

"要在生活中成功，复杂的思考、沟通和社交技能，常常比传统的智商或职业技能更加重要。"

——丹尼尔·戈尔曼(《情商》作者)

1

善于沟通是使你出人
头地的关键能力

◆有效的沟通无论对职业生活还是个人生活取
得成功,都是很关键的。

　　本章将通过帮助你清晰地思考和准确地表达自己的思想,来
提高你的沟通能力。你将学会如何参加有成效的讨论,如何在不
同的社交场合有效地沟通,如何与群体进行合作,如何行使有影响
力的领导,以及大胆地进行演讲。所有这些语言和思考的技能都
取决于你的努力,它们会有力地促进你生活的每个方面。

　　读完了本书的前 4 个步骤后,你可能已经注意到,随着你思考
能力的改善,你的沟通能力也得到了很大的提高。语言,无论是口
头语言还是书面语言,都是你思想的窗口:清楚的表达反映了你清
晰的思考,而混乱的表达则反映了你糊涂的思考。当我们不无羡
慕地说某些人有"活跃的思维"时,我们通常是基于他们的讲话和
写作而得出这个结论的,我们说他们有很强的表达能力。在讲一

个故事时,他们通过细节的描述和丰富的修饰语,能"使你有身临其境之感"。如果他们对某个观点进行解释,他们的分析是极有条理和具体的。

有效的沟通无论对职业生活还是个人生活取得成功,都是很关键的。请思考下面的情境:

△当你向他人解释你的观点时,你不能清楚和准确地表达你的思想。

△你与一个跟你有不同意见的人讨论有关感情的问题。刚开始你们俩还能理智地交换思想,但很快两人就大吵起来,互相攻击和指责。

△有人要求你在一个大型的集会上演讲,但一想到众目睽睽的情景,你就不禁感到害怕和心跳加速。

△你试图说服你的同事接受你对一个重要决定的分析,但是,你发现你无法清楚地表达你的思想,提出有说服力的论据。

△你发现有时候你无法与不同文化、年龄、性别或背景的人正常地沟通。

△你不愿意参加集体讨论,也不愿意承担领导的角色。

沟通是一个过程,通过它可以表达思想和感情,达到彼此了解的目的。

要培养复杂的沟通能力是一项具有挑战性的任务:你必须掌握复杂的口头言语词汇和身体语言,培养使有效的沟通成为可能的高水准的思考能力。此外,你必须学会与听众交流,与听众形成直接的联系,从而使你能洞察听众对你演讲的反应,并运用听众的反馈来调整你演讲的内容,使其更加清晰流畅。

2

语言的无能反映思想的愚蠢

◆因为我们的思想愚蠢，语言就变得丑陋和不准确，而我们语言的马虎又使得我们很容易有愚蠢的思想。

有效思考和沟通的关键在于清楚和准确地运用语言。在大多数情况下，当你清晰地思考时，你能够清楚地用语言表达你的思想。如果你不能理清你正在思考的观点究竟是什么，那么，你在用语言表达你的思想方面就会感到有很大的困难。当出现这种情况时，你可能会这样说：

"我知道我想说什么，但是，我只是找不到恰当的词语。"

当然，当发生这种情况时，你常常并不准确地知道你究竟想说什么——如果你知道，你就能说出来！

思想和语言之间的这种密切联系，在乔治·欧文的随笔《政治学和英语》一文中得到了很好的阐释：

一个人可能喜欢喝酒，因为他感到他自己是一个失败者，然后，他各方面都一塌糊涂，因为他喝酒。对英语来说，同样的事情也在发生。因为我们的思想愚蠢，语言就变得丑陋和不准确，但是，我们语言的马虎使得我们很容易有愚蠢的思想。重要的是过程是可逆的。现代英语，特别是书面英语，充满了不良的习惯，通过模仿这种不良的习惯得以扩散，如果人们愿意不辞辛劳，那么，这种习惯也能得到避免。如果人们去掉这些习惯，就能较清楚地思考。

就像这位醉汉陷入了使事情更糟的恶性循环一样，语言和思想之间的关系同样也是如此。当我们草率地运用语言时，我们的思考就不会明晰，当然，反之也是一样：清楚和准确的语言导致清楚和准确的思想。

清楚的语言	清楚的思想
具体的	集中的
清晰的	表达清楚有力的
有条理的	首尾一致的
准确的	准确的

3

空难事故:模糊语言的恶果

◆在许多情况下,我们对沟通采取的是"懒人"
的办法,即用一些陈词滥调、含糊的词语和类
似"你知道我说的是什么"等的表述。

1990年1月29日,一架埃维安卡航空公司的班机从南美的哥伦比亚飞往纽约,途中不幸坠毁,共有73人遇难。

在降落前,飞机在肯尼迪机场上空盘旋了45分钟后,耗尽了燃料,这明显是由于飞机驾驶员与地面控制台之间不准确的沟通所致。根据找到的黑匣子,在飞机坠毁前的45分钟,埃维安卡航空公司的机组人员告诉地面控制台,如果让飞机飞到波士顿机场降落,而不是优先在肯尼迪机场降落,"飞机的燃料将耗尽",飞机还能照此样子继续维持"约5分钟——这就是我们在飞机必须降落前所能做的一切"。然而,地面控制台把这个情况通知了地方控制台,地方控制台指挥飞机在肯尼迪机场降落,但是,地面控制台

并没有告诉地方控制台这架飞机燃料不多的问题。国家航空交通控制台协会主席 R·斯蒂夫·贝尔认为，埃维安卡的驾驶员应该为此事负责，因为"埃维安卡的驾驶员从未说'燃料出现紧急情况'或'只剩最低限度的燃料'，如果他们说了，地面控制台肯定会对此作出紧急反应。只是说你们的燃料不多了，并不意味着立即就会出问题。"这是一起由于沟通不清楚而造成悲剧性结果的典型实例。

当然，不清楚的语言并不总会导致这样悲惨的结局。但是，总的来说，它总会对个人清晰的思想和社会带来普遍破坏性的影响。例如，请思考下面句子中模糊的——笼统的和不准确的用词：

△昨天我过得很愉快。

△那是一本有趣的书。

△她是一位老人。

在每个句子里，斜体字是语义含糊的，因为它没有准确地表述作者或讲话者想传递的思想、情感或经验。多数一般性的衡量词——高、矮、大、小、轻、重等——都是含糊的。这些词准确的含义有赖于它们被使用的具体环境，以及使用者具体的描述。例如，你使用"中年"或"老"这样的词，是相对于你自己的年龄而言。同样，你认为某人有钱也可能是根据你自己的经济状况来说的。当我的外祖母 79 岁，身体还非常健壮时，有的人错误地说她"老了"，她生气地说："我不老!"然后猛地冲到了屋外。

虽然一般衡量词的含糊能够导致迷惑，但是，如"好"、"有趣"等其它词语的含糊也是很普遍的，并常常引起麻烦。这类含糊渗透在人们讲话和文章等各个方面，损害了人们清晰的思想，也是极难克服的。为了清楚和准确的使用语言，你必须了解语言活动的规律,并努力摒弃表达含糊这一顽固的习惯。

请读下面的电影观后感,并找出所有的没有清楚表达意思的含糊和笼统的词语。

> 《黑衣人》的确是一部很有趣的电影,它描写了一些真正的不寻常的外星人和追捕他们的人的故事。电影由几个试图去追捕不同的外星人,并拯救世界的主要人物构成。有些场景使人心烦,有的还挺热闹,但是,总的来说还都不错。
>
> 情节很有趣,主要人物表演很出色,我非常喜欢这部电影。

在这段话里,由于语言含糊,它只表达了一般的好感,而没有用准确的词语解释自己真正的感受究竟如何。因此,这段话的作者在表达自己的感受方面是不成功的。

记者在明确地表达自己的思想,清除含糊的语言方面,一般都使用一个有用的技巧,即:是谁? 什么? 什么时候? 什么地方? 为什么? 如何? 这六个方面进行提问,并试图对此作出回答。接下来,让我们看看如何把这个技巧运用到上述描述含糊的电影之中。

△电影中涉及的人是谁(塑造的人物、演员、导演、制片人)?

△电影中发生了什么事(事件、情节的发展)?

△电影中的事件是在什么时候发生的(历史环境)?

△电影中的事件发生在什么地方(自然环境、文化背景)?

△电影是如何描写事件的? (演员是如何创造角色的? 导演是如何运用电影技术实现其目的的?)

　△为什么我对这部电影有这样的看法?(我的看法的理由是什么?)

　即使我们不详尽地阐述我们的看法,但是,通过运用清楚和准确的语言,我们仍然能够有效地表达自己的观点。例如,请看一下专业电影评论家安东尼·雷尼对电影《黑衣人》写的一篇影评摘要,并把它与上述的影评加以对比。

　　　由埃德·所罗门编剧和巴里·索尼菲尔德导演的这部电影通俗易懂,它没有多少惊险情节,但却很轻松,不会让你被搞得胡涂不解而抱怨。影片中的主角是特工K(汤米·L·琼斯)和J(威尔·史密斯),他们的穿着很像唱美国黑人民歌的"布鲁斯兄弟演唱组"。他们整天去搜索外星人的行踪。影片中的外星人多数都是守法的公民,他们喜欢把所有三个鼻子都弄得干干净净的。但是,也有几个无赖被抓住了,必要时他们也结结巴巴地说上几句……没有哪个导演这样的迷恋黑色,将之作为影片的色调和氛围;这样的急切将之发挥到极致。主角的衣着是一体素黑,追捕的时刻是一片暮色苍茫,送葬的路上尘土飞扬,而与这一切相映衬的,是主角的车子闪放着的令人心驰神往的光亮。为黑色作衬托的,有特工总部和古根汉姆博物馆那明亮的灯光,更甭说还有特工J第一次请求任务时呆在里头的太空飞船的煞白色船舱。多亏有一种灵活查找的万年历,索尼菲尔德据此导出了一部90年代的

影片,说出了 60 年代人对于未来(例如 90 年代)景
象的观点。

——《纽约人》,1997 年 7 月 7 日

语言大师具有用符号如此清楚地表达他们体验的才能,以至
于你实际上能够与他们一起再次重温他们的体验。你能与他们一
起,分享他们在经历体验时所具有的思想、情感和认识。我们可以
通过运用较多的细节,语言的修饰和隐喻,使我们的表达更清楚,
从而把我们的思想和感情更生动、丰富地传递给他人。在许多情
况下,我们对沟通采取的是"懒人"的办法,也即用一些陈词滥调、
含糊的词语和类似"你知道我说的是什么"等的表述。

◆训练题:

叙述一个体验

在你的"思考笔记本"上,叙述你最近经历的一
个体验,把注意力集中在清楚和准确地表达你的思
想上。运用恰当的谁、什么、什么地方、什么时候、
如何、为什么的问题来指导你的写作。完成了第一
稿后,把你自己想象成你的听众——他们通过阅读
能重温你的体验吗?

实际上,我们所有的人在日常生活的谈话中,都大量的使用含
糊的语言。在许多情况下,你对体验的直接反应是非常笼统的
("这很好","她很有趣",等),这是很自然的。然而,如果你真的很
关注深刻的思想和有意义的沟通,那么,你就应该在这些最初的笼

统反应之后,进一步较准确地阐释你真正想表达的意思。

△我认为她是一个好人,因为……

△我认为他是一个好朋友,因为……

△我认为这是一个有趣的职业,因为……

含糊总是有程度的不同,实际上,语言在一般和具体的两极之间,有程度不同的刻度,你运用什么样的语言对事情进行叙述,肯定在语言两极之间的刻度上能找到它们的位置。例如,下列陈述的顺序就是由一般进而到具体。

一般

安娜是一个好朋友。

当我需要她的时候,她总会伸出援助之手。

她总要抽出时间过问我的事。

上个星期六,她用了一下午的时间帮我处理我

遇到的一个难题。

具体

虽然不同的环境需要不同程度的具体,但你应该不断地做到更加准确地运用语言。例如,对你以前在"思考笔记本"上叙述的体验进行考察,把一般性词语勾出来,或是用较准确的词语来代替它们,或是用具体的叙述和例子对它们进行说明。

4

一个问题，两种辩论能力
——实现有效沟通的几条技巧

◆一种是普通人的争吵；一种是专家级的沟通

通常，我们与他人就重要的话题进行探讨，不会是富有成效的交流。有时候，甚至会出现互相谩骂，大声争吵，甚至比这更糟的情况。请思考下面两个人的对话：

> A：我有个最要好朋友的父亲6个月前心脏病发作，从那以后，她父亲一直处于昏迷状态，靠一根通气孔和进食管维持生命。她的家庭正考虑撤掉这些维持生命的器械，让她父亲自然地死去。
>
> B：我认为像这样把"插头拔掉"的行为是一种谋杀，你朋友的家人并不想成为杀人犯，是吧？
>
> A：你怎么能把他们说成是杀人犯呢？在这种

情况下,把维持生命的器械撤掉是安乐死,而 不是谋杀。毕竟人们有尊严地死的权力。

B:你是说杀人的权利。无论你怎样试图把 它乔装打扮成安乐死,"仁慈地杀害",或是其他 什么,它仍然是杀死了另一个人的生命,你的朋 友和她的家庭没有权利这么做。

A:你没有权利告诉他们应该做什么——他 们愿意这样做,这是他们的决定。任何人都不应 该被强迫延长生命,超出其自然的时间。

B:任何人都没有权利实施谋杀——这是法 律规定的。

A:但是,安乐死不是谋杀。

B:是谋杀。

A:不是谋杀。

B:再见!我不愿意和为谋杀辩护的人谈话。

A:我也不想和你这种要告诉人家怎么维持 生命的人罗嗦。

如果我们认真地分析一下这篇对话,我们就会看到这两个人并没有:

△清楚地表达他们的观点,并用理由和根据来加以说明;

△互相听对方的意见,并对对方的观点作出反应;

△对重要的问题进行提问和回答;

△试图去增进对对方的了解,而是简单地想在争论中压倒对方。

总之,在上述的交流中,他们不是在讨论观点,而是简单地表达观点,并努力想影响他人,使其同意自己的看法。把上一段对话与下面的对话进行对比,虽然它讨论的是同样的话题,开头也是一样的,但是,它很快就转到了不同的方向。

A:我有个最要好朋友的父亲6个月前心脏病发作,从那以后,她父亲一直处于昏迷状态,靠一根通气孔和进食管维持生命。她的家庭正考虑把这些维持生命的器械撤掉,让她的父亲自然地死去。你怎么看这件事?

B:我认为像这样把"插头拔掉"的行为是谋杀。你朋友的家人并不想成为杀人犯,是吧?

A:当然不想!但是,你为什么认为安乐死就是谋杀呢?

B:因为谋杀就是我们杀害了另一个人,当你参与了安乐死时,你就是在杀害另一个人。

A:但是,某人处于昏迷状态,他没有恢复意识的可能,这样的人是完整意义上的"人"

吗?只是因为他的身体在器械的维持下仍有一定的功能,但这并不意味着他是一般意义上的"活"人。他不能说话,没有感觉,不能思考,没有记忆,不能沟通——我们活人所能做的一切,他都不能做,难道你不这样认为吗?

B:我认为这样的人仍然是活着的。我不明白怎样才能区分某人是否"活着"的方法,"活 着"与否指的是人的躯体功能是否还在发生作 用?

A:我明白了为什么你会认为,身体功能还在起作用的人生命就应该被维持。如果我们在这样的情况下,结束一个人的生命,如通过注射致命的药剂,这是积极实施的安乐死。但是,就拿我朋友父亲的例子来说,我们是在谈消极实施的安乐死:拒绝医疗救治或撤消医疗救治,允许病人自然地死亡。毕竟在发明先进的维持生命的医疗设备之前,发生这样的事情是可能的。

B:让我想一会儿。我理解你在积极的安乐死和消极的安乐死之间所作的区分,我认为这样做很有益处。问题是我们有这个医疗技术,由此也造成了这些现代的伦理二难处境,不仅是安乐死的问题,而且还有生殖技术和克隆技术。但是,我仍然认为我们没有过早地结束生命的权利 只有上帝有这样的权利。

A:但是,你不认为我们通过人工的方法超过自然期限去维持人的生命是在愚弄上帝吗?

B:作家 C·S·刘易斯曾经说过,对这些问题的最终决定,常常是围绕着我们是我们生命的"房东"还是"房客"展开的,如果我们是我们生命的"房东",那么,我们所行使的尊重我们生命的意志自由就没有限制,包括安乐死。但是,如果我们是我们生命的"房客",那么,我们就把生命看成是我们没有权利让与的礼物或捐赠。从这个观点来看,我们没有"死的权力"。

A:我明白了你说的意思,但是,我朋友的父亲的生命质量问题该怎么看呢? 他所接受的治疗对他有任何的好处吗?

B:你是说因为他不会再恢复到有意识的状态,他的生命就不值得维持下去了吗?

A:我认为我们是在作一个生命质量的决定,即我们究竟应该怎么来活着,我认识我朋友的父亲,他是一个非常积极的、有活力的人,他从不愿意这样靠维持生命的器械活下去,我认为他的家庭采取一切为他着想的措施,并作出如果他能表达自己的愿望也愿意这样选择的决定,在伦理上是无可非议的。

B:你是在告诉我他想通过饥饿和脱水而死去吗? 如果你把提供营养和水的进食管撤掉,就会发生这样的事。

A:我认为我们不能把它称为是通过"饥饿"和"脱水"而死,就象这些词在一般意义上所使用的那样。当某人处于持久的植物状态时,他不能体验痛苦或悲伤,就象某人在正常的环境下挨饿一样。这是美国神经病学研究院的观点。

B:但是,没有痛苦并不意味着他会同意饿死。

A:我认为你谈的这一点非常好。但是,我们仍需要回到病人的希望上来,他的家庭是最有资格作出决定的人,我并不是说他们应该这样做,我认为情况各有不同,对于家庭来说,要进行选择也要经历一个痛苦的过程。他们必须作出与他们的价值观、宗教信仰和他们理解病人所希望的最一致的决定。

B:我对你说的这一切的确能理解,但是,我真的担心如果我们让安乐死合法化了,有的人就会对此毫无限制的滥用。例如,我认识的一个大夫给我讲了一个有钱人的例子,这个人已经昏迷了好几个月,一直靠器械维持着生命,但后来他终于完全地清醒过来,最终还得以康复。但是,在为他治疗期间,他的家人试图让医院撤掉维持生命的器械,认为这样一来他们就可以继承他的遗产。我的担忧是,一旦我们开始损害了人类不惜一切代价而救死扶伤的传统,那么,我们就会陷入危险的境地。如果我们不注意,我们就会最终分不清理性和暴力的界限,而把社会认为是多余的人或无足轻重的人推向危险的边缘。毕竟,哪里有生命,哪里就会有希望。

A:这些问题很明显比我们最初想的要复杂得多!现在我得走了,但是,我很愿意继续我们的讨论。看来我要把我的思想理清,还得多动动脑子。

当然,在讨论中,人们不可能总能做到如此的有条理和直率,尽管这个对话讨论的主要问题是建立在两个医学伦理学专家之间进行的实际争论的基础上的。然而,上述第二个对话还是为我们应该怎样与他人一起认真地研究和探讨问题提供了一个很好的范例。接下来,让我们对有效讨论的几条技巧作进一步的考察。

技巧一:①观点讲清楚,
　　　②理由讲明白

　　每一次有意义的思想交流,都要从参加者清楚地表达他们的观点开始。为了让他人准确地理解你们在讨论什么,你们需要"界定概念"。我们说的"安乐死"是指什么? 有不同类型的安乐死吗?他们讨论的实例(A 的朋友的父亲)属于哪一类? 请注意,在第一个对话中,讨论者从未具体地回答这些问题,这就注定他们的讨论从一开始就不会成功。但是,在第二个对话中,随着讨论者系统地探讨"安乐死"这个概念不同的意义,这些问题都得到了回答。与清楚地表达你的观点密不可分的另一个问题是,为你的观点提供有说服力的支持:你得出这样的观点是基于怎样的理由和根据?在第一个对话中,讨论者只是简单地表述了他们的观点,而没有进一步提供他们的理由和根据。如步骤 1:"思考能力训练"中所说的,这样进行讨论反映了对认识性质粗浅的理解。实际上,每一个观点只有建立在有支撑的理由和根据的基础上,才是可行的。第二个对话的讨论者非常认真,他们总在提供支持自己观点成立的理由和根据,然后根据其真实性和相关性,对它们进行评价。

技巧二:①听懂对方的意思
　　　②作出思考的反应

进行富有成效的讨论是参加者共同的责任,也是平等交流的一个过程。其中,每个参加者必须注意对方观点的细微之处。在这种情况下,聆听不是一个被动的活动,而是一个积极的、批判思考的活动。你需要设法去理解你正在听的对方的思想活动过程——设身处地地站在他的立场上去想。这意味着你必须:

△暂缓下结论:当你正认真地聆听他人表达思想时,不要急着下结论。过早地作出类似"这没说明什么问题"等的评价,会阻碍沟通的过程。你需要有足够的耐心,允许他人把看法完全表达出来。

△适时表明你的观点:在你完全了解了对方观点的情况下,就可以系统地阐述你的观点。一旦你开始谈自己的看法,你就不能全神贯注地去听他人在说什么了。

△认真地聆听:在你对他人表达观点的准确性和恰当性进行评价,并问一些有助于澄清观点的问题时,也要用心去听。

当人们参与有效的讨论时,他们要对对方提出的观点作出直接的回答,而不能简单地试图阐明自己的观点。在第二个对话中,A 对 B 提出的"安乐死是谋杀"的观点,是用问了这样的一个问题"但是某人处于昏迷状态,他没有恢复意识的可能性,这样的人也可以称作是完整意义上的人吗?"而对 B 的观点作出回答的。当你直接对他人的观点或他人对你的观点作出回答时,你应该尽可能地对讨论的问题进行深入的研究,虽然参加讨论的人们最终可能也不同意你的观点,但是,他们应该对重要的问题有深入的了解,并对他人的观点作出正确的评价。如果你再去看一下我们上述所举的对话实例,你将注意到每个人是如何对他人提出的观点作出回答的,从而使继续交流思想成为可能。

技巧三:学会提问

在你与他人的讨论中,提问是一个重要的驱动力量。通过对重要问题进行提问的方式,你就能对某个话题进行探讨,然后,努力去回答问题。提问的过程会逐渐揭示出支持各种观点的理由和根据。例如,虽然上述的两个对话是以同样的方式开始的,但是,当 A 提出"但你为什么认为安乐死就是谋杀呢?"这个问题时,第二个对话却朝着完全不同于第一个对话的方向发展了。很显然,这个问题的提出把讨论引导到了互相探讨问题,避免动怒争吵的方向上。

技巧四:增进了解

当你与他人探讨问题时,你常常是从不同意他人的观点开始的。实际上,这是你之所以参加讨论的重要原因之一。然而,在一个有效的讨论中,你主要的目的应该是增进了解,而不应该不遗余力地去证明自己观点的正确性。如果你决定证明你是正确的,那么,你就不可能容纳他人的观点,或与你不同的看法。而作为一个批判的思考者,努力地从不同的角度看问题,特别是站在与你有不同观点的人的立场上看问题,这是作为一个批判的思考者的实质所在。这也是扩大你的视野,确立有根据的信仰的惟一方法。在社会生活中,有的人很聪明,很有学问,也很善于讨论问题,但是,他们的主要目的是在讨论中战胜他人,证明他们的观点是正确的,而他人的观点是错误的,他们的做法显然不是批判的思考者应有的行为。批判的思考意味着要宽容和开通,尊重他人的看法,共同提高对问题的理解。在第二个对话结束时,虽然讨论者还对安乐死问题有不同的观点,但他们已经开始走上了共同探讨和发现的旅程。他们正开始厘清问题,以期达到对这个复杂问题有深刻的认识。这样一来,无论在学识方面还是在做人方面,双方都会从中受益。

◆**训练题:**

写一篇对话

在以后的一两天内,去听听他人的讨论(或 争论!)——或你自己的——,写出一篇对话,从中能反映出你对有效讨论的技巧认识的提高:

△清楚地表达观点,并用理由和根据加以论 证。

△认真地聆听,并对他人的观点作出反应。

△对重要的问题进行提问并试图去回答。

△努力增进了解,而不是在讨论中获胜。

这个活动将给你提供机会,把你在本书学到 的新知识——以及思考——运用到社会生活之 中,使你的生活发生大的变化。不久,人们会发 现.你将给讨论带来一股清新之风。

你可能会问,我们是否真的有必要实际去做这些"思考活动"的练习:为了成为一个合格的批判的思考者,去阅读和思考他人提出的观点不就足够了吗? 我要告诉你,在这个方面没有捷径可走。

你在练习这些技能时,投入的精力越多,那么,你在未来生活中就越能熟练地运用它们,并得到越多的回报。虽然只靠阅读证明的确也有一定的效果,但是,对提高思考能力所作的研究强调,人们更需要通过循序渐进的练习,积极地参加到思考活动和过程之中。例如,在电视上看朱莉娅·乔尔德制作精美的糕点的确能增进知识,但是,无论如何,它也不能代替你在厨房里,挽起袖子,亲手和面,做这样的实践和练习。

5

社交技能的培养

◆就象丹尼尔·戈尔曼指出的,这些复杂的思考、沟通和社交技能,对于生活中取得成功而言,常常比传统的智商或职业技能更加重要。

◆你可能对你所熟知的人取得成功感到迷惑不解,因为他们似乎也不是最有知识或最聪明的,但正是因为他们具有良好的社交和沟通技能,他们取得了你所想象不到的成功。

你在个人生活和职业生活中的成功,取决于你与他人合作得如何。

正如我们已经探讨过的其他的人类活动所揭示的那样,有些人较之其他人是更有效的群体成员。群体的成功要涉及一系列复杂的思考和语言能力,而这些能力正是许多人所没有系统掌握或完全拥有的,你毫无疑问注意到了那些在社交方面很出色的人:他们极容易适应任何的群体环境,能与许多不同的个体进行友好的交谈，与他人和谐地、富有成效地共事，用清楚的和有说服力的观点影响群体的思考，有效地克服群体的紧张和自我主义，鼓励群体成员守信，创造性的工作，并能使每一个人集中精力，朝着共同的目标前进。就象丹尼尔·戈尔曼在其畅销书《情商》中指出的，这些复杂的思考、沟通和社交技能对于生活中取得成功，常常比传统的智商或职业技能更加重要。你可能对你所熟知的人取得成功感到迷惑不解，因为他们似乎也不是最有知识或最聪明的，他们的成就似乎不是"你所认识的人"所能取得的。但正是因为他们具有良好的社交和沟通技能，再加上他们的学识和才智，他们取得了你所想象不到的成功。不过，他们具有的社交和沟通的技能，你通过观察、实践和批判的思考也能够（而且需要）培养出来。

与他人合作比单独工作有许多好处，首先，群体成员具有不同的背景和兴趣，这可以产生多样化的观点，实际上，与他人合作可以产生出任何个人只靠自己所无法具有的创造性的思想。此外，群体成员互相提供帮助和鼓励，每个人都能贡献出他或她独特的技能，团体的一致性和认同感激励着团体成员为实现共同的目标而努力奋斗，这是一种"团队精神"，它能使每个人最大限度地实现自己。俗语说得好："人多力量大"，"众人拾柴火焰高"。一群人一起工作，如果全力以赴，组织有序，就能在有限的时间里取得引人注目的成就。

6

六种主要的合作能力

◆有的人喜欢让别人出头露面,而自己却静静
地坐在那里,做一个感兴趣的旁观者。这样做的
结果是,你无法培养自己的社交能力,赢得团体中
其他成员对你的尊重。

通过了解团体的社会动力,你能学习如何促进你参与团体活动,并在其中实施有意义的领导。为了与他人合作,你需要培养以下几个方面的主要能力。

积极的参与:在许多团体场合,有的人喜欢让别人出头露面,在讨论中首当其冲,而自己却静静地坐在那里,做一个感兴趣的旁观者。这样做的结果是,你无法培养自己的社交能力,赢得团体中其他成员对你的尊重,或者对团体的决定施加影响。

既然你同样对团体的最终决策负有责任,无论你态度积极或保持沉默,你都可以贡献你的聪明才智。如果你不敢抛头露面,大

胆地表述自己的观点,或觉得你的观点不如他人的有价值,那么,你需要认识到这些感情可能是步骤 3:"自由选择生活的能力"一章中所分析的具有破坏性的自我谈话的结果,你应该运用那一章叙述的方略,创造较积极的内心音信。第一步要意识到你的感情或许是不合理的,缺乏实际基础。我的经历表明,那些最担心"每个人将认为我是一个傻瓜,都会耻笑我"的人,一般来说是最有思想和见识的。实际上,往往是那些喜欢喋喋不休的人,他们缺乏自我意识,善于空谈,徒有热情而无建树。

　　如果你感到忧虑和焦急,那么,你需要迫使自己迈出第一步。万事开头难,随着你不合理的怪念头的减退,以及你自信心的增强,你就能积极地参与到团体的活动中来,为团体的发展做出自己应有的贡献。

　　具备有效讨论的能力:在本章的前面,我们对有效讨论的因素,以及达此目标你需具备的沟通能力进行了分析。参与团体的讨论需要与一对一的讨论相似的技能,只不过前者需要你应对更多的参与者。

　　△清楚地表达你的观点,并提供支持的理由和根据。

　　△认真地聆听他人的意见,努力了解他人的观点及其支撑的理由。

　　△直接地对他人提出的观点作出回答,而不要简单地试图阐述你自己的观点。

　　△提一些相关的问题,以便全面地探究所讨论的问题,然后设法去回答问题。

　　△把注意力放在增加了解上,而不要试图不计代价地去证明自己观点的正确性。

尊敬团体的每一位成员：这是保证合作成功的基本准则。虽然你可能确信你比其他的参加者更有知识，但重要的是，你要让他人充分地表达自己的观点，而不要随意打断，或表现出不耐烦，做到这一点对于团体正常地发挥功能是很有必要的。

也许在某些场合，其他成员不同意你的分析或结论，即使你确信你是正确的，当发生这种情况时，你需要作出必要的妥协和让步。如果做不到这一点，就接受现实，尽你所能阐述自己的观点，力争使他人能够接受。

鼓励他人提出多样化的观点，不要过早地对观点作判断：除了提出你自己的观点外，你还应该鼓励其他成员也提出他们的观点。当他人提出自己的观点时，要作出积极的和建设性的反应。

客观地评价观点，而不意气用事：当团体对其成员提出的观点进行评价时，应该运用批判思考的技能对它们进行评价。争论点或问题是什么？

这个观点是如何说明问题的？提出这个观点的理由和根据是什么？它的风险和弊端是什么？重要的是要让团体的成员意识到评价的对象是观点，而不是提出观点的人。最常见的一种思考错误是，有的成员仅从个人的爱好或偏见出发，不是对人们提出的观点进行评价，而是把矛头指向个人。

对有挑战性的观点应该作出这样的回答："我不同意你的看法，原因是……"，而不应该说"你真无知"。只有如此，才能进行良好的沟通，而不会恶语伤人。

分析"运动员"、权利分配和彼此的关系：团体好比是活生生的、不断进化的有机体，它们是由处于复杂的和充满活力关系之中的个体构成的。

就如在一场球赛中,"没有号码牌你无法分辨运动员"一样,一个团体中要有效地发挥作用,也需要你识别出谁是"运动员",他们彼此关系的性质,以及决策权是如何分配的。在一个你不熟悉的新团队中,弄清这些情况是特别重要的,它可以为你提供一个你在其中能说话和回答的"思考环境"。

7

团队领导的六条指导原则

◆承担领导角色能促进你个人的发展,增强 你
的自信心和自尊。你也将培养自己激励 人们实现
共同目标的能力,并把这个能力 运用到许多社交场
合。

虽然你可能没有把自己看成是一个"领导,但你应该认真地思
考选择在你所属的某些团体中发挥你的领导潜能。承担领导角色
能促进你个人的发展,增强你的自信心和自尊。人们会给予你特
别的尊敬,你能对团体的发展起到一定的作用,帮助团体实现有意
义的目标。你也将培养自己激励人使其协调一致实现共同目标的
能力,并把这个能力运用到许多社交场合。最有威望的领导人能
够影响团体成员的思想和行为,使他们愿意沿着指引给他们的道
路前进。领导在生活的每个方面都会孕育成功,只有通过实践和
经验,才能最好地培养你的领导才能。此外,当你努力地发挥自己

的领导潜能时,下述几条有用的指导原则你应牢记在心。

使团体集中精力,适时"结束任务":由于许多团体不能把精力集中在手头的任务上,或不能适时地结束思考,因而最终浪费了时间。因此订一个时间表,使你明确自己的行动计划是很有益处的。此外,在出现严重分歧的情况下,建立一个决策过程也是很有用处的。这常常需要你进行权衡,一方面要调动人们积极地参与,分享他们的观点;另一方面,鼓励人们发表有关的和简洁的评论,从而把讨论继续推向深入。最后,你将掌握很多充满机智的措辞和用语,并适时地在讨论中加以运用:

△"这是一个很有趣的论点:或许你能解释一下它如何与所说的问题相关联?"

△"很抱歉我打断了你,但是由于时间的关系…………"

△"因为我们必须结束这个话题,还有谁想对这个论点作点补充呢?"

在某种意义上,领导一个团体有点像牧羊,为了使团体不断地前进,你必须施加一些压力,把羊赶到一起,永远不迷失目标或计划。虽然有时候你可能感到很棘手,如果你能保持对他人的礼貌和尊敬,那么,大多数人将会作出积极的反应。

公平地分配团体的责任:团体中的所有成员都要承担具体的责任,避免"有活干的累死"、"没活干的闲死"两种极端的情况出现,做到这一点是很重要的。每个人都有为团体作贡献的才能和热情,大家共同分担责任可以促进积极的团队精神和士气。这意味着你需要具有分配职责的艺术,即使当你感到"如果我自己去做这件事会更容易"时,你也要把责任分摊给每位团体成员,因为从中他们会感到他们受到了认真的对待,并能为团体作出自己重要的贡献,而这一点对团体的发展是很重要的。如果你给人们制定了明确的日程表,对每位成员的贡献都能给予公开的表扬,那么,你将会对每个人的工作质量和他们的参与团体活动的热情感到惊讶。对他人给予充分地信任和表扬:这样做你几乎不用付出,但是,它带给你的却是友好和亲善,以及高昂的士气。

运用恰当的决策方法:对每个团体来说,制定一个恰当的决策过程,确保你不陷入争吵和惰性的泥沼之中是很重要的。在你作出结论和制订行动计划之前,你应遵循以下一般的程序:确定争论点或问题:这是首先需做的一件事,在某种方面它也是要达到的最重要的目标。确定的争论点或要解决的问题究竟是什么? 不要假定大家的看法都一致:通常人们会有不同的想法、担忧和行动计划(有时候是"隐藏的行动计划"),在继续下一步的行动之前,有必要对讨论的目的给予明确的阐释。

鼓励创造性的观点:正如步骤 2:"创新能力"一章中所强调的,创新的观点常常为问题的解决提供最有效的方法或决定。作为一个领导,你需要创造一个人们感到十分安全,愿意冒险,敢于大胆设想的环境。你应该明确地申明这一点:"让我们努力开动脑子,不要囿于现成的答案",鼓励人们大胆创新("这是我从来没想到的一个有创造性的观点"),阻止人们对他人的观点持消极的态度或简单地下判断("对他人的见解作出'这是一个愚蠢的想法'或'这根本不可行'这样的回答丝毫无助于事,相反,应努力去改进现有的方法")。

坚持进行严密的分析和评价:一旦提出了大量的可供选择的解决问题的方案,就应该用坦率和客观的方式对它们进行评价,包括各自的优点、弊端、期望的结果、成功的可能性以及所需的进一步的信息等等。要提醒人们注意"这不是个人的"私事。一旦团体成员意识到这是一个大家荣辱与共的共同体，他们就会较为容易地超越其各自的自我利益和不安全感。

适时地结束：在团体活动过程进行的某一时刻，要适时地使事情结束，这或是因为你快用完时间了，或是因为讨论已无新意，总在重复着某个话题。这就到了团体需要确定一个具体的行动方案的时候了：寻求可供选择的行动计划，实施选择，或成立一个委员会来收集更多的信息。你将常常遇到某些成员反对结束，这些人可能感到他们的观点还没有得到充分的表述，相对于行动而言，他们可能更喜欢多说，或他们可能是爱拖延时间的人，由于有一定的困难还不能使事情结束。无论是怎样的情况，到这个时候，你就需要进行有力的控制，坚持团体进行决策。你可以运用许多不同的决策模式，如果你能预先决定团体将运用哪个模式，那是最好的。

△如果团体的规模小，成员一般没有分歧，你可以运用"一致"模式，即在场的每个人都同意提出的行动方案。

△如果有两种互相竞争的观点，你可以运用"多数"模式，即大多数人（超过在场人数的一半以上）都投票赞成的行动方案将被得到实行。如果还有重要的问题没有得到解决，那么，可以推迟这个表决，直到收集到了更多的信息，再开会进行投票。

△如果有几个互相竞争的选择方案，团体可以运用。"未超过半数的最多票数"模式，在这种情况下，将选择获得最多票数的行动方案。

如果讨论以公开和公正的方式进行，成员事先同意决策的模式，那么，应该鼓励成员慎重行事，支持团体的意志。这要求成员要从大局考虑，而不能只考虑自身的利益，作为一个领导，你应该帮助他们达到这个意识境界。

直接面对问题成员:不要让问题成员破坏团体的正常运转,如果某人试图支配控制讨论,或强加于他的观点,那么,就直接告诉这个人这样的行为是不合适的。如果某个成员过分消极和爱挑剔,那么,就鼓励这个人以一种较有建设性的方式参与团体的活动。例如,几年前,我担任了一个土地保护组织理事会的主席,大多数理事工作都很努力,但是,有一个理事非常消极,对我和其他理事提出的每一项建议都说三道四,吹毛求疵。经过几次失败的解决问题的努力之后,我运用了这样的批判思考战略,即对这个人提出的每一项消极的评论,我都回答说:"你提出的批评意见可能是正确的——你还能提出更好的想法吗?"每次这位理事都要问为什么理事会不去做这件事或那件事,我就回答:"这是一个很不错的建议——我责成你去负责实施这个想法。"没过多久,这种破坏性的消极态度就被制止住了,理事会能够有效地工作,而不再受这种烦人的干扰。

◆**训练题:**

促进我参与团体

对你所属的不同的团体以及你与各种团体的关系进行认真的思考,找出你在其中作为一个参与者或作为一个领导者能发挥积极作用的团体。运用本节提出的战略来促进你的团体参与,并培养你的领导才能,在你的"思考笔记本"上记录下你的进步。

8

演讲技能培养

◆通过学习使自己能自信、大胆地演讲,你就能
为自己创造成功的体验。

在大多数人的心目中,没有什么事情比在众人面前演讲更使
人感到害怕了。一想到自己站在众人面前,因紧张而结结巴巴的
连话都说不出来,当众出丑,人们就对这种处境感到胆颤心惊,自
尊心也会受到严重的伤害。而这种紧张和恐惧常常又会导致没有
安全感,说话咕哝,表现欠佳,这样反过来又会使你更加坚信,你的
演讲注定要失败,这似乎成为了一种恶性循环。然而,也完全可以
出现与此相反的情况:通过学习使自己能自信、大胆地演讲,你就
能为自己创造成功的体验。但是,首先你必须意识到这样的成功
完全在于你自己的努力。

第一步:确定一个题目

确定一个演讲的题目,要涉及步骤 2:"创新能力训练"和本章前边论述的相同方法和战略。你需要使自己沉浸于对一个问题的思考之中;运用群策攻关法、思想图以及自由地写东西等技巧,然后把你的话题缩小到一个具体的题目上来。在酝酿题目的过程中,你需要思考你的演讲想达到一个什么样的目标。你想告诉人们重要的事实或观点吗? 你想说服人们接受一种信仰,改变观点或采取某种行动吗? 抑或你希望同时达到这两个基本的演讲目标? 换言之,通过明确你希望达到的目标,一开始就得出你演讲的结论,然后再返回头构造演讲,这样你就能实现这些演讲目标。就象艾莉斯在《艾莉斯仙境漫游记》中被告知的那洋:"如果你不知道你去哪里,你怎么能知道你何时到达那儿呢?"

组成演讲的三部分

或许人们在演讲中最感恐惧的是"卡了壳",或大脑一片混乱,没有头绪。如果你的思路很清楚,演讲的主要观点及它们之间的联系像一幅清晰的画映在脑子里,或写在讲稿中,那么,这种思维"断电"或"卡壳"的现象就会大大地减少。演讲一般分为三个部分:导言、正文和结论。

导言:这个部分主要告诉听众你想表述的主要观点是什么,但是,它也需要引人入胜,能抓住听众的注意力。许多演讲者喜欢用与演讲题目有关的个人经历来开头,这有助于把演讲人自己与听众联系起来,引发听众的兴趣。其它的导言方法包括:运用生动的实例,讲幽默故事,要求听众回答有争议的问题,或背诵一段名言等。在思考你的导言时,不妨想一下如果你是一位听众,怎样的开头才会引起你的注意。

正文:这个部分主要是充分地论述你的观点,除了清楚地阐述你主要的观点之外,你也需要用一些实例、理由、证据和他人的证言来支撑你提出的观点。严密的组织正文取决于你演讲的内容和你想达到的目标。有许多思考的模式,你可运用它们来组织书面的论文或口头演说。一般来说,在每一次的组织过程中,同时运用几种思考模式效果是很不错的。例如,当我召集一个有关批判思考的专题讨论会时,我主要运用了以下几个方面的思考技能:

△把批判思考者的素质与不是批判思考者的素质加以对比和对照。

△找出有效的教学和良好的训练之间的相似之处。

△对我们文化中普遍不进行批判思考的原因进行分析。

△确定如何教人们批判思考的有关问题以及讨论解决的办法。

△对证实传统的教育方法何以常常强化不进行批判思考的研究进行讨论。

△对如果我们不教人们批判的思考,将会发生什么进行预测。

△对培养批判的和创造性的思考技能的有效性进行评价。

△对运用批判的思考框架对待生活每个领域的论点进行讨论。

结论:结论是对全文的综合,也即对主要的观点进行总结,一锤定音,以期给人留下深刻的印象。与导言一样,你可以用个人的经历,一段幽默的故事,一个生动的实例或一句名言来结尾。

取得演讲成功的五要素

对演讲进行认真的研究和精心的组织,是使你的演讲取得成功的必要条件。但除此之外,也有其它一些重要因素。

准备好讲稿,对内容做到胸有成竹:虽然你可以把你演讲的内容全部写出来,但是,千万不要照本宣科。当你照着准备好的讲稿去念时,你的声音听起来就很不自然,很呆板,你就无法经常与听众进行目光接触。听众喜欢对着他们讲话,也就是说你应该看着他们,讲话充满活力,表明你确实像你说的那样在思考,而不是简单地宣读以前准备好的思想。为了使你的演讲取得满意的效果,而不是照本宣科,你需要进行预演,直到你完全熟悉了演讲的内容,然后,准备好提醒自己主要观点的讲稿。如果你在演讲中,一时找不到演讲稿中的某个准确的措辞或恰当的用语,请不必着急:你只要与听众进行直接的和亲自的接触,就能弥补这一点。

运用辅助的直观教具:研究表明,对人们所听到的东西,他们只能加工处理和记住少部分的内容,大大地少于他们所看到或亲身经历的内容。因此,直观的教具,如图表、实例、图片、录象片段等,就成为辅助和强化你演讲内容非常有效的手段。它们可以为听众提供其它的参考资料,帮助听众把你讲的内容综合到他们自己认识的框架之中。许多人喜欢用投影仪来辅助演讲,而我个人则比较喜欢给听众分发复印材料,这样听众可在上面做笔记,并保。留起来作为将来的参考。

演讲要有自信，充满活力：虽然你在内心中可能因恐慌和没有安全感而发出尖叫，但是，你在外表上必须表现得镇定自若，充满信心。外表镇定自若实际上会使你感到更有自信，并唤起听众对你的信心。站在那里，姿态端庄，直视听众；说话响亮，清晰，不要太快；你的一举一动都要表现出你对自己很有自信。总之，通过你的举动表现出你相信自己和你演讲的内容，那么，你的听众也会信任你，这反过来又会增强你的自信心，有助于你更加相信自己。

身体要充满活力：通过面部表情、姿势、声调和身体动作等"非言语动作"，可以给听众传达许多信息。在演讲时，努力使自己放松下来，不时地来回走动，辅之以恰当的手势，从而给自己讲演的内容以及你传递的思想注入活力和感情。要达到这种境界，你需要在朋友或家人面前（及镜子前）进行练习，并征求他们的看法和意见。请铭记著名的交响乐指挥家阿图罗·图斯卡尼尼的一句劝告："如果你不练习上千次，你就不会在表演中尽善尽美。"

让听众参与：成功的演讲者把注意力放在听众身上，并尽可能让听众积极地参与进来。在演讲中，你的听众会给你发出许多信号，让你知道他们的感觉如何，在想什么。如果他们开始出现不耐烦或走神的表情，那么，这个时候就要想办法扭转局面。正如你的经历告诉你的，当听某人演讲时，很容易落到被动的、不思考的思维框架之中。这就是为什么如果你的演讲多持续了仅几分钟，你就应该想办法吸引听众的原因。以下是几种可供参考的方法：

　△要求听众思考一个问题，然后让他们回答。

　△让听众就某个问题写出自己的看法。

　△就某个问题让听众与邻座的人交谈。

　△让听众参与活动，离开座位，四处走动。

△用其他的演讲方式,如直观教具或录象来代替你的演讲。

换句话说,要想方设法使你的听众积极地参与到演讲中,这样做也会将使你获得更丰富的体验。

克服演讲的焦虑

你或许面临过这样的处境:你被邀请在许多人面前——商务聚会、正式晚宴、政治集会或教堂礼拜——进行演讲,对此你感到非常恐慌。你满脑子想的就是在众人面前自己丢脸的场面。

你怎样才能克服自己的"演讲焦虑"症带来的不良后果呢? 在步骤4:"破解生活难题的能力"一章中所介绍的解决问题的方法,为分析和解决类似的问题提供了一个理性的框架。让我们运用其基本原理来分析这个问题。

"真正的"问题其实并不在你害怕演讲本身,恐怕有着较深层次的原因。或许是因为你不喜欢在你不了解的人面前露面,而处于易受攻击的位置;或者当你想象着自己在演讲时,舌头打结,说话咕哝的情形,这真让你感到丢脸、难堪和害怕,你决不愿意以这样一副笨拙和愚蠢的面目出现在众人面前。无论是哪种情况,你的紧张都来源于你想象的置身于一个你可能失控,具有灾难性后果的处境。正是这个问题可能是使你产生紧张情绪的大敌。

可供选择的六种行动方案

行动方案1:增强"自信之声",清除"恐惧之声"。

我们每个人在内心深处都会自己跟自己说话,心理学家把这种现象称之为"自我交谈"。通常,这些声音是消极的和破坏性的,用类似"我将愚弄我自己"这样的音信损害你的自尊,消弭你的自信心。为了清除这些声音,首先你需要意识到它们的存在。在你的"思考笔记本"上,每天做记录是开始的一个好方法。当消极的"判断之声"出现时,你需要对它采取严厉的态度,并从你的脑子里将其清除掉。同时,你需要通过你的"自信之声",有意识地努力给自己送去积极的音信。

行动方案 2:对引起你焦虑的处境尽可能进行客观的分析。

你所经历的大部分紧张并不是以现实为基础的,从这个意义上说,这种紧张是大可不必的。例如,你对即将来临的演讲所感到的焦虑,是由使自己丢脸这样的幻觉所引起的。然而,幻想毕竟只是幻想。现实的情况是,如果你认真地准备,你的演讲至少不会砸锅。

行动方案 3:寻求他人支持。

他人能帮助你正确地分析问题,并为你提供积极的支持,帮助你对付紧张的处境。你应该主动地向别人述说你的恐惧和焦虑,因为他们或许也有与你类似的情感,非常欢迎你能与他们倾心交谈。在此,也体现了选择朋友的重要性,真正的朋友应该关心他人,在危难时能伸出援助之手。

行动方案 4:制定行动计划,并贯彻落实。

既然紧张是由威胁你的控制感的环境引起的,那么,你可以通过努力地控制你所处的环境来减少紧张。为了做到这一点,你必须制定一个可行的行动计划,帮助你控制紧张的环境。例如,通过遵循本章你探讨的准备演讲的战略,你应该有足够的理由对你的表现感到自信。通过把演讲战略与本节讨论的减少紧张的方法结合起来,你应该发现你自己能够较有效地对付紧张,这将增强你的自信心和控制感。

行动方案5:冥想。

正如第91页讨论的,冥想是对你的思考和情绪进行控制的有效方法。它有助于你身心放松,集中精力,全神贯注,使你去掉意识中充斥的不合理的恐惧和焦虑。

行动方案6:运用积极的想象。

研究还发现,积极的想象可以极大地帮助你演讲获得成功。想象你自己富有活力和成功的演讲,赢得了听众雷鸣般的掌声。积极的想象意味着只想象事情好的一面,而不让自己整日陷入到想象结果如何不好的陷阱之中。

上述提出的行动方案可以作为你探求自己个人演讲方法的参考,你应该在实践中加以运用,或许你还可以提出自己的一套方法。要制定一个计划,把这些最成功的技能综合起来,然后努力使自己去实施你的想法,对此不必感到局促不安。我女儿6岁的时候,鼓起勇气决定在业余歌手演唱会上的100多人面前独自演唱《最伟大的爱》这首歌。为此,她向我的妻子寻求帮助,并坚定地宣布:"我不做懦夫!"是的,她没有做懦夫,她的表演十分完美。对我们所有的人来说,当我们为演讲作准备时,我们应该记住这句话:不要做懦夫。

◆**训练题:**

计划一个演讲

现在,你被邀请或有一个机会自愿去作演 讲。运用本节论述的技能帮助你准备演讲。

△确定一个有吸引力的题目。

△组织你的演讲。

△准备好讲稿,运用辅助的直观教具。

△演讲要有自信,充满活力。

△让听众参与。

此外,运用本节探讨的办法,克服你可能出现的任何演讲焦虑的症状。

9

沟通合作能力测验

下面所叙述的的内容是与有效的沟通相联系的主要思考能力和个人品质,请对你在每一项能力和品质中所处的地位进行评价,并运用这个自我评价来指导你努力成为一个成熟的沟通者。

你把沟通放在优先地位吗?

我把沟通放在非常重要的地位。我对沟通持很随意的态度。

$$\longleftarrow \quad \underline{5 \qquad 4 \qquad 3 \qquad 2 \qquad 1 \qquad 0}$$

虽然几乎没有人喜欢公开表明自己的见解,认为有效的沟通是不重要的,但是,在现实生活中,与此相矛盾的情况是,许多人在行动中的表现却是不重视沟通,他们不能采取有效的方法提高他们的沟通能力。

方略:当你完成本节对自己沟通能力的评价后,在你的"思考笔记本"上确定你要达到的目标。每天都要回顾一下你的目标,这样,你就可以部署你沟通的计划,并对你的进步作出评价。

你能把思想和语言连结起来吗?

我积极地把我的思想与语言连结起来。我把我的思想和语言分别对待。

$$5 \qquad 4 \qquad 3 \qquad 2 \qquad 1 \qquad 0$$

在生活的大多数领域,要做一个有效的思考者就要做一个成熟的语言运用者,反之亦然。这就是为什么用写作的方式来表述你的思想是很重要的原因,因为写作的过程能帮助你提出观点,明晰你的思想。同样,与他人讨论你的思想能激励你明确地阐述你的观点,并检验你信仰的根据如何。即使当你自己独立地思考时,你也应该设法全面地阐述你的思想,努力使你的思想成形和明晰。

方略:养成用写作表述自己思想的习惯,要做到这一点,一个好的办法就是如前所建议的在"思考笔记本"上进行写作。包括:对你表述的观点进行批判的思考;评价它们是否清晰,有无价值;以及反省你如何能改善你的思考。在你与别人的交谈中,特别要注意表述你的观点时所使用的语言,努力提高自己的思想和语言水平。

你能准确而有条理地表达观点吗?

我能准确而清楚地表达我的思想。我在表述我的思想时,常常含糊,没有条理。

$$5 \qquad 4 \qquad 3 \qquad 2 \qquad 1 \qquad 0$$

准确而有条理的运用语言对于清楚而有说服力的思考是很有帮助的。用含糊和笼统的词语进行沟通是较容易的,因为它不需要认真思考所需要的严密和清晰。但是,这样做会使你付出很高的代价,削弱我们的沟通和我们思考的质量。

方略:要不断地努力去改善你语言和思想的准确性,当你用写作的方式来表述你的观点时,一定要把你最初写的东西看作是需要完善和提高的第一稿,要问自己:"我能把这一点说得更清楚吗?"当与他人交谈时,要设法准确地表达你的所思和所想。通过养成说"例如……","换句话说……","它类似于……"等这类话的习惯,运用实例和类比来丰富你的表述。

你能认真聆听他人陈述吗?

在讨论中,我能认真地听他人的表述。我更多的是把注意力放在表述我自己的观点上。

←————5————4————3————2————1————0

有意义的交流思想要求每一方都要认真地听对方谈自己的观点,并努力地去了解他的立场。这是批判思考的灵魂——努力跳出你自己狭隘的视野,站在他人的立场上去思考问题。

方略:当你讨论自己很感兴趣的问题时,要把自己的角色定位成一个听者。要集中注意力听他人的表述,不要从内心里对他们所说的进行评价,或不同意他们的观点,而是要设法把你自己放在他们的立场上。这样,你才能理解他们在说什么,以及他们为什么会那样去认为。在他人还没把自己的观点完全表述完时,不要急于谈你自己的看法。直到你对他们的观点有了深入的了解之后,再对他们的观点作出反应。

你能注意别人的观点并展开讨论吗？

我注意顺着别人的观点展开深入讨论。我总是尽可能有力地陈述我的看法，想证明他人的观点是错误的。

```
5        4        3        2        1            0
←──────────────────────────────────────────────
```

为了使讨论能有效地进行，做到认真地听只是一个方面，一旦你了解了他人在说什么，你必须用富有成效的方式作出反应。虽然对你来说，你可能更愿意表述你自己的观点，但是，重要的是直接对他人表述的观点作出反应。

方略：当你与他人讨论问题时，用有助于把讨论引向深入的方式，直接对他人提出的观点作出反应。要避免作出与他们的观点没有什么联系的或低估其观点的反应，应该问这样的问题："为什么你认为……？"或"你认为这个观点……？"随着各方开始建立信任感、尊敬和互相的承诺来增进了解，这将激励他们摒弃各自的进攻和防御的姿态。讨论应该是互相的探讨，而不应该是你死我活的战争。

你能运用恰当的语言风格吗？

我使自己的语言风格适应不同的社交场合。我没有意识到我运用的语言风格。

```
5        4        3        2        1            0
←──────────────────────────────────────────────
```

每一个沟通的场合就像要解决的一个问题，你运用的语言风格将对你的成功有着重要的影响。你必须分析你的沟通是正式的还是非正式的，使用俚语或隐语是否恰当。

方略:养成从批判思考的角度来对你沟通的环境进行评价的习惯,问你自己:我沟通的目标是什么？哪种语言风格将帮助我实现这些目标？如果我使用俚语或隐语,我的听众能听懂这些词语吗？通过问"我的听众似乎理解了我努力表达的思想了吗?"来检查你沟通的有效性。

你擅与异性进行有效沟通吗?

我与异性能做到很好的沟通。我与异性沟通有困难。

5   4   3   2   1   0

德波拉·泰纳等人所作的研究证实了这样一种观点,即男人和女人具有不同的沟通风格,但这并不意味着这些概括没有例外。但无论如何,这些以性别为基础的模式对于了解男女在沟通中经常存在的误解,是很有帮助的。通过认识和了解这些不同的风格,男女双方可以更好地增进彼此的了解和沟通。

方略:努力地了解你与之交往的异性的沟通风格,包括目光接触和姿势,喜欢的话题,反馈行为等不同的方式,以及解决问题和分析问题的方式等。此外,与他人讨论这些沟通的差异,这样,他或她能像你那样努力地搭起沟通的桥梁。

你善与人合作吗?

我能与团体中的成员很好地合作。我在团体的环境中不能很好地与他人合作。

你在生活中能否获得成功和成就,取决于你能否与他人有效

地、和谐地合作。

方略：运用本章所讨论的指导原则，对你参与你所属的不同团体活动的情况进行计划和评价。请记住：运用和改善这些社交技能需花费时间，但是，如果你是一个有心人，你就能看到立竿见影的成效，并在今后的实践中进一步发展。

你能实行团队的领导吗？

我在团体的环境中是一个有效的领导者。……我在团体的环境中几乎没有表现出领导的才能。

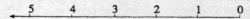

每个人至少在某些团体的环境中，都有潜在的实行领导的才能，进一步发展这些才能将对你生活的许多领域有促进作用。

方略：首先，选择一个你愿意改善你的领导能力的团体，采取积极主动的方法，运用团体领导的原则与技能。你必须争当领导的角色，因为它不是被给予的，只能靠自己去争取。

你自信能做一个成功的演讲者吗？

我是一个自信的、成功的演讲者。当我在众人面前演讲时，我感到非常害怕和焦虑。

在这个项目上，如果你给自己的打分是1分或2分，你并不孤独！如前所述，演讲被美国人列为头号公敌。然而，尽管想象在众人面前演讲会引起很大的惊恐、焦虑，但是，通过遵循本章前面讨论的指导原则，你可以很容易地制服这个头号公敌。

　　方略：自愿演讲，运用本章所讨论的方法，能确保你的成功。随着你的准备和实践，想想你最喜欢听的演讲类型，然后把这些品质综合到你的演讲之中。

10

得分指导

把你在上述每一项自我评价项目上给自己打的分加起来,并运用下列的得分指导对你的沟通能力进行评价。

总 分	说 明
40—50	有很强的沟通能力
30—39	有较强的沟通能力
20—29	有一定的沟通能力
10—19	没有沟通能力

在说明你的结果时,请记住:

△这个评价并不是对你沟通能力的一个准确的衡量,而是作为一个衡量你如何正确对待生活中的沟通过程的一般显示器。

△你的得分表明目前你在沟通方面做得如何,而不表明你潜在的沟通能力。如果你的得分比你期望的要低,那就说明你没有充分地发挥你的沟通能力,你需要按照本章的建议,最大限度地实现你的潜能。

◆训练题：

做一个强有力的沟通合作者

选择你生活中的某些领域，其中，你愿意改善你的沟通能力，并努力这样去做。在你的"思考笔记本"上，详细地记录下你努力的情况及其取得的结果。一定要给自己留出足够的时间来培养这些复杂的能力和态度，如果你没有立即取得成功，或如果你遇到了挫折，请不要泄气，培养我们在本章中讨论的有效沟通的素质：

△把沟通放在优先的地位。

△把你的思想和语言连结起来。

△准确而有条理地传递你的观点。

△认真地聆听他人的观点。

△直接对他人的观点作出反应。

△运用恰当的语言风格。

△与异性有效地沟通。

△学会合作。

△实行团体的领导。

△做一个有效的演讲者。

第六章

推理预见能力训练

"不作推理的人是犟瓜;不会推理的人是傻瓜;不敢推理的人
是奴隶。"

——(苏格兰诗人威廉姆·德鲁蒙德)

推理是一种工具，它能使你的思考变得更睿智，为你提供了解世界和揭示你的现在和未来奥秘的手段。

本章将探讨基本的推理形式：构筑和评价论点；分析复杂的问题，了解民意测验和调查；对法院案件进行推理；对来自新闻媒体的信息进行批判的评价。这些都是你作为一个批判的思考者应具备的基本素质。

通过本章的学习和思考，你将学会如何运用推理能力成功地进行决策，提供有见地的解释，进行准确的预测，并构建有说服力的论据。

1

推理的作用

◆推理是一种工具,它能使你的思考成型,揭示你的现在和未来的奥秘。

"认识你自己",这是古希腊哲学家苏格拉底对我们的告诫。因为自我认识是每个人生活的基础:缺乏这个基础,生活就会成为没有答案的游戏,成为角色和面具的偶然堆砌,而不是前后一致和完整的自我。

本书开头是从你自我发现和自我转变的旅程开始的,自此以后,你的推理能力始终是你在五个步骤的旅程中艰苦跋涉的指路明灯。推理是一种工具,它能使你的思考成型,把你的观点组合在一起赋予其意义,揭示你的现在和未来的奥秘。

本章从两个方面标志着你自我发现和自我转变的旅程进入了一个新阶段:一是它主要集中于对推理的过程作直接的分析;二是它扩大了对你自己和你生活的世界进行探索的范围。迄今为止,你一直在努力地强化和完善作为思考者的自己。现在,该是你利用你刚刚培养起来的思考能力对世界产生影响的时候了。本章，即步骤6，将通过涉及他人及渗透在我们生活每一方面的复杂的社会问题为推理提供一个蓝图。步骤7："把握生命大局的能力"，将把这个社会探索扩展到决定我们与他人关系的道德价值观方面。步骤8："人际交往能力训练"，将对友谊、夫妻和亲子等方面的人际关系给予一般性的论述，从而为这三章提供支撑。

步骤6、步骤7和步骤8这三章在你个人精神追求的过程中，是非常具有挑战性的，但是，迄今为止，你一直在努力地培养自己作为批判的思考者应该具备的各方面的能力，因而你有理由对你的成功持有信心，你应该勇敢地往前走。陪审员路易斯·布兰蒂斯说过这样一句话："如果我们要被推理的明灯所指引，我们必须让我们的精神无所畏惧。"

批判地思考，创造性地生活，自由地选择，大胆地推王单。

2

推理的意义

◆苏格兰诗人威廉姆·德鲁蒙德写道："不进行推理的人是睪瓜;不会推理的人是傻瓜;不敢推理的人是奴隶。"

人类的大脑是一种强有力的和具有多方面用途的工具,它能使混乱的世界变得有条理,而推理的能力就是这个过程的灵魂。

"推理"的准确含义是什么？心理学家杰罗米·布鲁诺把推理看成是人类大脑"超越既有的信息"进行决策、解释、预测或说服的能力。你的推理过程的质量取决于你能如何有效地超越既有的信息,进行成功的决策,提供有见地的解释,进行准确的预测,构建有说服力的论点。

成熟的推理者要运用所有你在书中一直在培养的理智的技能和批判的态度,具体来说包括:思维要积极灵活,提问有见识的问题,从不同的角度看问题,参与富有成效的讨论,深思熟虑的反省,创造性的思考,提出有说服力的理由来支持结论等。而最后这个素质"提出有说服力的理由来支持结论",则是本章论述的重点。

我们生活在一个复杂的世界里,大量具有挑战性的、也是常常令人困惑的问题每天在困扰着我们,作为有思想的个体和有独立见解的公民,我们希望能厘清这些问题。

媒体每天都在向我们传递着各种各样的问题,如,艾滋病、犯罪和惩罚、安乐死、移民、基因工程、环境污染、种族冲突、生殖技术,等等。

通常,我们在生活中会遇到或体验到这些广泛的社会问题,并通过理论讨论使我们对这些问题有了更深刻的认识。例如,你可能是一起犯罪案的受害者,或在陪审团供职,并发现你自己在思考着善和恶、自由和责任等问题,或你可能在想着运用新的生殖技术生育自己孩子的道德问题。

在你生活的某个时候,你可能将面临着你的亲人或朋友死的权力的决定,迫使你对这种处境进行深入的思考。

作为一个批判的思考者,你的目标应该是进行正确的推理,对类似这样一些问题能提出自己有见地的看法。这样,你就可以起到一个有责任感的公民应有的作用,并进行正确的决策。

在本章,通过所有这些不同的思考挑战,你将学会分析的推理。这将需要你付出努力,坚持不懈,除此别无他路。

你不能期望用简单的思考方式来对复杂的问题进行推理,就如你不能期望用一盒蜡笔就能创造出一幅传世之作,或用一把榔头和一把螺丝刀就能修理喷气式发动机一样。通过成为一个成熟的推理者,你的旅程将进入下一个阶段,你进行推理的行动将使你跨人善于思考的群体之中。

300年前,苏格兰诗人威廉姆·德鲁蒙德写道:"不进行推理的人是执拗的人;不会推理的人是傻子;不敢推理的人是奴隶。"他的这段话在今天看来,也是切中时弊的。选择推理的人会成为一个批判的思考者,一个遵循"思考者之路"的有见识和有勇气的人。

3

求职案例：分析复杂
问题的推理方法

> ◆哲学家叔本华得出这样一个结论："推理值得
> 被称做是一个预言家。它既然能表明我们目前 行
> 动的结果和影响，难道不能告诉我们未来将 会是什
> 么样子吗？"

推理过程的核心是明显地不从我们已有的信息中作出结论的能力，换言之，是从"超越既有的信息"作出结论的能力。例如，假定你正试图决定是否去寻求一个新的工作机会。作为你推理过程的组成部分，你要对自己放弃目前的工作，寻求新工作职位的利弊进行评价和判断，并最终得出一个你希望对你来说将证明是"正确的"的结论。我们可以通过以下几个步骤来表示你的一连串想法：

△我目前的工作职位，进一步发展的机会很有限。

△新工作将为我的发展提供许多机会。

△我将有机会获得知识和新的技能。

△虽然会有一定的风险,但我对自己充满信心。

△因此.我将接受这份新的工作。

你的结论,即最后一行斜体字是以前边的思考为基础的,这个过程称之为推理。为了作出一个有见地的、明智的结论,你必须权衡所有的理由、利弊,然后看看哪个决定能最好地满足你的需要。如果你在新的工作岗位上感到很满意,那么,说明你的推理是正确的。如果情况不是这样,那就表明你的推理一定出了差错:或许你缺乏需要的所有信息(例如,你没有被告知,许多人由于负责人严厉的个性而辞职,或被解雇),或许你没有准确地权衡各种理由(例如,你忽略了你在原单位与他人建立的超乎你想象的密切关系)。在对自己在内的许多情况进行推理时,人们总是有"这山望着那山高"的心理的,从心理学的观点看,这是人的一种心理倾向,即低估你目前处境的积极因素(而强调消极因素),而过高估计新机会的可能性(而减少消极因素)。这种推理习惯在人们进行有关工作、人际关系或选择居住地的决策过程中都会见到。

因此,我们常常运用推理来预测将来会发生什么事,因而德国哲学家叔本华得出这样一个结论:"推理值得被称做是一个预言家。它既然能表明我们目前行动的结果和影响,难道不能告诉我们未来将会是什么样子吗?"在推理中,你的结论总是与支撑它的根据相联系的,或很有力,或很软弱,正如桌子的稳定性是与桌腿分不开一样。

现在,假如你正试图就某个有挑战性的问题表明立场或观点,如克隆人的研究是否应该被允许继续进行。一方面,你认识到有支持这个基因研究的理由和根据,包括这样一个事实,即这种技术将使那些患有不孕症的夫妇,得到具有他们基因的孩子;另一方面,你也意识到,对今后将会成为普遍现象的科学进展,如心脏移植或体外授精,总有一些抵制情绪。然而,在对这个问题的推理过程中,你得出结论认为克隆人的研究应该被禁止,你的推理过程是这样的:

△在克隆多利羊的过程中,经过 276 次胚胎发育的失败才成功地克隆出了多利羊。我认为在克隆人的过程中,如果也会有 276 个失败的人的胚胎,那是很不道德的。

△以多利羊为例,最终诞生的 25% 的胚胎是畸形的,只存活了几天的时间。同样,我认为我们没有道德权利用这样的方式拿人的生命开玩笑。

△如果克隆人成为普遍的现象,那些具有生殖能力的人可能基于错误的理由也要选择进行克隆:复制自己的自我主义;设法创造一个迈克尔·乔丹、爱因斯坦或戴安娜王妃;或设法消除与社会"规范"不一致的人出生。

△对于不育夫妇,除了克隆以外,有许多其它的能得到孩子的方法,如,通过新的生殖技术和收养等的方式。

△因此,我认为克隆人的研究在当今应该被禁止。

在这个例子中,你运用你的推理能力,分析了一个复杂的问题,并得出了一个有见识的结论。如果你进行了正确的推理,那么,你的结论也将会很有见地,并得到有说服力的根据的支撑。然而,令人遗憾的是,人们常常对复杂问题的推理能力较差,不尽如人意。

为了搞清楚复杂的问题,在得出一个有充分根据的结论之前,你需要对它们进行批判的思考和分析推理。所有的看法并不都同样是正确的,有的结论由于提供了有力的分析,并有有说服力的根据支撑,因而就比另外的结论更有意义和令人信服。通过认识和思考,人们应该坚持严格和公正的理智标准,努力提高认识,而不满足于肤浅的和错误的思考方式。为了不在我们生活的这个复杂的世界中迷失,我们需要有丰富的知识和成熟的推理能力。

　　用来分析复杂问题的推理工具可用来构筑论点,并对论点进行评价。正如我们在前述的例子中看到的,论点是我们可用来决策、预测和表明立场的思考形式,无论我们何时提供理由和根据来支撑一个结论,我们都被看作是在提出一个论点。

　　论点:思考的一种形式,在这个过程中,要提出理由来支撑一个结论。

　　这里所给的"论点"定义,与我们日常语言中所使用的这个概念的意义稍有不同。在一般的讲话中,论点一般指人们之间的争论或争吵,常常涉及到强烈的感情色彩(如:"有个傻貌儿敲打我车子的后部,我跟他大吵起来。")与这种一般的用法不同,我们主要是从学术的意义上运用论点这个概念的,包括构成论点的主要观点:

　　理由:支持一个结论,证明这个结论的合理性,或使这个结论较确实的陈述。

　　结论:在理由的基础上进行解释、断言或预测的陈述。

　　运用论点的思考类型——为支撑结论提供理由——是推理过程的关键,在你全部的生活中,无论是进行决策、预测,还是对各种问题表明立场,你一直在进行着这种思考。但是,人们的推理并不总是正确的。例如,有的人提供的理由并不能真的支撑他的结论,或结论并不能真的从所陈述的理由中得出。——这使你的推理是软弱的或是错误的,需要改进。

除了构筑和评价论点以外,为了有效地推理,还需要具备一些其它的技能,即你在本书的前几部分一直在培养的能力。下面是一个我们将用于分析复杂问题的推理模式的大纲:

七个步骤:分析复杂问题的推理模式

1. 我如何清楚地确定问题?
2. 对这个问题有哪些不同的观点?
3. 论点能站得住脚吗?
3A. 理由是真实的吗?
3B. 理由能支撑结论吗?
4. 结果是什么?
5. 结论是什么?

4

七个推理步骤的实例分析

◆如果我们不从未来发展的角度看,而只是就问题本身来看问题,忽略我们的行动对未来的意义和影响,那么,我们就应了这样的一句格言:"傻子在天使害怕走的地方乱撞"。

让我们通过一个推理的实例来考察一下,这个模式是怎样运作的。请读下面的这篇文章,并思考你对所叙述的这个问题的立场。你认为销毁冷冻的人的胚胎在道德上是允许的吗?支撑你的结论的理由是什么?你怎样驳倒与你对立的观点?

英国诊所服从法律,
销毁了数以千计的胚胎

今天,在生育研究中心工作的科学家们,根据法律规定贮藏5年的期限,打碎了贮藏在冷冻氮中的玻璃试管,极不情愿地销毁了几千个被遗弃的人的胚胎。政府驳回了反堕胎活动分子抢救这些体外授精的产物——胚胎的请求。科学家们抱怨说,他们打碎了装有胚胎的试管,使他们的辛勤劳动付之东流。胚胎的体积非常小,如一粒沙子般大小。试管打碎几分钟之内,胚胎就会死去。然后,再把它们焚烧掉。试图通过体外授精而怀上孩子的夫妇常常能产生出多个胚胎,其中有一些被冷冻起来,以备将来第一次移植失败时用。夫妇们共有3300个无人认领的胚胎,要延长5年贮藏的期限,或把它们捐给其他的妇女,或供研究项目之用,须经夫妇们的同意。

——《纽约时报》,1996年8月2日

1.我如何清楚地确定问题? 为了成功地分析复杂的问题,有必要准确地确定问题是什么。人们使用的语言具有多重意义,常常无法确定表述的确切含义是什么。例如,你可能参与了一个讨论,认为你与其他人具有相同的观点,只有当这个问题被恰当地确定后,你才能发现你与他人存在着尖锐的分歧。当然,也可能存在着相反的情况:你开始参与一个讨论,认为你是问题的对立方,一旦澄清了问题,最终会发现你与他人的观点完全一致。为了避免误解,使自己的思考更敏锐,你有必要尽可能早地澄清关键的概念。

销毁冷冻的人的胚胎是道德的吗? 回答这个问题的第一步涉

及到界定有关的主要概念。人们在道德上反对销毁胚胎,就象文章中引用的声明反堕胎的活动分子一样,认为这样的行为是大规模的谋杀,因为他们把冷冻的胚胎看成是人的生命,从这个等式(冷冻的胚胎＝人的生命)出发,销毁胚胎自然就被看成是"谋杀"——夺去人的生命。

但是,冷冻的胚胎是"人的生命"吗? 的确,它具有变成人的潜能。但是,就其目前的状况而言,"如沙粒般大小"的胚胎是人吗?因为人的生命发展是一个持续的过程,它从一个受精卵开始,最终成为一个婴儿,所以,确定胚胎何时能成为一个"人",取决于在其发展的过程中,你决定在哪个地方划出界线。这恰恰是全部问题争论的焦点,因为如果你把如沙粒般大小的胚胎看成是潜在的(还不是)人的生命,那么,销毁它们就不会被看作是谋杀。

2.对这个问题有哪些不同的观点? 批判的思考者的一个标志是,他们努力地从不同的角度看问题,能站在他人的立场,特别是能站在与他们观点不一致的人的立场上,进行"移情思考"。在销毁冷冻的人的胚胎这个例子中,至少有两个合理的观点:

△胚胎是潜在的(还不是)人的生命。

△胚胎是人的生命。

一个成熟的思考者努力要触及到问题的核心,并且从两个方面全面地对论点进行评价——这是一个积极的对待问题的办法,远胜于武断地给其戴上"谋杀者"或"法西斯主义者"的帽子。

3.论点能站得住脚吗? 为了对你和他人提出的论点的合理性进行评价,你需要确定论点的真实性和正确性。论点的真实性是指支持结论的理由的准确程度,而论点的正确性是指在什么程度上,理由能支持其结论。这是你应该在任何情况下用来评价他人以及你自己提出的论点的两个标准。

检查论点的两个标准

A.为了支持结论而提出的理由的真实程度如何？

B.论点的正确程度如何？（在什么程度上,理由能支持结论,或在什么程度上,结论是从提出的理由中总结出来的?）

例如,请思考下列有关销毁冷冻胚胎的论点：

理由:谋杀是违反法律的

理由:销毁冷冻的人的胚胎上谋杀

结论:销毁冷冻的人的胚胎应该是违法的

3A.**支持的理由是真实的吗?** 你必须评价的任何论点的第一个方面是,用来支持结论的理由的真实性。每个理由都能说明问题吗? 提供了哪些根据作为每个理由的组成部分? 基于自己的经验,你知道每个理由是真实的吗? 以某个信息源为基础的理由是可信的吗? 你可以用这些问题和其他类似的问题对提出的理由进行评价,并确定它们的真实程度如何。正如步骤 1:"思考智慧训练"中所说的,对常常被看成是论点理由的某种信仰进行检查是一个复杂的和持续的挑战。

第一个理由——谋杀是违法的——是真实的吗? 虽然这个陈述一般来说是正确的,但是,它仍然需要加以澄清。例如,在自卫过程中,杀死某人并不违法。在战争中或在逮捕罪犯的过程中,杀死某人不仅不违法,而且还被看成是值得表扬的行为。在某些州,通过撤掉治疗器械,允许晚期的绝症病人死亡,甚至也是法律许可的。因此,基于这个理由,为了准确地讨论问题,必须首先把你所说的谋杀究竟属于哪种情况进一步具体化。

第二个理由——销毁人的胚胎是谋杀——的真实性如何？正如我们在"1.我如何清楚地确定问题？"中看到的，这个理由的真实性完全取决于你如何看待冷冻的胚胎：如果你把它们看作是人的生命，那么，这个陈述就是真实的。但是，如果你把它们看成是潜在的(还不是)人的生命，那么，这个陈述就是虚假的。

现在，让我们来对支持销毁胚胎的论点进行考察。

理由：冷冻的胚胎不是人的生命，它只不过是一个受精卵，具有成长为人的生命的潜能。

理由：每个冷冻的胚胎属于付钱使其通过医疗程序（体外授精）发育成长的夫妇。

结论：既然这些胚胎超过5年的期限仍无人认领，那么，这些胚胎应该被销毁。

第一个理由是真实的吗？回答这个问题还需再次回到胚胎是否被看成是人的生命或是潜在的(还不是)人的生命这个问题上来。第二个理由的真实性如何？回答这个问题也还要取决于你对这个问题的基本定义。如果胚胎仅仅被看成是受精卵，那么，它们明显地属于付钱使其培育、冷冻和贮藏的夫妇们。然而，如果胚胎被看成是人的生命，那么，父母们并不能"拥有"它们，就像孩子并不能被其父母所"拥有"一样。当你拥有某物时，如：一件珠宝首饰，你可以自由地处置它，包括销毁它。但是，如果你是一位父母，你没有权利"销毁"——或者甚至虐待——你的孩子。他们的生存权利受法律的保护。因此，如果社会得出结论认为，这些胚胎是人的生命，那么，父母就不能"拥有"它们，不能作出销毁它们的选择。

3B. 理由能支持结论吗？除了确定理由是否真实以外，评价论点还包括要对理由和结论之间的关系进行考察。当理由能支持结论时,这样的结论是逻辑地从提出的理由中得出来的,那么,论点就是正确的。然而,如果理由不能支持结论,结论不是从提出的理由中得出的,那么,论点就是不正确的。

在此告诉你一个确定论点正确性的简单测试方法:问你自己这样一个问题:"如果理由是真实的,就能逻辑地得出结论吗?"如果答案是肯定的,那么,论点就是正确的。

在对上述支持和反对销毁胚胎的论点进行考察时,很清楚,如果你假定理由是真实的,那么,你一定认为结论必然会随之而来。也就是说,如果你认为冷冻的胚胎上人的生命,因而,销毁它们是一种谋杀,那么,最后就会符合逻辑地得出结论:销毁胚胎应该被看作是违反法律的行为。

然而,如果你认为冷冻的胚胎还不是人的生命,那么,就会符合逻辑地得出结论:在父母未作安排继续付钱贮藏胚胎的情况下,销毁这些胚胎应该是被允许的。这两个论点的结构是正确的:你同意的结论将取决于你如何评价理由的真实性,而理由的真实性又取决于你是否把冷冻的胚胎看成是人的生命。

有根据:理由是真实的,论点结构是正确的吗?根据论点,"真实"和"正确"不是同一个概念,"真实"与理由的准确程度相关,而"正确"则与论点结构的逻辑性相关。

当论点既包括真实的理由也包括正确的结构时,论点就被认为是有根据的。然而,当支持论点的理由是虚假的或结构是站不住脚时,论点就被认为是无根据的。我们用下图来表示真实、正确和有根据三者之间的关系:

真实的理由)
正确的理由) **无根据的**

虚假的理由）
　　　　　　　无根据的
虚假的结构）

真实的理由）
　　　　　　　无根据的
虚假的结构）

虚假的理由）
　　　　　　　无根据的
不正确的结构）

4.结果是什么？ 在构筑和评价论点,进行推理的过程中,下一步就是确定可供选择的结论、决策、办法或预测的结果。结果是指如果采纳了不同的结论,可能会发生什么情况。用这种方式进行前瞻,不仅有助于预测未来,而且也有助于评价现在。

例如,在冷冻胚胎的例子中,如果它们被判断为是人的生命,这个行动蕴涵的意义是什么？ 它意味着提供许多受精卵,然后再付冷冻费用以备未来之需的每对夫妇就有权利永远地拥有这些受精卵吗？ 如果他们对使用或拥有它们不感兴趣,这意味着社会有责任把它们冷冻起来加以保存吗？

一旦这样的胚胎被创造出来,那么,有道德义务把它们植入某些妇女的子宫中,继续让它们成长吗？ 如果一对夫妇创造了 20 这样的胚胎,他们应该被期望把所有的这 20 个胚胎都培育成孩子吗？ 应该允许夫妇们只创造他们实际上想使用的胚胎吗？

从这个问题的另一方面来看,销毁冷冻的胚胎的结果是什么？ 如果我们宽恕这样的行为,我们是在一定的程度上降低了人的生命的价值了吗？ 这将鼓励人们把生育简单地看成是一个机械的过程,能以他们希望的任何方式来进行吗？

这将鼓励人们通过用胚胎做实验,无情地除掉那些在以后的发展过程中注定没有什么价值的那些人,而创造出"完美的"孩子吗?非常明显,在分析问题时,对这些结果进行思考,会使这些本来就复杂的问题更加复杂。但是,这是正确地分析问题的惟一办法。

如果我们不从未来发展的角度看,只是就问题来分析问题,忽略我们的行动对未来的意义和影响,那么,我们就应了这样的一句格言:"傻子在天使害怕走的地方乱撞"。如果我们贸然地下结论,而不具有前瞻性,我们无疑就是十足的傻子。

5.结论是什么? 推理的最终目的是通过构筑和检查论点,得出一个有见地的和正确的结论。这是一个复杂的分析和综合的过程,在这个过程中,你要思考所有的观点;对支持的理由、根据和论点进行评价;然后构筑一个你认为最能说明问题的观点。作为一个批判的思考者,你应该意识到随着你理解力的增强,你的观点可以改变,或被修正。不要陷入到思考的陷阱之中,认为只有一个"正确的"的结论,一旦提得了结论,你必须不惜一切代价地捍卫它。正确的态度是,你应该对你的观点持有信心,并且要有足够的宽容,欢迎新的观点,对它们进行认真的思考。

◆训练题:

分析问题

在目前的出版物中,找几篇论述有争议问题的文章。通过运用"思考者分析复杂的问题方法"对它们进行分析。

1.我如何清楚地确定问题?

2.对这个问题有哪些不同的观点？

3.论点能站得住脚吗？

△理由是真实的吗？

△理由能支持结论吗？

4.结果是什么？

5.结论是什么？

5

对调查和民意测验进行推理

◆要学会掌握三条评价标准。

　　除了分析论点外,一个批判的思考者也需要了解在民意测验和调查中进行的推理,因为在现代社会的各个领域,民意测验和调查几乎无所不在。你曾经对一些大的电视和广播网能在民意测验前的数小时精确地预测出选举结果而感到惊奇吗?这些预测通过一种推理的力量,即众所周知的经验归纳而成为可能,经验归纳是推理的一种形式,它是在对群体的一部分人("抽样人口")进行调查的基础上,对整个群体("目标人口")所作的概括性的陈述。

　　贯穿于政治竞选运动始终的新闻选举预测,以及公众舆论民意测验,都是建立在对挑选出来的一部分人进行访谈的基础之上的。理想的状态是,民意测验者对"目标人口"(以选举为例,即选举人)的每个人都进行访谈。但是,这当然是不可能的。实际的做法是,民意测验者从目标人口中选出一部分人,即众所周知的抽样,这些被确定的抽样人口将足以代表作为整体的群体。民意测验者认为,通过这种抽样,他们就能从这少部分人的看法中,归纳出目标人口的看法。

对经验归纳推理进行评价,主要有以下三个标准:

△抽样是明确的吗?
△抽样的数量足够吗?
△抽样具有代表性吗?

抽样是明确的吗? 经验归纳的准确和有力取决于它建立的抽样基础是否明确。例如,用含糊和不清楚的词语描述的抽样人口——如,"访问了许多年轻人",或"信誉度很高的媒体"——对大量人口的归纳提供了一个不可靠和不充分的基础。为了使经验归纳具有说服力,抽样人口应该是很明白的、清楚的确定。自然科学家和社会科学家在挑选抽样人口时都十分小心谨慎,外界的调查者可能希望评价和澄清经验归纳的结果,而这就是他们可以得到的数据的重要组成部分。

抽样数量足够吗? 第二个标准是考虑抽样的规模。其规模应该足够的大,能够准确地代表作为整体的群体,在前面讨论的民意测验的例子中,如果只访问了个别登记注册的选举人,根据这些访问的结果对大多数人的看法进行归纳,那么,结果肯定是不准确的,我们对此也会感到关注。总的说来,抽样的数量越大,归纳的结论就越可靠。自然科学家和社会科学家为了取得可靠的结果,为确定所需要的抽样数量制定了准确的指导原则。例如,民意测验的结果常常伴之以这样的限定:"这些结果可以有正负3%的误差。"这也就是说,如果抽样显示47%被访问的人同意候选人 x,那么，我们就能可信地宣布，44%—50%的目标人口同意候选人 x。因为抽样常常是目标人口的一少部分，所以，我们几乎不能宣布，这两个群体彼此完全相配——必须留有一定的变更空间。但在目标人口是完全同质的情况下，也会有例外。如，从一包小甜饼（"目标人口"）中尝一块（抽样），常常足以使我们知道整包小甜饼是否新鲜。

抽样具有代表性吗？在进行有效的经验归纳中，第三个重要的因素是抽样的代表性。如果我们有信心从抽样中归纳出目标人口的一般性结论，那么，我们必须确定，抽样与其被抽的较大的群体在所有相关的方面都是相似的。例如，在民意测验的例子中，抽样人口应该反映目标人口同样的男女比例，民主党人和共和党人的比例，以及年轻人和老年人的比例等。很明显，许多特征，如，头发颜色、喜欢的食物和鞋码的尺寸与两者的比较并无关联。然而，根据相关的特性，抽样反映的目标人口越好，归纳的准确性就越高。与此相反，当抽样并不能代表目标人口时——例如，如果民意测验者只挑选访问 30 岁—35 岁之间的女性——那么，抽样就是有偏见的，因而在这样的基础上，对目标人口所作的任何经验归纳都是不可信的。

对许多的这些调查和民意测验来说，现在着两个重要的问题。首先，大多数的调查和民意测验并未遵循我们刚才考察过的指导原则（抽样是明确的吗？数量足够吗？有代表性吗？），因而并不科学。例如，有的被召来表达观点的人是不明确的，不能代表一般人口，这样得出的结果就不可避免会有偏见，也不可信。其次，许多人被鼓励对他们并不十分清楚的问题发表看法，这样提出的看法几乎没有任何价值。以对露易斯·伍德沃德（来自英国的保姆，被指控杀害她照看的婴儿)所作的多次民意测验为例,许多发表意见的人并没有每天密切地关注审判,他们对有关的证据也并不十分了解。但是,电视节目和民意测验者鼓励他们提供没有见地的看法,实际上,这样做的结果就是在告诉他们,如果他们忽略了事实也没关系——他们的看法仍然是有价值的。

◆**训练题:**

对经验推理进行评价

对下述经验推理的实例进行考察,在你的"思考笔记本"上,通过回答下列的问题,对每个实例的推理质量进行分析:
△抽样是明确的吗?
△抽样的数量足够吗?
△抽样具有代表性吗?
△你认为结论可能是准确的吗? 为什么是,或为什么不是?

实例一:
"所有的左撇子都到哪儿去了?"

由斯坦利·科伦对5000人所作的调查发现,虽然10岁年龄段的人口中有15%的人是左撇子,但是,随着年龄的增长,左撇子的人数逐年下降,到50岁时只剩下5%,到80岁和80岁以上只剩下不足

1%。所有的左撇子都到哪儿去了？

他们似乎都死了。左撇子的寿命比使用右手的人平均短 9 年，这显然是由于左撇子不得不生活在"使用右手的世界"里，容易遭受不幸和事故。

——《纽约时报》，1992 年 1 月 23 日

实例二：
年轻人的道德指南

最近的一项调查对 5012 名年轻人在道德境遇中用来指导其决定的道德价值观进行了分析。他们被问了这样一个问题："如果你在某种特定的境遇中，不能肯定什么是对，什么是错，你如何来决定自己的行为呢？"根据研究者的调查，以下是被调查者给出的答案：

△3%：我将依良心而行事。

△9%：我不知道我该做什么。

△10%：我将做能改善我自己境遇的事。

△16%：我将按上帝和《圣经》所说的去做。

△18%：我将做能使我快乐的事。

△20%：我将按照父母或如宗教领导人等权威的忠告行事。

△23%：我将做对有关的每个人最有利的事。

当问及他们对撒谎、偷窃、吸毒、堕胎或选择工作的根据等问题的看法时，与社会科学家在寻求解

释时习惯以诸如,经济地位、性别、种族、甚至宗教等
作为背景因素相比,这些基本的道德体系或"道德指
南"证明更为重要。

6

因果推理技巧

◆我们之所以能对世界取得如此深入的认识和
了解,应该说与因果推理是分不开的。

因果推理是推理的一种形式,其中,某件事被认为是发生的另一件事的结果。因果推理是自然科学和社会科学的支柱,我们之所以能对世界取得如此深入的认识和了解,应该说与因果推理是分不开的。

随着我们运用我们的思考能力试图了解我们生活的世界,我们常常问这样的问题:"为什么会发生这样的事情?"例如,如果我们的汽车引擎发生了故障,我们自然就会问;"哪里出了毛病?"或者如果我们的公司销售额下降,我们也会感到奇怪:"怎么回事?"在每个例子中,我们都假定一定有某些因素对所发生的事情负责,某些原因导致了我们所看到的结果(引擎故障、销售额下降)。请想象一下,如果一位机械师检查了汽车,并告诉我们不知道引擎的故障到底出在哪里,或者如果我们公司的高级主管声称,没有办法解释销售额为什么会下降,那么,我们一定会感到非常的不解和迷惑。在上述两种情况下,我们都会怀疑所作的诊断,或许我们会寻求其它的看法。

"科学方法"的提出正是为了对我们生活中类似的这样一些事件进行解释。具体步骤的顺序如下:

1.确定某个事件,或对被调查事件之间的关系进行确定。

2.收集某个事件(或多个事件)的信息。

3.提出某种假设或理论对发生的事件进行解释。

4.通过实验来检验理论或假设。

5.对理论或假设进行评价。

下面,让我们来考察一下,当把这种方法运用于影响我们生活的某些问题时,它是如何发挥作用的。

最强力的推理技巧:对照实验(原因到结果)

在日常的生活中,因果推理的实例往往集中在特定事件之间的因果联系上(如,我们汽车水箱的水导致了引擎故障)。然而,大多数科学研究关注的是对由许多个体组成的全体有影响的因果因素。在这样的情况下,因果关系往往要比 A 导致 B 这样简单的公式复杂得多。例如,在美国,所销售的每一包香烟上都印有这样的告诫语:"医生忠告:吸烟导致肺癌、心脏病、肺气肿,并对怀孕可能有不良影响。"这并不意味着烟民所吸的每一支烟都直接影响人的健康,也不意味着适度吸烟的每个人,或吸烟毫无节制的人都会过早地死于癌症、心脏病或肺气肿。相反,这句忠告是说,如果你吸烟成瘾,那么,你感染一般与吸烟有关的疾病的几率远远要高于不吸烟的人或偶尔吸烟的人。科学家是怎么得出这个结论的呢?

答案是对照实验。对照实验是迄今为止科学家提出的最强有力的推理技巧之一,通过下面的这篇文章可以说明这个推理模式。

研究发现:使用荷尔蒙对妇女有益

一项重大的研究发现,妇女在绝经后,只要继续服用荷尔蒙替代品就能大大地减少死亡的危险。在服用荷尔蒙的头十天内,在被研究的服用荷尔蒙的妇女中,死亡的机会比没有服用荷尔蒙的妇女要低37%。这主要是由于在服用荷尔蒙的妇女中,几乎没有人死于心脏病。但是,当妇女服用荷尔蒙长达10年或更长时间以后,死亡率下降了20%,而此时妇女死于乳腺癌的比率则上升了。不断上升的乳腺癌死亡危险是妇女服用荷尔蒙替代品的主要担忧,但是,对60000名绝经后的妇女进行的长达16年的研究表明,即使那些患有乳腺癌的妇女,如果她们坚持服用荷尔蒙,总的来说,她们也会从中受益。

——《纽约时报》,1997 年 6 月 19 日

基于这项研究,你认为绝经后的妇女应该服用荷尔蒙替代品吗?类似这样的研究结果能令人信服吗?研究者是如何得出这个

结论的?

进行可靠的研究的第一步是,确定能准确地代表美国所有绝经后妇女的一组人,因为要对所有的绝经妇女进行测试是根本不可能的。这项工作要涉及到遵循我们在上一节中所探讨的经验推理的指导原则。为了使你的结果能提供可靠的信息,重要的是你挑选的用来测试的这组人应该能代表这一类型的所有妇女(即众所周知的目标人口)。例如,如果你只挑选某个种族、地区或社会经济地位的妇女,那么,你的研究推理只能适用于那些特定的人群。这个有代表性的小组就是大家都知道的抽样,科学家已经研究出了挑选抽样的战略,以确保他们能公平地反映被抽样的较大群体。

一旦你挑选了绝经妇女的抽样——在上述的研究中,抽样是60000人,数量很大——接下来就要把抽样分为两个相同的组,在这个实例中,每组约为30000人。每个组应该在所有相关的方面都与另一个组相同。确保每组都完全相同的最好方法是运用我们称之为"随机抽取"的技术,这意味着每个人都有同样被选中的机会。然后,你指定一个组为实验组,另一个小组为对照组。接下来,你就要给实验组的人进行荷尔蒙替代品的治疗,而给对照组的人或不进行治疗,或给其服用无害的安慰剂。在测试阶段终结时,你把实验组与对照组加以对比,对接受荷尔蒙治疗的效果进行评价。

假定实验组的某些人的确表现出了健康改善的症状,就如上述持续了16年的服用荷尔蒙替代品的研究所报告的那样。在这种情况下,我们怎么能确认这是由于服用了荷尔蒙而不是一种偶发事件呢?科学家们在抽样规模和观察结果的基础上,提出了一个统计的公式。例如,在实验组中,如果30000妇女中有3900人表现出了健康改善的迹象,而在对照组中,没有一个人表现出任何的这种迹象,那么,统计学家就可以有95%的把握宣布:健康的改变是由荷尔蒙的治疗引起的;这个结果并非偶然。

由此可见,你不应该不加分析地全盘接受每一项研究报告的结果,特别是如果某项研究不是发表在有声望的、并有严格检查程序的科学或医学杂志上时,你更应该注意。报纸、杂志和新闻评论员通常用颇为自信的口吻声称:"一项新的研究已经发现……"当发生这种情况时,你需要具备一种健康的怀疑主义。设计和从事研究工作应该以能导致可靠的结果为出发点,这是很有必要的。在现实生活中,有许多错误的研究实例得出的结论和劝告,最后证明是不准确的。例如,当我的女儿2岁时,她的热病发作了,持续了一个多小时。当时,对于热病的发作公认的治疗方法是服用苯巴比妥,儿童得了这个病医生一般都会开这种药。12年后,一项大的和可靠的研究发现,苯巴比妥对于预防儿童热病发作绝对没有效果。即使有的研究成果是发表在有声望的科学和医学杂志上,但最后证明也是不准确的。例如,由图雷尼大学研究者资助的一个研究项目在极受尊敬的《科学》杂志上(1996年6月)发表了一篇论文,该论文提出用本身并无害的少量普通杀虫剂,当与其它材料配制在一起时,可能会引起雌激素荷尔蒙的增加,导致乳腺癌、减少精子数和生育缺陷。该项研究以大字标题在美国和欧洲的报刊上登出,从而引起了学者们极大的研究兴趣,并导致在《水安全条例》和《食品安全保护条例》中增加了特殊的条款。然而,由于其它的实验室不能重复这项实验,证实这个研究成果,因而一年后,该论文作者不得不悄然地撤回了这篇论文。

◆训练题：

评价科学研究（原因到结果）

通过回答这三个问题,对下面的实验研究进行认真的评价：

△提出的因果关系是什么？（理论或假设）

△抽样具有代表性吗？

△在什么程度上,结果支持所提出的理论或假设？

戒烟药膏被发现具有最低限度的长期效果

广告做得似乎太好了,以至于难以令人置信:把一块药膏贴在胳膊上,每天置换,2—3个月之后,你就可以戒掉抽烟的习惯。然而,事实很难以理解。提交给美国粮食和药物管理局的研究表明,使用尼古丁药膏8—12周的吸烟者,最后,戒掉烟的可能性大约是那些使用不含尼古丁药膏的人的两倍。但是,正像任何抽烟者将证实的,戒掉烟是容易的,问题是再次开始抽烟甚至更容易。因此,吸烟者不知道这种药膏能战胜他们对尼古丁的渴望,帮助他们永久戒烟,还是他们必须继续以 12 周 300 美元的价格购买这种药膏。迄今为止,研究表明,在药膏的帮助下,已经戒掉烟的人的复发率与其他人是一样的。在一系列的跟踪研究中,在停止使用药膏后的 6 个月仍然不吸烟的人的比率分布在 0 到 48% 的范围内。与此形成对照的是,那些没有使用药膏的人,6 个月后的成功率则为 0 到 40%。其它的研究表明,在此后至少一年内,没有使用药膏的人的成功率还会继续下降,而使用药膏的人则保留着他们最初的一些优势。总的来看,这些数字表明,药膏对少数吸烟者还是有帮助的。每年,有 1700 万美国人想戒烟,但是,只有 130 万付诸行动。

——《纽约时报》,1992 年 8 月 8 日

对照实验(结果到原因)

对尼古丁药膏所作的研究说明,第一种对照实验的科学推理:从原因到结果。用这种推理,,实验者可以对可能的原因(尼古丁药膏)进行操纵,以确定它是否对结果负有责任(减少吸烟的发生率)。在对照实验设计中,第二种科学推理是众所周知的从结果到原因。在这种情况下,实验者是从现有的结果出发来猜测原因。例如,假定你正对许多参加过海湾战争的老兵提出的一个要求进行调查,这些老兵在战争中接触了化学制品和神经毒气,使他们以及他们孩子的健康受到了极大的损害。自然,为了测试这个假设,你不会让人们去接触潜在的有害物质,人们也不可能再像战争期

间那样,去接触这些化学制品和神经毒气。因此,调查这个要求就要从结果(健康受损)开始,然后再回溯到原因(化学制品和神经毒气)。在这种情况下,目标人口将是海湾战争中的老兵,因而你要从这个群体中选取有代表性的抽样。然后,从海湾战争老兵中没有接触过化学制品和神经毒气的人中,你再挑选一些人,形成一个相称的对照群体。接下来,你就可以在这两组中,对声称是由化学制品和神经毒气而引起疾病的发生率进行对比,并对所提出的因果关系进行评价。

◆训练题:

评价科学研究(结果到原因)

通过回答这三个问题,对下列的研究进行认真地评价:

△提出的因果关系是什么(理论或假设)?

△抽样具有代表性吗?

△在什么程度上,结果支持了所提出的理论或假设?

早老性痴呆的新线索

上个星期,发表在《美国医学协会杂志》上的一篇论文提出,通过一个人在生活早期形成的认识风格,可以确定他或她最终是否会得早老性痴呆病。在一项对年长的修女的调查中,研究者想搞明白,那些通过获得大学学历,以及倾其毕生从事教学工作而向其智能发起挑战的修女,是否比那些从未读完高中,在女修道院从事仆人活计的修女,得早老性痴呆病的可能性要小。他们惊奇地发现两者之间没有显著的差别———一组得病的可能性与另一个组一样。但是,使科学家更感困惑的是,通过看修女们在半个多世纪以前(那时她们处于 20—30 岁的年龄段)写的文章;他们能猜测到哪个修女以后会得早老性痴呆病,而且他们猜测的准确性高达 90%。谁也无法解释,写的句子在语法上很复杂,很有思想的修女,她们得病的可能性就比那些其文章简单而空洞的修女要小。

——《纽约时报》,1996 年 2 月 25 日

7

法院案件的推理

◆引人注目的法院案例一般都很复杂,需要用
成 熟的批判思考能力对其进行推理,从而也使我
们变得睿智。

许多社会问题通过我们的司法制度被探讨、分析、推理和评
价,许多有争议的审判吸引了全国的注意,并引起广泛的讨论:O.
J.辛普森(杀害他的前妻),蒂摩西'麦克威哈(俄克拉荷马城爆炸
案),麦尼德兹兄弟(杀害他们的父母),艾利克斯·凯利(被指控强
奸后,逃到欧洲达7年之久),以及露易斯·伍德沃德(杀害一名她
负责照看的婴儿)。引人注目的法院案例一般都很复杂,需要用成
熟的批判思考能力对其进行推理。人们常常对陪审团为什么会作
出某种裁决感到不理解,陪审员本人也通常不能对他们的裁决给
予清楚和有条理的说明。这自然会引起人们的怀疑,认为被挑选
履行陪审员义务的许多人并不具备认真而公正地考察证据所需要

的批判的思考能力。

在这一节里,我们将对成功地分析司法案件和问题所需要的推理能力进行考察。如果你是一名陪审团成员,那么,你的职责就是听双方的陈述,并对证据进行权衡;对证人的可信度和其证言的相关性作出评价;对原告方和被告方提出的论点进行分析;决定法律是否适用于案件的情况;并最终对被告是否有罪作出裁决。为了明确而公正地履行这些职责,你必须运用多种复杂的思考能力。在此,我们把这些思考能力总结如下:

思考者分析法院案件的 6 个方法

△提出了怎样的指控?

△我有哪些偏见?为了做到公正,我如何能超越这些偏见?

△有哪些证据?(材料相关吗?证人可信吗?材料准确吗?)

△提出了哪些解释理论?

△提出了哪些论点?(理由真实吗?论点正确吗?)

△作出了怎样的裁决?

儿童死亡案:提出了怎样的指控?

每起刑事案件都是从原告试图证明被告违反了法律,应对其违法行为负责开始的。请思考露易斯.伍德沃德一案。伍德沃德19岁,是一位来自英国的保姆,她受雇照看德波拉哈·埃佩和苏尼尔·埃佩的两个幼子。1997年2月4日,伍德沃德小姐拨打911电话说,8个月的马修·埃佩呼吸困难。于是,马修被带到了附近的一家医院,始终处于昏迷状态,脑肿大,头部和眼底出血,经检查还发现颅骨有2.5英寸长的骨折,在医院里昏迷5天后,不治而亡。

地方检察官办公室得出结论认为,伍德沃德小姐应对马修·埃佩的死亡负责,因为伍德沃德在马修出事那天,一直在单独照看着马修。在这种情况下,对伍德沃德能提起从一级谋杀到过失杀人的多种指控。作为一名陪审员,你首要的任务是了解伍德沃德被指控罪行的特定环境——不是你认为她犯有什么罪行,而是原告方已经确定的他们将能证明其所犯的最严重罪行。伍德沃德小姐被指控为二级谋杀,该项指控认定她意识到了她的行为的致命后果她有意要造成伤害——但她事先并没有这个计划。如果指控为过失杀人,那么,就是认定她所造成的伤害并非有意而为;虽然她作出了错误的判断,由于一时失意或愤怒而为,但她本意并不想让马修受到那样的伤害。原告方常常要提起比案件严重的指控,意在使被告方进行抗辩,从而最终达到符合实际的指控。

陪审员:你能做到公正吗?

在挑选陪审团成员的过程中,原告方和被告方的律师都要问,你是否能把你最初就有的偏见或成见抛在一边,作出公正的裁决。这意味着你应该理清与本案有关的任何想法或感情——你个人的"透镜"——因为它们可能会对你客观地裁决案件带来干扰。你要问自己这样的问题:我做父母了吗? 我的子女有帮人照看婴儿的吗? 我曾有过与本案问题相关的任何经历吗? 在与此类似环境下的个人责任问题上,我有任何的偏见吗? 通过对自己的情感和可能有的偏见的清理,你就能够在此基础上进一步对自己是否能超越最初的成见,客观地看待这个案件作出评价。

　　人们是否能克服根深蒂固的偏见来客观地处理案件,对此还有疑问。在步骤1:"思考能力训练"中,我们看到我们每一个人都是通过自己独特的"透镜"——塑造和影响我们看待世界,加工处理信息以及作决策的方式——来看待世界的。虽然我们不可能完全把我们的透镜摘掉,但是,我们能逐步地意识到它们,并努力克服由此带来的偏见。在这个过程中,我们还要与对问题持有不同观点的人(由于他们的透镜)讨论问题。因此,从理论上讲,至少人们应该能超越他们先天具有的偏见,公正地权衡证据,并作出正义的判决。但是,现实往往与此理想相去甚远。

　　几年前,我有幸成为陪审团的成员。案件是一名被告被指控在校外贩卖毒品,证据似乎是很确凿的,被告从未对警察的证言提出相反的意见,表面上看起来这是一起是非一目了然的案件,我们能很快地作出裁决。但是,当我们进入陪审团的房间时,有一个陪审员立即宣布:"我从不相信任何警察说的话。"在这种情况下,其他的陪审员又花费了2天时间抛开这位陪审员的先入之见,根据案件本身的是非曲直看待这个案件。

　　O.J.辛普森一案之所以会引起全国的关注,其中很重要的原因就是由于偏见的存在。一个黑人占主导地位的陪审团在刑事审判中认定辛普森无罪,而一个白人占多数的陪审团在民事审判中则认定辛普森有罪。这些相反的裁决与对辛普森案所作的民意测验的结果一致,民意测验的结果显示,绝大多数黑人认为辛普森可能是清白的,而绝大多数白人则认为辛普森可能有罪。对露易斯.伍德沃德一案,英国绝大多数人确信,伍德沃德小姐完全无罪,是有害的美国法律制度害了她。在美国,有的人认为伍德沃德有罪,有的人认为她是清白的,持这两种意见的人数大致相当。

人们能克服多年来形成的,受强大的文化和心理力量影响的偏见吗? 在许多情况下,答案应该是肯定的,但是,要做到这一点,需要人们对个人的偏见有一个正确和客观的态度,而这正是大家往往缺乏的品质,不仅在陪审团审判中是如此,而且在生活的其它方面也是如此。

陪审员思考方法

在司法审判中,证据是通过原告和被告要求的证人作证而提供的。作为一个陪审员,你的工作就是采纳证人提供的材料,对其准确性进行评估,并对证人的可靠性作出评价。作为一个成熟的批判思考者,你不应该简单地接受证人提供的一切情况,而是要设法确定这些情况是否准确,证人是否可靠。在做这项工作的时候,你可以运用以下的问题来指导你的评价:

△证言与指控有关吗?

△证人可信吗? 哪些偏见可能会影响证人的证言?

△在什么程度上,证言是准确的?

作为一名陪审员,要有效地回答这些问题,就要运用本书提出的许多思考能力和语言能力,因为评估证据是一项非常具有挑战性的工作,所以你需要具备所有的这些能力。接下来,让我们对露易斯·伍德沃德案的某些证言进行考察。

警察的证言:警察在出事的当天询问伍德沃德小姐时,她承认为了弄醒马修,她"轻轻地摇晃"了马修,她对马修可能"有点粗暴"。根据警察的说法,伍德沃德说她把婴儿"摔"到了床上,"摔"到了地板的毛毯上。后来,伍德沃德小姐否认她曾说过她对马修"有点粗暴",也声称她曾说过是"放"而不是"摔"。

△证言与指控有关吗? 答案明显是肯定的。该证言在确定伍德沃德小姐在伤害婴儿案中所起的作用是至关重要的。人们往往在一开始会坦白或提供最真实的情况,但后来——经过与律师商量,并考虑到他们证词蕴含的结果后——就会宣布撤回或设法修正他们开始说过的话。在有的案件中,警察被指控有逼供行为,但是,这个案件没有这种情况。

△证人可信吗? 哪些偏见可能影响证人的证言? 一般来说,人们认为警察的证言是可信的,尽管在有的案件中,为了彼此保护,或为了严惩他们确信有罪的人,警察也说谎。在伍德沃德一案中,大多数人认为警察讲的是真话,没有明显的动机警察不这样去做。

△在什么程度上,证言是准确的? 通过把证言的相关性与证人的可信性结合起来,警察提供的证言的准确性得分就很高。然而,证言的意义并不很清楚。当伍德沃德小姐把她的行为描述成"有点粗暴",她"轻轻地摇晃"了马修,并把他"摔"到(或放到)床上或地板上时,她是想表明什么? 一种解释是她承认她有罪,但就像人们所作的那样,试图减少她的责任。父母的证言:根据马修.埃佩父母的说法,露易斯.伍德沃德的工作似乎还令人满意,但是,也有与他们冲突的地方。如,他们想让露易斯晚上早回,不要外出,而露易斯晚上则想来去自由。最初,露易斯随心所欲,几乎每天晚上都出去,常常是午夜后才回来。她参加了 20 多次音乐演出,这些夜生活使她很难早上按时起床。1 月 30 日,埃佩夫妇忍无可忍,

警告伍德沃德,如果她不遵守晚上 11:00 之前回来的规定,他们将辞掉她。5 天后,马修就出事了。

　　△证言与指控有关吗? 答案显然是肯定的。一方面,马修的父母没有看到伍德沃德小姐虐待马修或马修 2 岁的哥哥的任何证据,因为埃佩夫妇是内科大夫,这是很重要的。另一方面,伍德沃德小姐明显地对限制她的社交生活感到很不高兴和生气。她从未接受过"保姆"培训,安排工作的家政服务机构只对她作了 4 天上岗前的指点。伍德沃德的不成熟再加上她的不满情绪,很明显埋伏着冲突的可能性。因为露易斯是马修父母不在时对马修惟一的照看人,所以埃佩夫妇声称他们相信伍德沃德小姐一定是杀害马修的凶手,她肯定有罪。伍德沃德小姐在马修死亡前,从未打过电话或来医院探望过马修,她没有表现出任何明显的悔恨和自责之意,这个事实加重了埃佩夫妇的怀疑。

　　△证人可信吗? 哪些偏见可能会影响证人的证言? 埃佩夫妇的表达清楚有力,他们是有爱心的父母,从这一点来看,埃佩夫妇似乎是可信的,有的人可能会认为他们对伍德沃德小姐有偏见,这也是很自然的。埃佩夫妇提供的与伍德沃德小姐在晚上不按时回来一事上有冲突的证言也得到了被告的证实。

　　△在什么程度上,证言是准确的? 既然对晚上不按时回来的冲突双方都承认,那么,我们就可以假定它是真实的。埃佩夫妇提出的伍德沃德小姐杀害马修的指控被她断然否定。露易斯.伍德沃德:伍德沃德小姐证实说,所有的指控都与事实不符,她完全是无辜的。在审判中她宣称,"我什么都没做!"她坚持认为她从未承认对马修有过"粗暴"的行为,声称她告诉警察她把马修"放"在床上和地板上,而不是"摔",这与警察提供的她最初陈述的证言是不

一致的。伍德沃德小姐声言,她很爱这两个男孩,决不会做任何伤害他们的事。既然如此,马修为何会遭到伤害,对此她不能作出合理的解释。根据伍德沃德小姐一位朋友的说法,她(伍德沃德小姐)曾抱怨说她很不愉快,埃佩夫妇"很挑剔",他们的孩子被"宠坏了",马修是个"淘气包"。

△证言与指控有关吗?答案显然是肯定的,伍德沃德小姐断言自己是清白的,触及到了案件的核心。

△证人可信吗?哪些偏见可能影响证人的证言?我们认为被告是在极力地掩饰自己,为自己开脱。事实也的确如此。

△在何种程度上,证言是准确的?她的陈述并不能得到直接地证实。然而,在某些方面,她对事件的描述与警察和她的朋友提供的证言相冲突,这令人疑惑。此外,她也不能提供马修为何受伤害的任何其它解释。

医学专家:伍德沃德伤害行为的惟一证人是马修2岁的哥哥:布兰登,而布兰登没有表示出伍德沃德小姐伤害他弟弟的任何迹象。在缺少任何其他证人的情况下,医疗证言就成为案件定性的关键所在。原告的医疗证人是儿科医师,他们是儿童虐待领域的专家。他们肯定地作出诊断:这是一起典型的"摇晃婴儿综合病症"案,是猛烈摇晃和猛击小孩的结果。据说,在2岁以下的幼儿中,每年由此而导致约300人死亡,数百人受到伤害。

被告方提交了几位医生的医疗证言,这些医生证实说,在马修脑中发现的血块看起来约有3周的时间;通过死后的照片发现,该婴儿似乎已愈合的颅骨骨折也有一段时间了。当被带到医院时,该婴儿的脖子没有受伤,也无明显的擦伤,脑扫描显示在颅骨骨折的地方没有肿胀,这意味着该婴儿的头不是最近被撞击在坚硬的物体表面上的。实际上,被告方声称,2月4日,只要有轻微的磕碰就会加重旧伤,导致婴儿的死亡。

原告方的证人反击说,这种说法与已明确的孩子受伤害的所有事实不符。他们证实说,马修的症状——呼吸困难,脑和眼出血,颅骨骨折——是特别猛烈的摇晃和撞击的结果。此外,2月4日之前的3个星期,马修不可能遭受严重的脑伤害,如果情况是这样,他的大脑怎么能继续正常地发挥功能呢? 马修的一条胳膊也折了,以前也没有这方面的迹象。被告方提出有轻微的磕碰或摇晃就会导致再出血,这个论点是说明不了问题的,因为并非出血,而是脑组织的肿胀使控制大脑重要功能的部位受到了挤压,从而导致一个被摇晃的婴儿的死亡。最后,马修死亡的3个星期前,伍德沃德小姐也一直是主要的照看者,她应该对任何的旧伤负责,虐待儿童通常是重复的行为。

△证言与指控有关吗? 答案是肯定的,医疗证言对于这个案件是至关重要的。

△证人可信吗? 哪些偏见可能影响证人的证言? 原告方和被告方自然要聘请同情其观点的专家证人,而这正是陪审员面临的一个二难处境:当专家有意见分歧时,该相信谁。然而,双方聘请的专家之间存在着某些区别。原告方的大夫是儿童虐待领域的专家,对类似的"摇晃婴儿"案件很熟悉。被告方的大夫不是儿科医生,他们具有其他的专长(其中有一个是病理学家)。在审判之后,49位儿童虐待方面的医学专家发表了一封信,信中说:"原告方提出了很有根据的医学证据,足以证实出事那天,马修·埃佩在伍德沃德小姐一人照看下,被猛烈摇晃或碰撞的情节。"

△在何种程度上,证言是准确的? 陪审员有责任对所有的证

言和证人进行批判的思考,并确定哪些是最准确的。这是一项非常具有挑战性的工作,但也是一个成熟的批判的思考者能够胜任的工作。相反,不进行批判思考的人面对此种情况,无疑会陷入毫无希望的处境之中。

推理陷阱

事实不可能孤立地存在,它们总是一个较大的框架的组成部分,我们对待事实的方式要受我们所运用的框架的影响。伍德沃德小姐对马修·埃佩勃然大怒,有意地猛烈摇晃他,把他的头碰在坚硬的东西上,以使他的身体受到伤害吗? 抑或伍德沃德小姐由于无法使哭闹不止的孩子安静下来而产生挫折感,并对他的处境感到不满,于是使劲摇晃马修,无意中对马修造成了伤害,或许碰巧把他的头碰到了墙上或地板上? 或还有除此之外的其他解释吗? 被告方试图证明,马修患有遗传病,这可以解释他受伤的原因。被告方还认为2岁的哥哥布兰登有些"狂暴",马修的伤害可能是他造成的。但最终,被告方不能提供一个可行的、令人信服的其他解释。

作为一个陪审员,你据以作出决定的理论将极大地影响你如何看待证据,以及伍德沃德小姐最终是有罪还是无罪。这是人们和陪审员的一般的推理方式,但是,这个方式也存在着陷阱。在丹尼尔·戈尔曼(《情商》一书的作者)写的一篇题为《陪审员听取证据,并把它变为故事》的文章中,他引用了探讨这些故事的研究,陪审员告诉他们自己要了解成堆的毫无关联的证据,而且这些证据在提出时往往毫无条理。研究认为陪审员未表达出来的有关人性问题的假设在其裁决中起着很大的作用。科罗拉多大学的心理学家南希·佩宁顿说："人们并不听取所有的证据,最终还要对证据作出评估。""随着事情的进展,他们对证据要进行加工处理,从而在整个审判期间构思了一个能说明其对听取的证据看法的完整故事。"

自然,危险在于一旦人们确定这个"故事"是可信的,那么,这将影响他们如何说明证据。他们将倾向于把注意力放在支持其故事的证据上,而怀疑与故事相反的证据。人们的背景对他们可能讲述的故事会产生影响,而这正是挑选陪审团这门学科为什么得以迅速发展的原因,创立该学科的目的就是帮助确认不同类型的陪审员,他们将最倾向于同意你——原告方或被告方——赞同的"故事"。

论点争锋

不同的证人在审查和盘问期间提出其证言之后,原告方和被告方接着就要陈述他们最后的论点和辩论总结。在这个阶段,审判的目的就是把所有提出的证据综合起来——或对证据提出怀疑,以说服陪审团被告是有罪或是无罪。无论是原告还是被告都力图说服陪审员,他们的"故事"是值得信赖的。在埃佩一案中,被告方坚持认为伍德沃德小姐是一个无辜的受害者,对她的指控完全是错误的,或至少可以说,对她的有罪应提出"合理的怀疑"。相反,原告方则认为伍德沃德是"一个有野心的微不足道的女演员,"她站在证人席上说的话真假参半。她来美国的真实目的不是照看孩子,而是得到一张"参加社交聚会的签证",正是社交聚会使她变坏了。

判决之启示

继最后的辩论和辩论总结后,法官有时候将发表具体的意见来澄清有关的问题。在这个案子中,法官提醒陪审团必须注意法律的适用范围,确定这个案子是在法律的范围之内,还是超越了法律的界限。接下来,陪审团退下对这个案件进行认真的考虑,并作出裁决。对于被告被确认犯有二级谋杀罪,原告必须证实她或他故意杀死某人,在那时有意识地决定那样去做(没有预谋),并意识到他或她行动的后果。在这个案件中,陪审员必须"超越合理的怀疑",确定证据是否表明被告的行为符合这些条件。"超越合理的怀疑"这个限定的含义是什么? 与此类似的原则通常很难用具体的语言来确定,但是,就这个案件来说,这个原则意味着对于善于思考的人们来说,作出其它的结论难以说明问题。

经过几天的商议后,陪审团认定伍德沃德犯有二级谋杀罪。在这个有争议的赌博中,伍德沃德的律师早就劝说法官阻止陪审团认定过失杀人的指控,在这类案件中,一般都会作出这样的裁决。被告方显然确信陪审团会驳回二级谋杀的指控,他们想为其当事人完全免罪。然而,他们在这场赌博中失败了,从后来对陪审员的访谈中得知,陪审员本来想发现对伍德沃德较轻的指控罪,如果他们有那种选择的话。

2周后,事情发生了使人震惊的变化。这个案子的法官席勒.佐贝尔作出了超乎寻常的决定,把定罪降低为过失杀人。对此他解释说,他不认为案件的事实能证明较严重的指控。更引起争议的是,法官释放了被告,判决她的刑期是已经在监狱服刑的 279 天,而不是这类定罪通常判决的 3—5 年刑期。无论是被告还是原告对法官的裁决都提出了上诉,而最高法院以 4:3 的表决结果维持原判。

　　在实际的审判过程中,虽然这起法院案件的推理比较简单,但是,基本的思考原则是完全一样的。当你在将来对法院案件进行推理时,无论是作为一个陪审员或与他人进行非正式的讨论,你一定要运用这些推理的技能。其他人可能会用无关的问题和不合逻辑的论点转变话题,但是,你将发现当你对这些复杂的问题进行清晰地思考时,你也将帮助他们清晰地思考。

8

马尔克姆遇刺案：
对新闻媒体进行推理

◆为了对世界有一个清楚的和客观的了解，你
需要对你看到或听到的传言、新闻等所有信息进
行批判的思考。

许多人阅读他们喜欢的报纸，不加质疑地看他们喜欢的电视新闻节目。几乎没有人静下心来思考一下我们获得的信息是否准确、完整、不带偏见。但是，正如我们在步骤1："思考能力训练"中所看到的，这种信息从来不会是完全客观和真实的，因为它们总要通过提供信息的个人或组织的"透镜"来过滤。

任何新闻毫无例外都要经过这种筛选和编辑，只是我们常常意识不到这一点。我们看到或听到的只是最后筛选的结果，而不是结果产生过程中的一系列决策和意图。新闻媒体表面上看起来很严肃、职业化、客观，因此我们很容易对它们产生不恰当的信任感。然而，在许多情况下，没有哪个人或组织能完全地清除掉他们

看世界的透镜,也即影响他们关注的焦点以及他们对焦点进行说明的透镜。这些透镜就象眼镜一样是摘不掉的,它们是构成每个人看世界方式的不可分割的组成部分。即使那些有声望的新闻媒体,也不可避免地存在着我们往往意识不到的偏见。

为了对世界有一个清楚的和客观的了解,你应该怎么办呢?你需要对你看到或听到的所有信息进行批判的思考,为了对信息的准确性和来源的可靠性进行评价,你需要运用本书中所论述的所有的思考能力和理性标准。作为一个批判的思考者,你也可以运用另外一个非常有力的战略:比较分析。就像我们在遇到医疗和法律的忠告时,我们要慎重地寻求第二种和第三种看法一样,同样,我们对信息也应该持相同的态度——寻求第二种和第三种看法。通过对比对同一个问题或事件的不同看法,人们的透镜就可以显现出来,就象拂去表面上的灰尘可以显现出以前看不见的指纹一样。这些思想指纹总是存在的,因为我们不为它们拂去灰尘,所以只是我们一般看不见它们而已。

让我们来分析一个实例。请思考下列对历史上一个富有戏剧性事件的描述:暗杀马尔克姆,这是发生在媒体报道中引发争议的一个实例。第一篇报道来自《纽约时报》,第二篇报道来自《生活》杂志。

> 马尔克姆,39岁,一位富于战斗性的黑人民族主义运动领导人。昨天下午在华盛顿一家舞厅他的追随者的一个集会上被枪杀,这位留着胡子的黑人极端主义者只说了几句问候的话,就响起了一阵

快速连续射击声,子弹打在了他的后背。

22 岁的黑人托马斯·汉根被指控为杀人凶手,警察在他中弹和挨打后,从舞厅人群中把他搭救出来。

在位于第 160 街和百老汇的奥都奔舞厅中,400 名黑人爆发了一场大混乱。当男男女女和孩子们躲避在桌子下,趴在地板上时,又开了很多枪,警察说,共有 7 发子弹击中了马尔克姆,另外 3 位黑人也中了弹,目击者说共开了 30 枪。约 2 个小时后,警察说,开枪杀人显然是马尔克姆的追随者和去年他与之决裂的极端主义团体——黑人穆斯林成员之间长期不和的结果。

——《纽约时报》,1965 年 2 月 22 日

马尔克姆,曾经是狂热的黑人种族优越论的代言人,胸部中弹六、七枪,倒在曼哈顿礼堂的讲台上,生命之火慢慢熄灭。就在这之前不久,他走上演讲台,400 名忠实的追随者静静地坐在那里,期待着听马尔克尔姆著名的演讲——严厉批评可恶的白人。然后,在礼堂里发生了混战、扭打,马尔克姆的贴身保镖从他的身边挺身而出,加以制止和驱散。至少有两个持手枪的男子从听众中站起来,举枪向演讲者射击,而一个握有双管机关枪的第三人在非常近的地方嚣张地起哄。在混乱中,持手枪的人逃脱了,拿机关枪的人冲过人群,跑出门外,但是,保镖集中

生智,打中了他的腿。在门外,他很快被马尔克姆的
其他支持者追上来。如果警察不来援救他,就很可
能被人们用脚踩死。最使哈利姆的居民感到震惊的
是,马尔克姆不是被"白人"杀害的,而是被他自己种
族的人杀害的。

——《生活》杂志,1965 年 3 月 5 日

在阅读类似这样提供相似观点的报道时,你没有理由怀疑这
些报道的准确性和客观性。下面是一些关键的论点:

△马尔克姆是一个凶暴、危险的煽动种族主义仇恨的人,是一
个"留有胡子的黑人极端分子","富于战斗性的黑人民族主义运动
的领导人","黑人种族优越论的强烈鼓吹者",他准备发表一个"严
厉批评可恶的白人"的演讲。

△他的追随者是一群凶暴的、不进行批判思考的乌合之众。
他的贴身保镖不是很聪明,400 名"忠实的"追随者来听他充满仇恨
的演讲;警察必须从凶猛的打人中"援救"和"搭救"暗杀者;暗杀是
他们和另外的"极端主义团体"之间长期不和的结果。他的贴身保
镖"暴露了身份",必须"集中生智",有几个暗杀者逃走了。

△暗杀的重要性:马尔克姆不是一个重要的人物,在这两篇报
道中,对他的着墨都很少。

△种族主义的偏见:"Negroes"(黑人)是 1965 年被社会广泛接
受的一个名词,比"有色人种"一词有进步。《纽约时报》报道的独
特之处在于,每次提到人们,都被称为"Negroes"。如果你用"白人"
或"白种人"代替"Negroes",就会很明显地带有种族称谓。第二篇
报道的最后一句话,也被指责为具有种族主义的色彩:"最令哈利

姆居民感到震惊的是,马尔克姆不是被'白人'杀害的,而是被他自己种族的人杀害的。"所有哈利姆的居民都是这样认为的吗? 作者如何知道居民在想什么? 使用"Whitey"(白人)这一名词具有讽刺意味吗?

听众被描述为"忠实的"追随者,等待着听一个种族主义的演讲。然而,在马尔克姆职业生涯中的这个时期,他没有发表过这类的演讲:他去麦加的行程改变了,导致他把种族问题看成是善恶问题,而不是黑人和白人的问题。把听众的形象描绘成凶暴的(警察必须"援救"和"搭救"暗杀者)、种族主义的和愚笨的人,非常大胆,不免落入传统的成见之中。

现在,请看下面《纽约邮报》对同一事件的报道,这篇报道多少有些不同的观点。

> 他们很早就来到了奥都奔舞厅,或许是被期望马尔克姆能说出上星期烧掉他房子的人名所吸引。我坐在第 12 排的左边,当我们坐在那里等着时,坐在我旁边的人谈论马尔克姆和他的追随者:"马尔克姆是我们惟一的希望,他能对你讲实话。"当马尔克姆走上演讲台时,全场爆发出了经久不息的掌声和欢呼声。马尔克姆抬头看了看。说:"和平伴随你。"听众也回答说:"和平伴随你。"
>
> 马尔克姆身着一身黑装,沙色的头发在灯光下闪光。他说:"兄弟们,姐妹们……"他的讲话被舞厅中央的两位男子打断。这两个男子站起来,彼此争吵起来,向前移动着。然后在舞厅的后

边发生了一场混战,我听见马尔克姆说了他最后的一句话:"现在,兄弟们,驱散他们。"他轻声地说:"冷静,克制。"

然后.整个舞厅大乱起来,传出了几声沉闷的枪击声,马尔克姆的脸部和胸部流着血,软软地倒在了身后的椅子上。接近他的两个男子跑到舞厅我那一边的出口,当他们跑着时,背后响起猛烈的枪声,我听到人们尖叫着:"不要让他们杀死他。"在一个出口处,我看见马尔克姆的一些支持者正用力地殴打这两个男子。讲台上躺着6位马尔克姆的追随者,他们的衣服沾满了他们领导人的血迹。四位警察用担架抬着马尔克姆穿过人群,一些妇女从震惊中清醒过来。有一位妇女说:"我希望他不死,但是,我认为他肯定挺不过去。"

——《纽约邮报》,1965 年 2 月 22 日

让我们把这篇报道与前两篇报道做一下对比。

△马尔克姆是一个爱好和平的人士和一位受尊敬的领导人,他"身着一身黑装",平和地向他的追随者致意,毫不犹豫地去平息听众中出现的骚乱。他鼓舞着许多人,人们依靠他讲真话。

△他的追随者是爱好和平、忠实、有爱心的人,他们对马尔克姆遭到枪击深感震惊。

△暗杀的重要性:马尔克姆惨遭暗杀是一个重要的事件,他是全部报道的主题,他的追随者的言行表明了他在社区中崇高完美的形象。

△种族的偏见:在这篇报道中没有提及种族。

究竟哪一篇报道在讲"真话"? 马尔克姆是一个凶暴的种族主义者还是一个爱好和平的人? 他的追随者是野蛮的乌合之众还是受人尊敬的一群公民? 暗杀是一个偶然的事件还是有其真正的重要性? 在什么程度上,这个事件涉及种族问题? 作为读者,我们都有责任来搞清楚事情的真相。我们不能坐等媒体把真相告诉我们,我们需要通过分析不同的报道,意识到自己的偏见,进行批判地思考,积极地探询真相。

究竟哪一篇报道在讲"真话"? 当然,哪篇都没有。每个作者都是通过他或她的透镜来看待这个事件的,而每个人的认识透镜影响着他对信息的选泽,对有关个人的说明,以及用来描述这个事件的语言。有的人可能是有意在这样做,反映了作者的信仰或出版部门的宗旨。而有的人可能不是有意的,是道听途说或无意识的结果。尽管在上述的报道中存在着差别,但是,我们知道1965年2月的那一天实际上发生了一连串的事件。对我们来说,挑战就是设法通过调查不同的报道,评价报道的可靠性,把所发生的事件的零散描述综合起来,从而搞清楚实际上究竟发生了什么。在人类探索的每个方面,这是一个获得知识和真理的过程,也是一个探索、批判分析和加深了解的过程。

◆训练题:

对信息进行批判的思考

找3份以上不同的报纸或杂志对一个重要事

件的报道——法院的裁决、犯罪、政治事件以及 体育项目都可以。通过分析每位作者的"透镜"

来批判地思考每一篇报道,运用以下的指导原则 来帮助你进行对比分析:

△对每位作者选择关注的事件细节和他们选择省略的部分进行对比。

△对每位作者组织他们所选择的细节方式进行对比,请记住:大多数作者都要首先提供他们认为是最重要的信息,把最不重要的信息放在最后。

△对每位作者如何说明有关的人和事件本身进行对比。

△对每位作者运用语言表达其观点以及影响读者思考的方式进行对比。

9

分析推理能力测验

下面所描述的内容是与分析复杂的问题相联系的主要思考能力和个人品质,请对你在每一项能力和品质中所处的地位进行评价,并运用下面的自我评价来指导你努力成为一个较有效的推理者。

你把分析推理放在优先地位吗?

我对复杂的问题都要进行认真的思考和推理。我常常不进行认真地分析就对问题迅速地作出决策。

$$\overleftarrow{\quad 5 \qquad 4 \qquad 3 \qquad 2 \qquad 1 \qquad 0 \quad}$$

做一个成熟的推理者意味着你要培养自己某种思维习惯,并天天坚持运用这种思维习惯。作为一个批判的思考者,你需要克服不爱思考的倾向,认真地分析问题,并鼓励他人也去这样做。

方略:从今天开始,要努力在作出一个结论之前认真地分析问题,要避免在信息不充分的基础上匆忙地作决定。要善于提问,认真思考,作出有根据的结论。通过问他人为何他们要那样思考来鼓励他人成为善于思考的人,帮助他们正确地分析问题。

你能构筑正确的论点吗?

我善于用正确的推理和合乎逻辑的结论来构筑正确的论点。

我常常不善于利用时间运用合乎逻辑的论点来组织和支持我的思考。

$$5 \qquad 4 \qquad 3 \qquad 2 \qquad 1 \qquad 0$$

构筑正确的论点是推理过程的核心——这就是为什么有如此多的人不善于推理的原因。通过培养你构筑论点和评价论点的技能,你将获得可以运用于生活每个方面的强有力的推理工具。

方略:养成对你阅读的文章,电视的信息以及与他人谈话的重要论点进行分析的习惯。在你的"思考笔记本"上,首先概括出论点:理由是什么? 结论是什么? 然后对论点的正确性进行评价。理由是真实的吗? 推理是正确的吗? 结论有前提的支持吗? 开始做这些工作似乎要花费一定的时间,但是,这是一个值得去做的活动,因为用不了多久,你将发现你自己会用一个更富有成效的方式进行辩论。

你能运用分析复杂问题的方法吗?

我运用系统的方法来分析复杂的问题。我分析复杂问题的方法远不像我想象的那样有条理。

$$5 \qquad 4 \qquad 3 \qquad 2 \qquad 1 \qquad 0$$

思考者分析复杂问题的方法给你提供了一个分析任何复杂问题,并具有有多方面用途和灵活的方法,这是一种大多数人都非常需要的技能。通过清楚地确定问题，考察不同的观点，评价论点，评估结果，以及作出一个有见地的结论，你将以你有见地的认识给自己也给他人留下深刻的印象。

方略：每天从报纸或杂志上选一篇文章，运用思考者分析复杂问题的方法对文章进行分析，在你的"思考笔记本"上记录下你的结果。然后在谈话中提出问题，运用你的书面分析来指导你的讨论，你将立即开始注意到你讨论问题的能力有了巨大的改进。

你会对舆论调查和民意测验
进行批判的思考吗？

我对调查和民意测验有深刻的了解和认识。我对调查和民意测验几乎不进行批判的思考。

<--------5   4   3   2   1   0

在我们的社会中，你能想象到的任何一个题目都有调查和民意测验，人们生活中被大量的调查和民意测验所包围。然而，大多数的调查和民意测验是不科学和不可信的，具体表现在，表述问题的用语很含糊，抽样常常带有偏见，对结果不能给予正确的说明。在今天的社会中，要做一个有见地的公民，极有必要对这些新的文化崇拜现象和正确性进行批判的评价。

方略：坚持把本章的知识和技能运用到你遇到的调查和民意测验之中，确定抽样是否明确，数量是否足够和具有代表性。也要对是否用可能导致正确结果的方法提出问题，或结果是否注定过于简单和误导进行评价。

你会对科学研究进行批判的思考吗？

我对科学研究有成熟的认识。我对看到和听到的科学研究几乎不进行批判的 思考。

5　　4　　3　　2　　1　　0

"科学研究"是文化思考的另一种有影响的形式，我们经常都会看到或听到有关科学研究的报告，其传递出来的信息有的扰乱人心，有的很有价值，对我们的生活能产生很大的影响。许多结论，如果是真实的，对我们的生活具有直接的意义。

方略：找出在报纸和杂志上发表的科学研究的细节，运用你在本章培养的技能和得到的知识对它们进行批判的评价。由于在电视上和报纸上公布的科学研究报告太简单，因此，实际上它们毫无用处，所以如果你对某个题目感兴趣，你需要到其他出版物找更详尽的材料，包括科学研究所发表的原始科学杂志。

你会对法院案件进行批判的思考吗？

在法院结案前，我要对法院案件重要的证据进行认真的考察。我常常根据有限的信息对法院案件提出最后的看法。

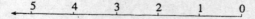

5　　4　　3　　2　　1　　0

法院案件不仅是刑事司法制度不可分割的组成部分，而且也是人们讨论和思考重要社会和道德问题的大众化工具。然而，许多人不加思考地表述他们的观点，带有个人的偏见，缺乏对证据全面的了解，表现出了不合逻辑的推理。

方略:要努力把你批判的思考能力运用到目前新闻中报道的法院案件中,读一些有关法院诉讼的报道,从而使自己获得足够的信息基础,然后运用本章描述的方法克服你的偏见,评价证据,并得出有见地、有根据的结论。

你会对信息进行批判的思考吗?

通过对不同新闻媒体报道的信息进行对比和提问,我对媒体信息进行批判的 思考。我常常依靠有限的新闻媒体来获取信息,几乎不提出任何疑问。

```
    5        4        3        2        1        0
◄──────────────────────────────────────────────
```

在生活中,我们被大量的信息所包围,从而阻碍着我们对信息的真实性和价值进行批判的思考。但是,我们只有对信息的真实性和价值进行批判的思考,我们才能把信息转变为我们在生活中可以运用的知识。我们不应该一味地指责媒体的偏见和被操纵,而应该切实地负起责任来,对不同的观点进行分析,并提出我们自己有见地的结论。

方略:在可能的情况下,要养成对不同的新闻媒体进行对比的习惯:阅读几篇新闻报道,看不同的新闻节目。这种对比分析是揭示新闻信息提供者固有的和不可避免的偏见的一种有效战略。

10

得分指导

把你在上述每一项自我评价项目上给自己打的分加起来,并运用下面的得分指导对你分析推理的能力进行评价。

总　　分	说　明
28—35	有非常强的推理能力
2l—27	有比较强的推理能力
14—26	有一定的推理能力
7—13	无推理能力

在说明你的结果时,请记住:

△这个评价并不是对你分析推理能力的一个准确的衡量,而是作为一个衡量你如何分析地对待你的生活的一般显示器。

△你的分数表明目前你在分析推理方面做得如何,而不表明你潜在的推理能力。如果你的得分比预期的要低,那就说明你没有充分地发挥你的推理能力,你需要按照本章的建议,使你的潜能得到充分地发挥。

◆**训练题:**

做个有分析能力的推理者

你总是会在某些方面乐于发展自己的分析推理才能,请将这些方面选择出来,在你的"思考笔记本"上详细地记录下你的努力和结果。一定要给你自己留出足够的时间来培养这些复杂的能力和态度,如果你没有立即取得成功,或遇到了挫折,千万不要灰心泄气。培养我们在本章所探讨的有效推理的素质:

△把分析推理放在优先的地位。

△构筑正确的论点。

△运用思考者分析复杂问题的方法。

△对舆论调查和民意测验进行批判的思考。

△对科学研究进行批判的思考。

△对法院案件进行批判的思考。

△对信息进行批判的思考。

第七章

获取幸福的道德能力

　　苏格拉底说:"美德是对它自己的奖赏。"促进他人幸福,常常能促进你的幸福。

我们生活在一个道德失落的时代,理想主义让位于玩世不恭,利他主义让位于自私自利,宽仁让位于贪欲。本章将帮助你构建一个明确的和有内在联系的价值观体系,使其成为你可靠的道德指南。你将能用深刻的洞察力和自信心去处理道德二难处境。

　　做一个道德上有见识的人——有个性、有同情心、诚实的人——不是一件易事,只有通过澄清认识和不懈的努力,才能达此目的。

　　在道德上成熟的人,过着有目的和有原则的生活,能促进他人的幸福,反过来自己也会得到丰厚的回报。

1

高擎你心中的指路明灯

◆每个人都需要构筑一个清晰和自信的道德价值观体系。它将使你战胜可能经历的道德失落，并消除摇摆不定的沮丧心情。能把你支离破碎的生活连成一体，是走向未来的指路明灯。

我们生活的社会在道德上飘忽不定，缺乏明确的指导我们行为选择，并为我们的生活指明正确方向的价值观体系。我们认为传统的道德准则已经过时，因而我们毫不留情地抛弃了它们，于是，我们进入了一个广阔的没有准则可循的领域，我们越来越感觉到人类已经迷失了方向。这种道德崩溃的迹象随处可见：

△电影、音乐抒情作品和电视节目不仅充满了色情和暴力的内容，而且过分的"成人化"，结果，我们实际上剥夺了儿童的童年，在渐渐成长进入成年的过程中，童年是一个需要受到保护的时期。

△公众人物说谎、伪装和"编造"事实已经司空见惯，他们失去

了公众的信任。政治家们已不是角色的典范,常常被玩世不恭的公众给予最低程度的尊重。

△个人的责任已经消失,人们为自己的不幸去指责每个人,唯独不责备自己。有的事情本来是由他们自己的选择和粗心造成的,他们却为此而控诉他人,梦想着靠一大笔赔偿而发财。

△象犯罪和违法这样的"道德统计数字"已经剧增到了天文数目,特别在年轻人中更是如此。这些社会变态以扭曲的形式通过语言的力量而在道德上"中性化了":"私生子"被说成"非婚生育";暴力行为被称为"无法控制的冲动";为了有资格得到社会保险的好处,吸毒和酗酒被列为"残疾的"表现。

△在每天的谈话节目中,行为越轨的人反复露面,而且对之不作什么好坏评说,这样他们的不当行为却变得"正常化"了,这对麻木我们的是非心起到了潜移默化的作用。光临节目的来宾们对其不光彩的过去并不感到羞耻,而是非常愿意和急迫地大谈他们的性怪癖和犯罪记录,以努力寻求他人对其特殊疾病的"了解"。

△为了向不道德的行为开战,全社会努力地在学校和组织中向人们"传授价值观",并进行"敏感性训练"。美国军队最近宣布了一项计划,要从基础训练中拿出时间专门进行价值观和道德观的教育,以努力抵制武装部队中已变得十分流行的性骚扰和性虐待。

△由具有"良好"背景的青少年实施的犯罪行为令人震惊:一对年轻的夫妇,正在读大学一年级,他们残忍地杀害了他们刚生出的婴儿,并把他扔在垃圾桶里;一位普通高中的高年级学生在参加高年级举办的舞会时,在一间浴室里分娩,她就地把新生儿勒死,并对尸体作了处置,然后又接着跳了一整夜的舞。

　　△妇女已经日益成为不满意的丈夫、被拒绝的男朋友以及陌生人追踪、强奸和谋杀的目标,约会强奸已成为大学校园普遍的威胁。

　　△被吹捧为"信息高速公路"的因特网,证明是推崇道德"缺陷"的一个有效工具。影响儿童的色情内容已经令人震惊地扩散到了整个因特网,被指控的性犯罪者可以在网上与年轻人联系和会面。人们被来自聊天屋的虚假安全和"网络关系"的面对面接触幻觉所诱惑,有时候会产生灾难性的后果。

　　△在最近的一项对大学一年级新生的调查中,80%的新生选择富裕作为生活的根本目标,40%选择确立生活哲学。这个结果几乎与1968年所作的一个相似的民意测验恰恰相反。在那一次的调查中,40%的新生选择经济有保障,82%承认确立生活哲学的重要性。

　　以上只是简单地列举了社会生活中普遍存在的道德失落现象的几个例子,它们无疑对社会组织起着分化和瓦解的作用。即使对于努力"做好人,行善事"的人们,这些社会力量也在影响和侵蚀着他们的道德意识,从而造成普遍的道德不安全感。

　　现在,改变方向,去追求我们人性中蕴含的美好与善良,成为一个高尚的人还为时未晚。每个人都需要构筑一个清晰和自信的道德框架,即经过深思熟虑而构建的道德价值观体系。它将使你战胜可能经历的道德失落,并消除摇摆不定的沮丧心情。这个道德框架将是你可信赖的道德指南,使你在面临二难处境时能审时度势,果敢抉择,而不必每次遇到令人迷惑的道德决定就束手无策。虽然你可能感到构筑这样的一个道德框架很难,恐怕超出了你的实际能力,但实际上并非如此。历史上伟大的思想家千百年来一直在潜心思考这些问题,你可以借鉴他们的思考成果。此外,你通过本书一直努力培养的批判的思考能力是你可用来构筑自己道德哲学的认识工具。道德哲学能把你支离破碎的生活连成一体,是走向未来的指路明灯。

◆训练题:

谁是有道德的人?

请想想你认识的某人,你认为他是一个品德高尚的人,这个人不必完美无瑕,他或她毫无疑问会有缺陷。然而,这是一个你钦佩的人,你愿意仿效的人。在你的头脑中确定了这个人以后。

在你的"思考笔记本"上写下这个人具有的品质,你认为正是这些品质使他或她成为道德上诚实的人。对于每一种品质,设法举出一个何时这个人表现出这种品质的例子。例如:

道德勇气:查里斯是我公司的职员,他总是按照他认为道德上是"好"标准的来行事,即使他的观点可能并不被在场的许多人所接受。虽然他要忍受批评,但他从不让步或后退,而是用充分的理由和高涨的热情为自己的观点辩护。

如果你有机会,请你熟悉的人们来描述一下他们心目中"有道德的人"的形象,并把他们的描述与你自己的描述进行比较。

2

说出你的价值观

◆价值观是引导人们过上"幸福生活"必不可少的指导。

◆如果你想过有目的和有意义的生活,具有高尚 的人格和令人满意的成就,那么,你就有必要 树立正确的道德准则来指导你的生活。

2500 多年以来,哲学家和宗教思想家一直在努力思考指导人们行为的道德体系。但是,今天,在我们的文化中,大多数人对他们所接受的道德观念,并不进行深入的思考。他们自己不对道德观念作深刻的反省,也没有人对他们如何树立正确的道德体系进行指导。在许多情况下,人们试图在没有道德原则指导的条件下,只依靠儿童期接受的一些不完整的道德规范、流行的常识和不可靠的直觉,能驶过现实社会汹涌和变幻莫测的急流。但实际上,未经反省的和原有的道德体系已无法适应当今令人迷惑和快速变化世界中区分道德善恶的需要,使得道德危机进一步加剧。对此,M

·斯考特·佩克在下面的这段话中进行了分析：

一个世纪以前，我们面临的最大危险是来自于我们自身之外的因素：细菌、水灾和饥荒、夜晚森林里的狼。而今天最大的危险——战争、污染、饥饿——都可以从我们自己的动机和情感中找到来源：贪婪和敌意、缺乏关怀和骄傲自大、自我陶醉和民族主义。对价值观的研究曾一度是个人主要关注和思考的一件事，因为价值观是引导人们过上"幸福生活"必不可少的指导。今天，它是人类共同生存的一件事。如果我们把价值观的研究确认为哲学的一个分支，那么，对于所有的女人和男人来说，做哲学家的时代已经到来。

一个人怎样才能成为一个"价值观哲学家"呢？通过深入而明晰地思考深奥的道德问题；吸取前人的研究成果；用自制和宽容的态度与他人讨论问题；在信守真理和坚实根据的基础上，构筑正确的道德方法。换言之，通过扩展你作为一个批判的思考者的角色，把你成熟的思考能力扩大到道德经验领域，你就可以成为一个价值观哲学家。

这或许是你最重要的个人追求。你的价值观构成了"你是谁"的核心，如果你想过有目的和有意义的生活，具有高尚的人格和令人满意的成就，那么，你就有必要树立正确的道德准则来指导你的生活。你的道德"健康"至少与你的身体健康一样重要，事实上，它比你现在经常参加的许多活动更重要。做一个真正有道德的人，应该是你生活中的最高目标。《圣经》中提出的一个问题所表述的深刻哲理，至今仍对我们有启发意义："一个人有幸能得到整个世界，但却失去了自己的灵魂，那又有什么意义呢？"

◆训练题：

我的道德价值观

你有许多价值观——你认为是最重要的指导原则。

这些价值观是你在生活过程中获得的,它们在你生活的每个方面都会起作用。下面罗列的问题就是想引出你的某些价值观,请认真思考每一个问题。如果时间允许的话,在你的"思考笔记本"上记录下你的答案,以及你为什么具有那种价值观的理由。例如:

我认为不应该用体罚的方法来对待孩子,因为我认为打人没有好处,我认为这样做会传递这样一个信息,即复杂的问题能通过体罚来解决。相反,我相信理性的力量可以帮助人们达到对问题的认识,培养正确的态度,作出合理的选择。

完成了这个活动以后,总地对你的答案作出评价。它们表达了一个普遍的、有内在联系和有根据的价值观体系,或者它们只是毫无联系的信仰的集合?这个思考活动很值得你花费时间去做,因为随着对你自己道德价值观的深入认识,你就可以更加明确地树立正确的道德价值观,使自己成为一个有道德的人。

△应该把体罚孩子作为教育的一种形式吗?

△泄露别人告诉给你的秘密是不道德的吗?

△我们应该吃动物肉吗?我们应该穿兽皮衣

吗?

△为了不伤害某人的感情,讲"无恶意的谎言"是完全正确的吗?

△在自卫中杀死某人是错误的吗?

△无论人们的种族、宗教或性别如何,都应该给予人们平等的机会吗?

△嘲笑某人,即使你认为这"很好玩",是错误的吗?

△如果"拿原则做交易"是你职业发展的惟一出路,你应该这样去做吗?

△操纵别人去做你想做的事,即使你相信这对别人是有好处的,你认为这样是完全正确的吗?

△色情杂志和三级电影有哪些错误的地方吗?

△一事当前,我们应该总是努力考虑他人的需要,还是首先应该关心我们自己的利益?

△父母应该为其孩子的不良行为负责吗?

3

从救生艇故事说起：
构建你的行动指南

◆你所面临的挑战是构筑更正确而系统的道德
指南,才可能用来充满自信地指导你的行动决定。

确立正确的道德准则是一件需要付出心力的工作,最好从你
现有的道德价值观开始。这个非正式自我评价的目的是阐明你目
前的道德准则,开始批判反省的过程。你的哪些道德价值观得到
了清晰的说明,并有深厚的根基？哪些未得到正确的说明,缺乏深
厚的根基？

你的价值观是一个有联系的整体,彼此一致,还是你发现其中
有分裂和不一致呢？很明显,构建有正当理由和明确界定的道德
准则是一个具有挑战陆的历程,但是,通过遵循本章提供的指导,
你将发现你会迅速取得很大的进步。

你对上述这些问题的回答表明了你目前具有的价值观。这些
价值观来自何处？父母、老师、宗教领导人以及其他的权威人物一

直试图向你灌输价值观,但是,朋友、熟人和同事也在这样做。在许多情况下,他们毫无疑问是成功的。

虽然你价值观教育的主体可能是认真传授和讨论的结果,但是,在另外的情况下,有的人用威吓、收买、恐吓和操纵等手段,迫使你接受他们的思考方式。因此,毫不奇怪,我们的价值观体系最后就会发展成为由互相冲突的信仰组成的令人迷惑的混杂物。

总而言之,大多数人的价值观毕竟不是成"体系"的:它们可以说是一般原则(如:"为他人着想……")、实用结论(如:"偷窃是错误的,因为你可能会被抓住。")以及情感态度(如:"不同种族间的通婚是错误的,因为这似乎不符合自然法则。")的集合。

这种价值观的大杂烩反映了在你生活的过程中,你是靠偶然发现来获得价值观的,它们不是你系统习得的结果。这些价值观构成了目前指导你在道德境遇中作出决定的"道德指南",即使你可能并未意识到这一点。你所面临的挑战是构筑更正确系统的道德指南,才可能用来充满自信地指导你的道德决定。

下面,我将为你提供发现更多有关你自己的道德指南的机会。请认真地思考你如何回答下列的道德二难处境,在你的"思考笔记本"上叙述导致你结论的推理。最后,确认你赖以作出决定的道德价值观。

1.**救生艇**:1842年,一艘船撞在冰山上沉没了。有30名幸存者,挤进了一个只能乘载7人的救生艇。当时,暴风雨交加,天气变得愈来愈坏。很显然,许多乘客必须被抛入水中。否则,救生艇就会沉没,每个人都得被淹死。假如你是救生艇的船长,你会把人们抛下船吗? 如果是的话,你将根据什么来决定让谁下船呢? 年龄? 健康? 力量? 性别? 身材? 生存技能? 友谊? 家庭?

2.举报者:假如你被一个大型的儿童食品公司雇佣,你怀疑在生产过程中存在着漏洞,致使有的盒子里的食品被污染。

这种污染能导致严重的疾病,甚至死亡。你的上司告诉你,"一切都在控制之下",并警告你如果你把此事捅出去,你将把公司推向深渊,惹上几百万元的诉讼官司,你自然也会被解雇,在工业界受到排斥。

你作为家中惟一养家糊口的人,你的家庭完全依靠你而生活,在这种情况下,你该怎么办呢?

3.病人:作为一名临床心理学家,你承诺要为你的病人的隐私保密。一天下午,一位病人告诉你,她的丈夫数年来一直在肉体上和精神上虐待她,还威胁说要杀了她,她相信他会说到做到。

你努力说服她,让她离开他,寻求专业人士的帮助,但她告诉你她决定要杀死他。她确信无论她走到哪里,他都能找到她,并感到只有他死了,她才会安全。在这种情况下,你会怎么办呢?

4.朋友:作为部门的领导,你负责招聘填补一个重要的空缺。许多人申请这个职位,包括你最要好的朋友。你的朋友失业已有一年多了,急切地想得到这份工作。

虽然你的朋友可能会胜任这个工作,但是,还有一些很有经验、很有才能的候选人,他们毫无疑问会把工作干得更好。你一直以自己能招聘到最好的人才而自豪,你赢得了高标准、严要求的名声。在这种情况下,你将聘用谁呢?

当你想办法解决这些道德二难处境时,你或许将发现你会诉诸于一般用于指导你行动的基本道德原则。当然,使这些实例成为道德二难处境的是这样一个事实,即它们涉及到传统道德原则的冲突。

"救生艇"一例涉及了以下道德信仰之间的冲突：

△夺去无辜者的生命是错误的。

△抢救船上一些人的生命，而不是让所有人的生命受到威胁是正确的。

"举报者"一例涉及以下道德信仰之间的冲突：

△故意损害儿童的健康是错误的。

△维护你的家庭和你职业的利益是正确的。

"病人"一例涉及了以下道德信仰之间的冲突：

△违反职业关系的保密规则是错误的。

△阻止某人杀人是正确的。

"朋友"一例涉及了以下道德信仰之间的冲突：

△聘用不是最适合做这项工作的人是错误的。

△努力帮助和支持你的朋友是正确的。

使每个实例都成为二难处境的是，你诉诸的这两条道德原则在道德上似乎是正确的和恰当的，问题在于它们之间彼此冲突，当发生这种情况时，你应该怎么办？

你如何决定哪条原则是较"正确"的？对这个问题没有简单的答案。在这两种情况下，你需要批判的思考以得出正确的结论。

除了这些道德处境之外，毫无疑问，你也将面临其他类型需要你认真思考解决的道德二难处境。或许在你生活中的某一时刻，当你深爱的人生命即将终结无可挽救时，你不得不作出"使其死亡减少痛苦"的决定。你也可能发现你自己面临这样的处境：

是结束痛苦的婚姻，还是为了孩子而继续维持毫无幸福可言的家庭。抑或你可能禁不住诱惑，钻了一个投资机会的空子，这个机会虽然不是完全非法的，但也明显是不道德的。在人类的生活中,必然要面对复杂和艰巨的道德挑战。

　　既然这些道德二难处境不能避免,那么,你就需要培养正确的**价值观**,掌握认识工具,以有效地解决这些问题。

4

作出道德决策的方法

◆你可以创造一种道德哲学,从而能对任何道德处境进行成功的分析,并作出明智的、你自信能证明为正当的决定。

在前一节对道德二难处境进行探讨之后,你可能想知道我们如何才能确立正确的是非观,以在复杂的道德处境中指导我们的行动。答案就是把你通过本书中培养的批判思考能力运用到道德问题之中,形成"思考者作道德决定的方法",并把它看作是构建你个人道德准则的指导和道德蓝图。运用这个方法提供的观念和原则,你可以创造一种道德哲学,从而能对任何道德处境进行成功的分析,并作出明智的、你自信地能证明为正当的决定。

根据"思考者作道德决定的方法",当你在日常生活中遇到道德境遇时,你应该:

△认真地考察你所处境遇的所有情况,清醒地意识到你的认识"透镜",以消除你固有的偏见。

△探究道德问题或选择的所有方面,确定和评价支撑每个观点的理由,对相反的观点要给予一定的尊重和信任。

△认真地思考每个可能的行动选择方案的意图和结果,根据各自的道德价值对它们进行评价。

△根据本章提出的框架,你自己创造出了道德准则,对此你要在实践中加以运用。

△信守你自己愿意维护和据以行动的结论,对这个结论你能够提出明确的理论基础。

△善于吸取经验教训,随着知识和见识的增加,优化你的道德准则,调整你的行动。

△在努力把自己塑造成为一个独特的、有价值的、有道德的人的过程中,享受你的自由,为你的行为承担所有的责任。

5

电击实验：实例分析

◆这种渐进的做法把清晰的思考弄得朦胧不清，使我们慢慢从清白滑向了罪恶。尽管我们也许希望道德处境中的善恶选择明确清楚，但是，现实生活中的善恶界限却常常是较为模糊的。

假如你自己处于下列的处境之中：作为一个志愿者，你参加了由你所在地一所著名大学进行的心理实验。当你到达测试实验室时，负责此项工作的实验员向你致意问好。这位实验员把你介绍给了参加实验的另一位受实验者：一位和善的中年先生。作这项实验的目的是研究学习中惩罚的影响。你和另外的一位参加者抽签决定各自的角色，你成为"老师"，而另一位受实验者被指定为"学习者"。他被捆在椅子上，电极联在了他的胳膊上。当这位学习者被捆在椅子上时，他说他的心脏不太好。实验员向你们保证道，虽然在控制之下的电击可能会很痛苦，但它不会引起永久性的组织损伤。

作为"老师",你被告知向这位"学习者"读词表,测试他词表上的词。只要学习者犯了错误,就对他实施惩罚——电击。在开始前,为了有所体验,你尝试了45伏特的电击,感到稍微有些痛苦。你被告知学习者每犯一次错误就增加电表上电击的一个刻度。电表上共有30个刻度,从15伏特到450伏特。在电表读数的下面,依次为"轻微电击"、"危险:严重电击",最后为"XXX"。

实验像往常一样开始了,学习者回答不出来,你就从较低的刻度开始进行电击,此时,学习者没有什么反应。然而,到了第五刻度时,学习者烦恼地发出咕哝声。到了第八刻度时,他大声喊叫,表明电击给他造成了痛苦。当达到第10刻度(150伏特)时,学习者大叫"实验员,让我离开这里!""我再也不参加实验了!我不愿继续了!"见此情意,你向实验员提出抗议,认为学习者应该被放出来,结束实验。但实验员说:"你必须继续,你没有其它的选择。"到了270伏特的刻度时,学习者痛苦的发出了尖叫。到了300伏特时,学习者拒绝回答任何问题。当刻度增至330伏特时,学习者每受一次电击就痛苦得直叫。随着伏特刻度的增加,直至达到最高450伏特,学习者没有任何回答。此时,你无法断定学习者是否仍有意识或是否还活着。

上述这个实验实际上是由心理学家斯坦利。米尔格兰姆进行的,并在他的《服从权威》一书中作了描述。当然,米尔格兰姆描述的这个"实验"并不是他所真正进行的实验:实验的目的并不是为了确定惩罚对学习的影响,而是想搞清楚人在服从权威方面究竟会走得多远。"学习者"是一位演员,受控制的惟一一次电击是最初"老师"尝试的45伏特。实际上,米格尔兰姆进行的真正实验有

40位受实验者参加,代表了康涅狄格州纽黑文市居民的各个层面。令人惊讶的是,受实验者的65%(26人)服从到了最后(控制到450伏特),而实际上所有其他的受实验者也都继续参加了这个实验。换句话说,几乎所有的受实验者都愿意参加这个他们往往认为是极不道德的行为。为什么?

约翰·沙比尼和马里·西尔沃在其文章《批判的思考和服从权威》一文中,对米尔格兰姆的实验作了认识上的分析,他们认为有几种因素会影响人们放弃他们的道德准则,并在他们认为是带有虐待性质的和极不道德的情况下从事这种活动。他们指出,第一个因素是逐渐让人们陷入圈套,即从无害的电击开始,逐渐增加伏特刻度。这种渐进的做法把清晰的思考弄得嚎陇不清,使我们慢慢从清白滑向了罪恶。这种现象是大多数人都非常熟悉的,有时候我们良好的动机往往被一杯伏特加或一支香烟所腐蚀。尽管我们也许希望道德处境中的善恶选择明确清楚,但是,现实生活中的善恶界限却常常是较为模糊的。

第二个因素是为难,碍于情面。虽然参加者常常会提出抗议,但是,实验员坚持要让他们继续进行下去。为了成功地逃避这个处境,参加者需要在道德的基础上据理力争,勇敢地面对实验员,谴责这个实验是不道德的。然而,他们不愿意这样做,不愿意把矛头对准某人。在现实生活中,我们常常会遇到类似这样的境遇,如,我们目睹了不道德的行为——父母打孩子——但我们并不采取任何行动,因为我们"不想卷进去"。毫无疑问,在"普通"公民不愿意大胆表述自己的观点或"卷进去"的社会中,这种态度会在相当大的程度上加剧社会迫害和道德暴行。

第三个因素是参加者像萨特所说的"逃避责任"。虽然参加者对他们遭受的痛苦感到很气愤,但是,他们确信,他们个人不用承担责任,他们只是"服从命令"。实验者似乎是一个应承担责任的和权威的职业者,代表着有声望的机构,参加者感到不能排斥这个权威,与其对抗,他们发现这样做很容易把他们的选择自由和个人受折磨的责任"转让"到实验者身上。当然,我们的道德责任是不可能"转让"的:当我们不顾一切地逃避我们的自由时,我们只能假装转让道德责任。试图逃避我们的自由和责任正是萨特所说的"不道德的信仰",苏格拉底告诫的灵魂不知不觉堕落的表现。

我们怎样才能避免米尔格兰姆实验中的这种道德衰退呢?我们需要确立一个明确的道德准则,它是我们生活的依凭。下面让我们运用本章所探讨的"思考者作道德决定的方法",对实验给予具体的说明。

△认真地考察你所处境遇的所有情况,清醒地意识到你的认识"透镜",以消除你固有的偏见。如果参加者一开始就对"实验"的事实进行了客观的分析,那么,他们就会把这个实验的基本设计——对捆在椅子上的人进行高伏特的电击——谴责为一种不道德的行为。对他们的"透镜"(对权威不恰当地尊重)进行分析,应有助于他们对"权威"提出怀疑,并克服他们直接与权威冲突可能产生的难为情和窘迫心理。

△探究道德问题或选择的所有方面,确定和评价支撑每个观点的理由。参加者坚持忍受着折磨,因为他们并没有认真地思考这样一个观点:整个实验是不道德的,他们不应该继续参加。相反,他们从未对"实验代表合法的研究"这一所谓"正式"的立场提出过质疑。因为他们没有认真地思考选择的所有方面或其他不同的观点,所以,参加者就被禁锢在他们最初的视野中而无法超越。

然后,实验就一步步地越过道德界限,使参加者愈来愈无法忍受。

　　△认真地思考每个可能的行动选择方案的意图和结果,根据各自的道德价值对其进行评价。参加者只关注实验员的意图,而没有关注他们行动的结果。虽然实验员主观上并没有任何伤害的意图,但明显的事实是,他们的行动似乎已造成了极大的伤害。如果参加者能充分地考虑到这个现实,他们可能就不会继续参加这项实验了。

　　△根据本章提出的框架,你自己创造出了道德准则,对此,你要在实践中加以运用。为了过道德的生活,你首先需要清楚地认识道德处境,然后,用有条理的方式进行推理,以得出正确的道德结论。实验的参加者没能认识到,他们正面临着作道德决定的需要,因此,他们没有运用他们习惯的道德推理过程来得出正确的结论。相反,他们只是稍微表示了一下不满,但这种不满很快就被实验主持者给否定了。他们试图通过给实验主持者暗示来帮助受害者,或者通过放慢他们控制的电击来进行消极的抵制。但是,他们从未发现和抓住关键的道德问题。

　　△信守你自己愿意维护和据以行动的结论,对这个结论你能够得出明确的理论基础。“凡事预则立”。通过事先决定你的道德立场,说明你将恪守的道德界限,你的道德决心就会得到深化。在实验开始时,如果参加者坚决不越过某个界限(如,90伏特),他们可能就不会逐渐滑落到不道德行为的陷阱之中。由于缺乏明确的、有根据的道德界限,因而人们很容易使其道德感和道德决心渐渐受到腐蚀。此外,如果他们设法用有说服力的理由来证明其行为的合理性,那么,他们或许就会意识到实验的不合理性。

　　△善于吸取经验教训,随着知识和见识的增加,优化你的道德

准则,调整你的行动。人们通常容易固守某种认识,即使面对与此相反的大量证据,也不愿意修正他们最初的结论。在米尔格兰姆的实验中,一旦参加者实施了第一次电击,他们实际上就已经象征性地表达了对实验的赞同,以及共同参与实验的意愿。随着实验的进行,他们的道德良心受到谴责。但即使如此,他们也很难冲破他们最初信守的力量,修正自己的思考。如果是这样,那就等于承认他们最初的赞同是错误的,但是,人们一般不愿意承认错误,即使向他们自己承认错误。实际上,多年来他们常常因自己未改变立场而骄傲,其实这是一种偏执,对此他们应该感到羞愧。拉尔夫·沃尔德.埃墨森对此作了最好的说明:"愚蠢的坚守是心胸狭窄的怪物。"

　　△在努力把自己塑造成为一个独特的、有价值的、有道德的人的过程中,享受你的自由,为你的行为承担所有的责任。如前所述,米尔格兰姆实验的参加者试图把他们的选择自由和个人责任转让给实验主持者,这是在生活条件变得困难时,人们一般都会作出的反应。但是,这种努力注定要失败。因为人们不能转让自由,只能逃避自由。如果参加者完全承认他们的自由和责任,那么,他们不可能继续参加如此侵犯人的尊严和道德标准的活动。如果他们能对自己说:"我个人对选择实施电击和招致他人巨大的痛苦负责,我知道这种行为是错误的,"那么,他们就能够正视这个实验,并果断地从实验中撤出。

6

为你的道德能力寻求根基

任何道德指导,只有有根据能支撑其观点时才是正确的。如我们看到的,对某个人来讲,作道德判断或倡导道德原则相对来说很容易,但是,要为信仰或原则提供令人信服的理论基础却不是一件容易的事。在本章下面的内容里,我们将对这个问题——"思考者作道德决定方法"的理论基础进行探讨。这将涉及到对你通过本书一直培养的批判的思考原则的具体运用,以及对过去 2500 年来最著名的道德思想家某些观点进行考察。这种探索将帮助你对重要的道德观念和推理有深刻的认识,这些重要的道德观念和推理是指导你创造自己道德准则的认识工具。

康德的"绝对命令"

正义伦理学强调行动的意图或动机,而不是结果。它表达了这样一个信仰:在面临需要作道德决定的时候,你的回答是:"我必须尽到我的义务,这是做事的原则,无论结果如何,对我来说,重要的是做我应该做的事。"这种通过理性对道德义务的强调或许在德国哲学家伊曼努尔·康德那里得到了最好的说明：通过理性，我们能分析道德境遇，评价可能的选择，然后确定我们认为是最好的。康德把伦理学的方法建立在每个有道德的人都应该遵守的普遍理性原则（"绝对命令"）的基础之上："你必须随时遵循一种可由你的意志变成为普遍的自然律的准则而去行动。"即使你认为某个同事的确不好，你应该传他的闲话吗？运用这个原则，如果你认为所有的人在所有相似的情况下应该传闲话，那么只有在这种情况下，你才应该这样去做。呜呼！大多数人是不会同意把这个作为普遍的准则的。

康德对第二条"绝对命令"也进行了系统的分析："你一定要这样做：无论对自己或对别人，你始终都要把人看成是目的，而不要把他作为一种工具或手段。"既然所有的人都拥有同样的内在价值，即具有理解他们的选择并进行自由选择的能力，那么，我们就应该永远在行动中尊重他人作为理性的创造物本来就有的尊严。例如，假定你想推销某物而操纵人们的感情，使其买你的东西，这种做法是正确的吗？或者假定你的孩子或朋友正在计划做某事，而你认为这件事对他们并不是最有利的，那么你可以暗中间接地操纵改变她的想法使其进行不同的选择吗？根据康德的观点，这两种行为在道德上都是错误的，因为你没有把他们看作是"目的"，看作是有权利自己进行选择的理性创造物。相反，你把他人看作是达到"目的"的"手段"，即使你可能认为你的操纵对他们最有利。符合道德的正确做法应该是：准确地告诉他们你的所思所想，然后给他们对自己所处的境遇进行推理和作自由选择的机会。

换位思考法:《圣经》的黄金定律

关怀伦理学建立在移情的基础之上,移情是从多种角度看问题和分析处境的批判思考方法。根据移情的观点,在生活中获得幸福和成就并不意味着追求你自己狭隘的愿望;相反,它意味着在真正地理解他人的条件下去追求你的抱负。当你努力超越自己的观点,并能站在他人的立场上,特别是那些与你的意见不一致的人的立场上进行思考时,你的认识就会变得更加深刻和丰富。你需要认真地听取与你的意见不一致的人的看法,并努力去了解他们是如何思考而得出自己的结论的。这种换位思考是世界许多道德体系的基础,例如,《圣经》中提出的待人规则:"你想人家怎样待你,你也要怎样待人",就体现了这种换位思考。换句话说就是,努力把自己放在你的道德判断对象的位置上,看看这是如何地影响你的评价的。再如,若你正试图评价种族主义的好坏与否,那么假定你就是种族主义歧视的目标,而你不能选择你的种族出身,这正是你之所以为你的基础。从这个地位出发,你认为你应该受到不同的对待、被歧视和谴责为外来人和下等人吗?"穿上别人的鞋走一英里路",这句格言常常能对你的认识和评价产生巨大的影响。当你发现自己就是道德谴责的目标时,就很难再像原来那样显得虔诚和自以为是了。

戴安娜之死现场说明什么？（之一）

从批判思考的观点出发，只有在我们假定人们能够进行自由的选择，并对他们的选择负责的条件下，道德才是有意义的。当人们选择了我们认为是"正确的"的行动方案时，我们就判断它们在道德上是"善"的。相反，当他们选择了我们认为是"错误的"行动方案时，我们就指责它们在道德上是"恶"的。例如，当戴安娜王妃成为车祸的受害人时，据报道，追踪戴安娜的摄影记者一心只顾拍车毁人亡的照片，而不是去帮助受害人。在法国，不去积极地帮助危难之中的人实际上是违法行为。而在大多数国家，摄影记者的这种行为并不被看作是违法的。然而，大多数人会认为他们不帮助受害人，而一心只顾从车祸中捞取名利的行为是"错误的"、不道德的、应受谴责的。人们之所以会对摄影记者作出这样的评价，是因为他们自己进行了这样的选择，他们对自己的选择、动机和行动结果有清醒的认识。由于受到贪婪的驱使，他们面对车祸不是去救助，而是忙着拍照，这样，就减少了车里的人生存的可能性。如果他们把自己的照相机放在一边，全力去帮助受害人，那么，他们就是在受同情和移情的激励，就会增加车祸受害人得到救治的机会。从批判的思考角度出发，他们的行动的确是恶的，应受到谴责。

现在，请思考这样一个处境。假定你正在社区驾车沿街而行，车速也在规定的范围内，此时，一个小孩从两辆停着的车中急冲而出。虽然你急踩刹车，然而你还是撞着了这个孩子。你的行动是"错误"的、不道德的、应受谴责的吗？大多数人都会说不是。这是不可避免的行车事故,而不是自由选择的结果。因此,你不应该为此事故负责。你并没有面临着明确的选择机会,也没有受到恶的动机的驱使,你不可能预料你行动的后果。

为了对自己的善行或恶行负道德上的责任,你的行动应该是自由选择的结果。为了行使你的自由,你需要对你的选择、你的动机和你行动的结果有一个清醒的认识。这是人独有的能力;我们有智力、想象力和反省能力,能对大量的选择机会进行思考,并决定我们的行动方案。有时候,我们的选择是明智的,而有时候我们的选择是愚蠢的,但无论是哪种情况,我们都应该对我们所作的选择负责。

戴安娜之死现场说明什么?(之二)

对道德选择进行评价,涉及对选择背后的意图或动机以及行动的结果进行考察。在戴安娜王妃车祸现场的摄影记者的实例中,他们的意图——得到照片,卖个好价钱,而不是去帮助受害人——在道德上肯定是要负责的。他们的行动是对人类珍视的共同道德价值观的亵渎,因为他们把赚钱看得比保护人的生命更重要。但是,除了他们不道德的意图之外,他们行动的结果也是灾难性的,因为四个乘客中有三人毙命。我们永远无法知道,如果他们当时能助一臂之力,是否能给受害人带来不同的结果。如果戴安娜王妃和其他人能在车祸中幸存下来,那么,摄影记者的行动尽管在意图上是不道德的,但他们肯定不会受到人们如此严厉的谴责。不过,由于产生了致命的结果,他们的选择甚至受到了人们更加严厉的谴责:人们普遍认为,由于他们追车才导致了这起事故,车祸之后他们忙着拍照，而不是帮助受害人；他们通过出售照片能赚取巨额金钱。在许多人看来，没有什么比这个更糟糕的了。

促进人类幸福，消除人类痛苦，一直是几个世纪以来许多道德体系的主流。大多数人都愿意追求自己的幸福：这是我们生来就有的愿望，也是我们受教育的结果。然而，你只追求自己的利益，并不会受到道德上的褒奖。你只有把自己的时间和精力用于促进他人的幸福，有时甚至牺牲自己的利益，你才能得到他人的道德认可。这种道德价值观是建立在我们前边所探讨的换位思考的基础之上的。站在他人的立场上想问题，你就会产生帮助他人的愿望，这是对他人慈善行为的源泉。

在我们日常与他人的交往中，这种道德观念也是很有用的。人生来平等，通过你的言行促进他人的幸福是很有意义的。友好、慷慨、帮助、理解、同情和支持——这些以及其他相似的品质能提高他人的生活质量，而你自己在这样做的时候通常也无须付出许多。这并不是说，你应该全力去促进他人的利益，而忘掉或排除自己的利益。实际上，如果你不关心自己的利益，你可能就不会有帮助他人所需的财力和精力。"自利"和"自私"并不是一回事。追求自我利益对于你自己的身体和情感健康是必要的，也是道德上允许的。但是，如果你只追求自己的利益，一事当前，只为自己打算，那么，你的生活在道德上就是空虚的。如果你通过牺牲他人的利益来追求自己的利益，那么，你就是一个自私的人。如果你巧取豪夺，损害他人的利益，或者不择手段，践踏他人的利益来满足自己的一己私利，那么，你就是有罪之人。

促进人类的幸福是 18 世纪末期和 19 世纪初期，关注英国社会问题的哲学家杰里米·边沁提出的伦理方法的基础。根据他的观点，"善"和"正义"要根据能带给最大多数人的最大快乐来决定，这成为著名的实用主义的道德理论。另一位英国的哲学家约翰·斯图尔特·穆勒认为，我们需要区分"较大的快乐"（理性的刺激、美的欣赏、教育、健康）和"较小的快乐"（动物的欲望、懒惰、自私），否则，他认为就会得出做一只满意的猪比做不满意的人好的结论，显然，这是一个很荒谬的结论。他说：

> 做不满意的人比做满意的猪好；做不满意的苏格拉底比做满意的傻子好。如果傻子或猪有不同的观点，那是因为他们只知道问题中他们自己的一面，而与他们对照的另一方则知道问题的两个方面。

但是，即使这个较精致的"较高级快乐"的概念似乎也有局限性。我们需要在深刻而丰富的意义上，把"快乐"这个概念扩展到更广泛的"人类幸福"的思想上。对我们来说，如果促进人类的幸福意味着帮助他人确保吃住和健康，提供教育和创造就业的机会，保护他们的自由，支持他们追求个人的成功，那么，它就是有意义的。如果我们是在这个广泛的意义上看待人类的幸福，那么，帮助最大多数人获得这种幸福，就是我们要追求的道德上的善和伦理上的正义目标。

◆训练题：

你关于人类幸福的思想是什么？

请思考人类幸福的构成因素有哪些，你认为大多数人怎样才能获得真正的幸福？回顾一下你 在本章第 2 节训练题中确认的道德价值观，并确 定哪些价值观能促进人类的幸福。你能思考一下 可能促进你自己和他人幸福的其他道德价值观吗？

7

发展正确的直觉能力

◆当我们努力去解决似乎没有一个明确答案的道德难题时,我们每个人就会面对这种相同的痛苦。在这些情况下,简单地诉诸某人的"道德 直觉"似乎是很不够的。

当你发现自己处于作道德决定的痛苦之中时,你可能会在某个时刻突然产生一个清楚的、你该如何去行动的"直觉"。这是你的良心在与你说话吗? 这是你的道德指南在为你指出正确的方向吗? 你能信任你的直觉吗?

为了回答这些问题,我们很有必要了解人的大脑是如何运转的。在你的思考过程中,综合能力是非常重要的,它能不断地勾勒出世界的"图景",随着社会环境的变化,这幅图景也会反映出世界的最新变化。你的大脑是如何做到这一点的呢? 答案就在于,通过对得到的所有信息进行思考,运用恰当的概念,并把所有这些综合成为有意义的图案。当这幅图案的各个部分都各就其位时，就想最后一块拼板被放在了拼板玩具上，此时，你就会体验到直觉。虽然这些过程有的是有意识的，而有的则是无意识的，有时候还会使你的直觉披上一层神秘的外衣。实际上，你许多的直觉是很平常的，如，在配制新菜谱时，决定应用哪些配料；清楚地知道你刚才遇见的某人并不可全信。虽然这些直觉可能是突然出现，但实际上它们是你经验和见识的积累，以及你随时随地积累信息的结果。当你品尝新做的菜味道如何时，你积累的专门知识就会"告诉"你这道菜还"需要"哪些调味品。当你第一次遇见某人时，你就会在细微乃至多面的层次上，获得有关这个人的大量信息，这些信息不只是由这个人的语言和外形传递出来的，而是由其面部表情、举止、音调、目光接触等告诉你的。当你以很快的速度吸纳了这些信息时，它们就会反馈到你的大脑计算机里，大脑计算机会通过多年来的经验对人们获取的信息进行加工、处理，这样，一幅图案就会显现出来。哇，这就是直觉！

这种有见地的直觉常常是很可信的，因为它们是建立在大量的经验、思考、知识、见识和专门知识的基础上的。但是，也有许多毫无见地的直觉，这些直觉往往是不可信的——实际上，由于它们没有建立在足够的经验、思考、知识、见识和专门知识的基础上，因而往往会带来灾难性的后果。如果你回顾一下自己的生活，毫无疑问，你会发现在某个时候似乎是很有把握的直觉，但最终却可悲地证明是错误的。你可能经历过闪电般的"真正爱情"，但几个月之后，你可能就会对你当时的想法感到不可思议。由此看来，直觉只有建立在经验、知识、见识和专门知识的基础上，才是正确的。

道德直觉与此完全相同，如果你的道德直觉是有见地的，是充分思考和反省的结果,那么,它的可信度就很高。但是,如果你的道德直觉是毫无见地的,是由于信息不准确或经验不丰富造成的,那么,你的直觉就是不可信的。如果有的人道德堕落,不具备健康的道德情感,那么,他们的本能或直觉就会反映出他们不健全的道德认识。你的良心或道德直觉不是不可思议的神秘之物,也不是一贯正确的金科玉律。如果你有意识地努力去做一个有道德的人,一个诚实和正直的人,那么,你的直觉将在很大程度上是可信的。但是,如果你没有有意识地努力培养和完善你的道德情感,或者如果你从小耳濡目染的是偏见和暴力等具有负面影响的价值观,那么,毫无疑问,你应该对你的道德直觉产生怀疑。

虽然你的直觉可能一开始是可靠的——"我立即知道该做的正确事情是什么"——但是,如果做进一步的思考就产生怀疑,从而对直觉开始的可靠性构成威胁。道德判断不是我们通过观察和实验就能很容易证明或驳斥的事实陈述,在大多数的道德处境之中,事实往往是很明确的,而对事实进行说明,在某种处境中该怎样行动,则会带来许多道德问题。当一位妇女通过羊水膜穿刺术发现,她体内的胎儿严重畸形和残疾时,这种处境的事实是非常清楚的,而她以及胎儿的父亲应该作怎样的道德决定,是流产还是抚养一个智力上迟钝、身体上残疾的婴儿,这些选择是不清楚的。虽然尽可能多的收集准确的信息,对孩子未来的生活以及他对家庭生活所产生的影响进行展望是有意义的,但是,再多的信息量也不能替代作道德上的决定。做道德上的决定是完全不同的推理类型和思考过程,它常常要涉及道德的不可靠性和深厚的责任感。当我们努力去解决似乎没有一个明确答案的道德难题时,我们每个人就会面对这种相同的痛苦。在这些情况下,简单地诉诸某人的

"道德直觉"似乎是很不够的。

◆训练题：

对你的道德直觉进行思考

请思考一下你作道德决定的方式。你怎么"知道"何时你将做正确的事情？你的道德确定性的感觉来自哪里？你体验过关于善和恶、正确和错误的道德"直觉"吗？请对你在本章第2节训练题中确认的价值观，以及你其它的价值观进行思考。在什么程度上，它们是建立在你正确和错误的道德直觉的基础之上的？你如何对一个持怀疑态度的熟人证明这些价值观的合理性？当你有了道德直觉时，你的感觉是怎样的？

8

马斯洛发现之启示

> ◆做一个有道德的人,有助于你成为一个心理
> 上健康的人;促进他人的幸福常常也能促进你自
> 己的幸福。"美德是对它自己的奖赏"这句格言包
> 含了丰富的真理内涵。

　　个人对道德观念和方法有了一个综合的了解,但这并不说明他是一个有道德的人。怎么会出现这种情况呢? 这就像人们具有了系统的批判思考能力,然而在实际生活中却不运用它们一样,因此,人们能掌握道德理论,却不一定能在生活之中具体地运用它。为了在生活中,使你自己达到更高的道德境界,你需要选择做一个有道德的人,努力过一种有道德的生活。你需要尊重道德,追求高尚的道德意识,激发动机和承诺以实现这个高尚的但能达到的目标。

　　心理学家亚伯拉罕·马斯洛对他认为是实现了自我价值的人

们的品质进行了综合性的研究,研究发现具有健康人格的人们也具有很高尚的道德品质。在道德上成熟、心理上健康的人们,往往根据深思熟虑确立起来的道德标准进行思考、决定和行动;他们对自己的道德信仰持开放的态度;当它们受到挑战时,他们则用有说服力的论点进行辩护;当实践证明它们是错误的或不正当时,他们就对它们进行修改或调整。他们的结论是建立在他们自己思考和分析的基础之上的,而不是对"他们的文化遗产和结果"就不加质疑。他们完全是按照自己的价值观生活,他们认识到伦理学不是一个智力游戏:它是一盏灯,能指导他们的道德发展和个人成长。

　　这些思考对"为什么要有道德?"这个问题提供了一个令人信服的答案。实践证明,做一个有道德的人,有助于你成为一个心理上健康的人;促进他人的幸福常常也能促进你自己的幸福。**"美德是对它自己的奖赏"**这句格言包含了丰富的真理内涵,它是苏格拉底在其思考中提出的观点。他认为行恶**"将危害和腐蚀我们自己,正义的行动将使我们得到升华,非正义的行动将把我们摧毁。"**作为一个自由的人,你通过你进行的选择创造着你自己,就像雕塑家通过无数次的雕刻而塑造形象一样。如果你把自己创造成了一个有道德的人,那么,也就意味着你把自己创造成了一个有德行和有价值的人,具有鲜明的是非感和正确选择的力量。但是,如果你不选择把你自己创造成一个有道德的人,那么,你逐渐就会变得腐化和堕落。你失了你的道德情感,成为道德上的无知者和盲人,从而极大地阻碍了你清醒认识自己和世界的能力的发展。无怪乎,苏格拉底认为**"遭受恶行好过作出恶行。"**当你拥有无拘无束、不受限制的自由选择的能力时,你就会得到真正的力量。选择不道德会捆住你的手,每一次缠一圈,直至你行动的自由完全消失。同样,挥霍物质财富的人逐渐会把他们选择的自由让给他们毁灭性的欲望,因此,不道德的人在他们的生活中,只有真正的自由幻觉。有道德的人具有健康的人格,以及心灵的完整,而不道德的人会从内心开始腐败,逐渐被精神的疾病所蹂躏和摧残。

9

道德能力测验

下面所描述的内容是与树立正确的道德观相联系的主要个人品质,请对你在每一项品质中所处的地位进行评价,并运用下面的自我评价来指导你的选择,以使自己成为一个你理想中的有道德的人。

你把道德放在优先地位吗?

我在我的生活中,对道德选择有清醒的意识。

我对我生活中的道德问题没有给予太多的关注。

$$\overset{\longleftarrow}{\underset{5 \quad 4 \quad 3 \quad 2 \quad 1 \quad 0}{\rule{10cm}{0.4pt}}}$$

为了过一种有意义的生活,充分发挥你的道德潜能,你必须对你面临的道德问题具有清醒的意识,在认真思考的基础上进行选择,并使你的选择有令人信服的理由支持。通过过一种有道德的生活,你会成为一个健康的人,与他人建立良好的关系。

方略:下周,在你的"思考笔记本"上,记录下你在日常生活中遇到的与他人有关的道德问题——与是非、善恶、正义和非正义相联系的选择。从其中选出一些这样的道德选择，并对你在决定中运用的方法进行思考：问题是什么？你进行了怎样的选择？为什么你要进行这样的选择？如果再面临这样的问题时，你还会进行同样的选择吗？为什么会？为什么不会？

你树立了明确的道德准则吗？

我有明确的用来指导我行为选择的道德准则。

我常常对我的道德选择感到迷惑和不确定。

5	4	3	2	1	0

←

过有道德生活的关键是确立明确的道德准则以指导你的选择，这样的道德准则应该是有内在联系的(你的价值观是彼此一致的)、综合的(你的准则能被有效地运用到许多不同的道德处境之中)和有根据的(你的信仰有认识根据作支撑)。

方略：运用你对"思考活动"的回答作出发点，在你的"思考笔记本"上记录下你用来指导你的选择的道德原则。写完了你的道德原则之后，对它们的一致性进行评价，努力把它们组织成有内在联系的整体。随着你经验的增多，道德上趋于成熟，你要不断地发展和完善你的道德准则。

你接受正义伦理学的原则吗？

正义伦理学是我的道德准则的重要的组成部分。

我并不把正义伦理学认真地运用到我的道德准则中。

```
        5       4       3       2       1         0
```

正义伦理学是以公正观念为基础的，公正是我们的道德义务，它要求我们平等地对待每个人，给他人以和我们受到的同等的关怀和尊重，除非有令人信服的理由不去这样做。歧视他人既不合逻辑也不符合道德。

方略：请思考你自己对待他人的偏见，并开始努力用他们应得到的尊重来对待这些人。

你接受关怀伦理学的原则吗?

关怀伦理学是我的道德准则的重要组成部分。关怀伦理学不是我的道德准则的重要组成部分。

```
←——    5       4       3       2       1         0
```

关怀伦理学表达了对他人的道德责任，它建立在你的移情能力的基础之上——想象把你自己置于他人的位置上，用他们的观点来看世界。这种移情能力能使你具有对他人的同情和怜悯之心，并是你所有的健康关系的基础。

方略：通过努力超越自己的观点，穿他人的"鞋子"来提高你的移情能力。在你与他人的接触中，运用你的想象来体验他们的所思所感，并观察这是否会影响你对他们的态度和行为。

你使你的道德选择普遍化吗?

我在决定做什么的时候，常常把我的选择"普遍化"。
我在作道德决定时，几乎不把我的选择"普遍化"。

```
←——    5       4       3       2       1         0
```

在你进行道德思考时,一个非常有效的方法是问你自己,是否愿意每个人在处于与你相似的处境中时作与你相同的选择。

方略:在对你生活中不同的道德选择进行思考时,无论是小的选择("我能插队吗?")还是大的选择("我能损害他人的利益来满足我自己的利益吗?"),要努力把你期望的行动普遍化。你愿意每个人在相似的环境中,都采取同样的行动吗? 如果不是的话,对行动是否真正符合道德,是否与你所具有的其他的道德价值观相一致进行评,价。

你把他人当作目的,而不是手段吗?

我常常尊重他人的意志自由,把他人当作目的。为了达到自己的目的,我常常把他人当作手段。

$$\overleftarrow{\quad 5 \qquad 4 \qquad 3 \qquad 2 \qquad 1 \qquad 0}$$

虽然康德的把他人永远当作"目的",而不要当作实现我们自己目的的"手段"的观点可能有些极端,但是,我们或许应该认真地借鉴他的观点。通过尊重他人进行自由选择的权利——即使是儿童的权利——在我们促进自己的道德发展时,我们也会极大地促进他人的幸福和利益。

方略:请思考几个最近的你试图影响他人的思想、情感或行为的例子。你为你的建议提出了明确的理由,尊重他或她进行自由选择的权利了吗? 或者你试图通过玩一些花招来操纵他们,使其在不知不觉中受到影响,或强迫他们违背他们自己的意志呢? 如果你发现了操纵的例子,试着想象一下如果你采取了直截了当的方法,事情会变成什么样子,在你的"思考笔记本"上记录下你的思考。

你为你的道德选择承担责任吗？

我常常为我作的道德选择承担道德责任。

我常常逃避我作道德选择应承担的责任。

```
5      4      3      2      1      0
```

如果不为你进行的选择承担责任，你就不可能在道德上取得真正的进步。如果你想成为一个道德上诚实的人，你必须有勇气承认自己在道德方面的缺陷，谦虚地对待道德上取得的进步。

方略：勇敢地承认道德方面存在的缺陷，并努力克服它们，只有如此，才能使自己成为一个道德上诚实的人。自我诚实将赋予你内在的力量和道德力量，你将发现这种道德诚实既是值得做的，也是养成的。

你寻求促进人类的幸福吗？

我努力做到使他人幸福。

我不会花很多时间去做使他人幸福的事。

```
5      4      3      2      1      0
```

幸福孕育幸福，同样，侵略使侵略逐步升级，消极鼓励消极。当你通过自己的言行，努力去帮助他人获得幸福时，他们的幸福也会反馈给你，使你产生满足感和成就感。幸福和善意不是有限的商品，它们不会短缺，而是取之不尽的人类财富。

方略：请思考生活中你用来增加他人幸福的特殊方法，它可能包括给一个你偶然认识的人一点帮助，或对你非常亲近的人给予大量的支持。为以后的几天制定并实施一项计划,然后一周后,在你的"思考笔记本"上对你努力的结果进行评价。努力使他人幸福使你的感觉如何? 他们作出了怎样的反应? 继续这种努力,甚至做得更好有意义吗?

你注意发展正确的道德直觉吗?

我有可靠的、我完全信任的道德直觉。

我对我的道德直觉缺乏自信。

$$5 \quad 4 \quad 3 \quad 2 \quad 1 \quad 0$$

正确的道德直觉是在你的生活中,对道德问题进行认真探索和思考的结果。培养正确的、可靠的道德直觉,就要对基本的人性有深刻的认识:确定我们作为个体应该如何的基本特质是什么? 我们应该如何对待他人? 一旦你发展了自己感到自信的直觉,你就需要运用它来帮助你思考解决道德二难处境的方法。

方略:以正确的直觉为基础的"自然法"观念,为你进行道德探索提供了一个有效的框架。请想象一个理想的、完美的人:这样的人具有什么样的个人品质? 这样的人如何对待他人? 这样的人展示了怎样的道德远见和独特的道德价值观? 运用这些探索,描绘出一个理想的人的肖像,它对你的道德直觉能起到指导的作用。

你选择做一个有道德的人吗?

我决心使自己成为一个有道德的人。

我没有把做一个有道德的人放在优先的地位。

$$5 \quad 4 \quad 3 \quad 2 \quad 1 \quad 0$$

做一个有道德的人——一个有同情心、诚实和正直的人——你每天都需要付出努力，以坚忍不拔的毅力和决心去扬善弃恶。你必须认真地选择，发挥你的道德潜能，对你所作的道德选择进行思考，努力明确和完善你的道德准则。

方略:养成经常对你自己和你的生活进行评价，以及在"思考笔记本"上做记录的习惯。提问并回答这样的问题:作为一个有道德的人,我实现了我的目标了吗? 作为批判的思考者呢? 作为有创造性的人呢? 经常运用这个评价对你的生活进行展望,使自己的头脑有"清晰的远景",以此指导自己逐渐成为你理想中的最有价值的人。

10

得分指导

把你在上述每一项自我评价项目上给自己打的分加起来,并运用下面的得分指导对你的道德意识进行评价。

总 分	说 明
40—50	有很强的道德意识
30—39	有较强的道德意识
20—29	有一定的道德意识
10—19	没有道德意识

在说明你的结果时,请记住:

△这个评价并不是对你的道德品质的一个准确的衡量,而是作为一个衡量你对你的道德本性具有怎样的认识的一般显示器。

△你的分数表明目前你的道德意识如何,而不表明你潜在的道德意识如何。如果你的得分比预期的要低,那就说明你需要遵循本章提出的建议来提高你的道德意识,达到你力所能及的水平。

◆训练题:

促进你的道德成长

作为一个有道德的人,无论你发展到何种程度,通过选择追求这个目标,你就能达到一个能令自己和他人满意的状态。你的批判思考的能力将赋予你手段,从而使你能从道德的角度对你的经历进行探求,你致力于道德上的完善也将给你注入继续前进的动力。请记住:做一个有道德的人.既需要你每天的努力,也需要你终身为之奋斗。通过培养我们在本节所探讨的品质,推动你断地走向道德成熟,在你的"思考笔记本"上记录下你的进步。

△把道德放在优先的地位。

△树立明确的道德准则。

△接受正义伦理学的原则。

△接受关怀伦理学的原则。

△使你的道德选择普遍化。

△把他人当作目的,而不是手段。

△为你的道德选择承担责任。

△寻求促进人类的幸福。

△发展正确的道德直觉。

△发现人性的"自然法"。

△选择做一个有道德的人。

第 八 章

人际交往能力训练

先学会与自己交往,才能成功地与人交往。

形成健康的人际关系是有意义的和有价值的生活的核心。这些关系对我们的思考能力提出了最大的挑战。

　　本章将告诉你如何根据你一直在培养的技能和见识，学会与家庭、朋友、同事、子女和配偶建立良好、和谐的关系。

　　批判地思考，创造地生活，有效地解决问题，有效地沟通，树立正确的价值观——这些都是你能在真正的关心、移情和互相尊重的基础上，用来形成良好的人际关系的工具。

　　当你想起你生活中最愉快的事、最有成就的事和最有意义的事时，你很可能会把它们与他人的关系联系在一起。同样，你生活中最伤心的事、最痛苦的事和最受挫折的事或许也是由人际关系造成的。为什么人际关系是如此复杂呢？为什么它们总是难以被人们所理解？你如何才能在你生活的每个领域建立起良好的人际关系，在最令人困惑的条件下作出明智的决定，并能解决最具挑战性的人际之间的问题？在这一章里，我们将对这些问题进行探讨。

1

会自爱,才会爱人

◆我们如何对待我们自己,可以通过我们如何对待他人的方式反映出来:如果我们不了解和信任我们自己,我们就不能很好地了解和信任他人。

生活中存在着这样一个反论,即为了与他人建立积极的和健康的关系,首先你必须与自己建立一个积极的和健康的关系。如果你不爱你自己,不相信你自己,那么,你也不可能爱他人和相信他人,而爱和信任的情感是健康的人际关系的生命线。许多人始终接受着这样的教育,即"自爱"和"爱他人"是互相冲突的,实际上,这是西格蒙德·弗罗伊德"自恋理论"的基础:你以为给外界世界的爱越多,你留给自己的爱就会越少,反之亦然。但是,这种观点在逻辑上是不成立的。自爱和爱他人并不互相排斥,它们互相联系,协同作用。你给自己的爱越多,你对别人的爱也就越多;反之,你给自己的爱越少,你对他人的爱也就越少。

"自私"与"自爱"并不是一回事。实际上，自私是由缺乏自爱引起的。如果你鄙视你的"自我"，认为它毫无价值可言，那么，很自然，你就会设法通过牺牲他人的利益来大肆攫取，以弥补这些令人绝望的个人空虚感和挫折感——这就是对自私行为的界定。相反，如果你十分珍惜和重视你的"自我"，那么，你的生活就会建立在有内心安全感的基础上，这种安全感会给你自信，使你在行动中能无私助人，乐于奉献，珍惜和重视他人的价值。

这个观点在《圣经》的命令中得到了体现："像爱你、自己一样去爱你的邻人。"人道主义心理学家 E·弗罗姆也对这个观点有过论述。尊重你自己的正直和独特，爱你自己，不能与对他人的爱和尊重分开。在这个意义上，爱是不可分的：为了你所爱的人的发展和幸福而努力奋斗，反过来也会提高你爱的能力。

为什么发展健康的和持久的亲密关系是一件很困难的事呢？为什么如此多的人一心为自己打算却感到无法排遣的孤独呢？这是今天摆在世人面前的严肃的问题，在当今世界上，科技迅猛发展，信息空前丰富，但是，亲密的人际关系和平静的独处却常常难以见到，个人生活变得苍白、空虚和绝望。在 20 世纪的文学、哲学和流行文化中，人的异化是一个经久不衰的话题。当人们意识不到他们对亲密和独处的强烈需要时，或者当他们得出结论认为，这些需要不能满足时，他们对个人的力量的估计就会大大降低。在当今的社会里，缺少关爱，失去控制，如果没有坚定的自我感和稳定的亲密的关系，就不会有产生很强的自信，生活也会因此而变得令人恐惧和抑郁。正如心理疗法专家斯坦芬妮·德瑞克在她的《亲密与孤独》一书中指出的，许多情感问题的核心是没有意识到，我们每个人都需要与他人和自己建立亲密的关系。"我们如何对待我们自己,可以通过我们如何对待他人的方式反映出来:如果我们不了解和信任我们自己,我们就不能很好地了解和信任他人。"

　　因此,你面临的挑战就是与你自己建立一种良好的关系,这种关系应该充满信任、爱、真诚、移情、尊重、安全、慷慨、灵活、乐观、宽容、敏感和创造,因为这是你建立与他人良好关系的必由之路。通过了解你是谁,以及你何以成为现在的你,那么,你就能够作出明智的选择,把自己塑造成一个你理想中的人。

◆**训练题:**

你想成为怎样的人?

　　△在你的"思考笔记本"上,对你与你自我关系方面想全面培养的情感品质,如,信任、自信、爱等进行描述。尽你所能要多列一些品质,而且要恰当。

　　△然后,对你与他人关系方面你想全面培养的情感品质进行描述,如,移情、灵活、支持等。

　　△最后,对你所列的两类品质进行比较。哪些品质既具有你对你自我感情的特征,也具有你对他人感情的特征? 在所列的品质中,有没有某类品质,经过思考你认为两类品质都适用? 为了每天提醒你自己在与自我和他人的关系中体现出这些品质,你可以把你刚才对问题的思考写在一张卡片上,并把它放在一个你能每天看见的显眼的地方(冰箱门上或桌子上)。

2

坚定良好的自我感觉
是与人交往的强大支柱

◆不会确立坚定的自我感,自爱和自我信任就很难建立起来。而缺乏这个坚实的基础,你要做到对他人爱和信任也是很难的。当你与他人交往时,你可能就会对他人是否重视你的价值,或你是否的确值得他人重视没有把握,不敢确定。

你对自己和生活中对他人的态度,在你一出生后就开始形成了。如果你从开始就生活在被人爱和被人尊重的环境之中,与家人的关系非常亲密,那么,你就容易形成安全感,并具备与他人建立亲密关系的能力。心理分析学家马里—路易斯·冯·弗朗茨对这种个人的安全感给予了有力的说明:"自我体验是最坚实的基础,它能在个人内心确立起永恒的身份感,即使生命终结也不能对它有丝毫的损伤。"

但是,假定你与许多人一样,你最初的经历与上述的这个理想情景不一致,或者你在童年时代有亲人情感破裂的经历。在这种情况下,你非但不会确立坚定的自我感,而且你的"自我"很可能极不稳定,你的内心世界也一定阴云密布,郁郁寡欢,变化莫测。在这样的条件下,自爱和自我信任很难建立起来,而缺乏这个坚实的基础,你要做到对他人爱和信任也是很难的。当你与他人交往时,你可能就会对他人是否重视你的价值,或你是否的确值得他人重视没有把握,不敢确定。你可能总有这样的恐惧心理:害怕你所爱的人将会弃你而去,把你的心也一起带走,永不回头。这说明你缺乏一个安全的和独立的自我感,而这种自我感又是自信地给予他人以爱,并接受他人所给的爱的基础。如果你处于这样的一种境遇下,那么,你与他人的关系可能就会建立在情感依赖的基础上,容易受到失去他人或他人强制的威胁。

3

学会移情

◆如果你真的不会体谅他人,设身处地地为他
人着想,那么,与他人建立有意义的关系将是非常
困难的。

在所有的人际关系中,信任和亲密都是以"移情"为基础的。

"移情"是一种用你的想象来推断他人如何感觉的能力,也是
一种坚信你的信仰是正确的自信心。你确定地知道他人的感觉如
何,你也具有同样的情感。

这种复杂、微妙和互相感受的共同情感来自于你最早的人际
关系中亲密的沟通。

当人们在早期的人际关系中,不能做到这种互相的移情时,它
就会阻碍建立各种亲密的和健康的人际关系:恋人关系、友谊、职
业关系等。

如果你真的不会体谅他人,设身处地地为他人着想,那么,与

他人建立有意义的关系将是非常困难的。

　　同样,如果你得出结论认为,你关心的某人不能站在你的立场上想问题,不知道你的所思所想,那么,你也可能对继续这种单方面的关系感到深切的担忧。

4

找回独立真实的自我人格

◆要培养你稳定和综合的自我感,移情和独立这 两种品质都是必不可少的因素。建立在虚假自我基础上的关系只能是虚假的关系,这种关系 只能流于表面,而且极不稳定。

你的自我感要通过你一生的努力才能得到强化。要培养你稳定和综合的自我感,除了做到移情以外,形成个人的独立感也是至关重要的。要想做一个成熟的批判思考者,移情和独立这两种品质都是必不可少的因素。儿童以及成人处于强大的从众压力的环境之中,这种压力有时明显,有时隐蔽,但却始终存在。如果你不从众,我行我素,你就要为此付出昂贵的代价:如果你是一名儿童,你面临着被社会排斥、失去爱、非难、惩罚的危险。如果你是一个成人,不从众则会影响你的职业生涯,使你与他人的关系出现紧张,受到社会的谴责。

然而,从众行为付出的代价不会比不从众少,特别是在从众意味着按照与你的"真实自我"相冲突的方式行动的时候,情况就更是如此。在这种情况下,你在世人面前不得不创造一个"虚假的自我",就像一位演员扮演了一个与他的自然人格不一致的角色一样。在某种程度上,每个人都会出现这种情况,毫无疑问,这是由于生活中不同的人要求你扮演不同的"角色"而造成的。有时候,我们所有的人都会不由自主地"说违心话",以避免对他人不必要的冒犯;穿我们并不喜欢和欣赏的流行服装;承担我们别无选择必须去做的工作。在与此类似的例子中,如果你内在的自我是强大的,你就会作出符合自己愿望和思想的真正选择,而不使你真实的自我受到损害。

但是,如果你内在的自我是软弱的,在外部要求和压力下感到畏缩,那么,你就极有可能失去你真正的自我。

对个人来说,这种现象所引发的后果是灾难性的,因为你总是从外部寻求怎样思考、怎样感觉以及怎样行动的提示,因此,逐渐地你就会变得没有安全感。没有正确的自我观作行动的指导,你就会事事依靠他人,没有他人的指点和同意你就不知所措,感到内心很脆弱。在这样的情况下,你展示给世界的自我是经过精心伪装后的自我,而不是你真正的自我、你的"灵魂"。没有真正的内心自我来指导你的选择,并把它建立在真正被爱的基础上,那么,你就不可能与他人建立在感情上很成熟、能够互相移情的关系。建立在虚假自我基础上的关系只能是虚假的关系,这种关系只能流于表面,而且极不稳定。

当然,我们每个人在真实的自我和虚假的自我问题上,并不是非此即彼。事实上,我们所有的人都处于两个极端——软弱的、没有安全感的、分裂的、完全"虚假的"自我和强大的、有活力的、有安全感的"真实的"自我——之间的某一点。在特定的场合和时间，你可能发现你自己会处于这两个极端之间不同的地方。但是，无论你处于哪个地方，你面临的挑战是一样的，即你怎么才能远离虚假的自我而走向真实的自我？换言之，你如何才能成为一个有安全感、乐观、有爱心、尊重他人、乐善好施、慷慨、灵活、移情、有创造性和成熟的人？

5

圣洁或阴暗的心理状态，全由你选定

◆你可以通过作出与你自己的新计划相一致的
选择来重塑自己。通过无数次的选择，你的自我
就会成为或天堂般的圣洁或地狱般的阴暗。

虽然你不能改变把你塑造成你之前你的客观环境，但是，通过对你的生活进行批判的思考，你可以对它们在目前如何继续对你施加影响有深刻的认识，从而为你提供改变你生活方向的力量和勇气，你可以通过作出与你自己的新计划相一致的选择来重塑自己。

例如，通过对你的童年进行批判的思考，你可能会发现，在你成长的家庭环境中，父母对你很少有亲昵的动作，彼此之间也少有情感上的交流，这无疑会对你产生很大的影响。这是过去的事情，你无法改变。但是，你对往事的态度是能够改变的。你能逐渐明白一种情感受到压抑的成长环境会如何损害你对自己和他人的信

任,使你很难对他人表达爱并接受他人的爱。这个认识就像是一把钥匙,它开启了你对你人格中存在的活力的意识,现在,通过改变你的态度和选择,你可以重塑自己。著名心理学家阿尔弗雷德·阿德勒对此进行了论述:

> 我们较少地受到我们生活中发生的事件的影响(对此,我们常常不能控制),我们更多的是 受到我们对这些事件的态度的影响(对此,我们 相对有较多的选择机会)。

在重新认识你的自我并用自我来指导你的未来方面,创造性的生活是第二个阶段。在此,你的想象力是非常关键的因素,因为想象力是人类独有的能力,通过这种能力人们可以对现在或未来的情境进行想象。

具体到你个人来说,你的想象力能赋予你创造一个与现在的你完全不同的另外一个自我的能力:这是一个有爱心、有安全感和真实的自我。你也可以设想一种与你的现在完全不同的生活:情感丰富,与他人之间的关系充满友爱,彼此亲密无间。这种依靠创造性想象的自我和生活可以作为你未来发展的蓝图,即你可用来指导你的选择的生活规划。

你个人转变的第三个也是最后的阶段是自由地选择。正如我们在步骤 3 中所发现的,真正的选择自由要求你把自己从内部和外部的约束中解放出来,只有这样你才能进行自由的选择。

例如,如果你童年时期的某些不愉快的经历仍然在无意识层次对你发生着影响,那么,你将无法为你的生活选择一条新的道路。

　　只有在这些不幸的阴影被驱除以后,你才有可能重新来塑造自己。这就是为什么这个过程的第一个阶段,即批判的思考,是如此重要的原因。对你童年时期的经历和已经形成的人格活力有正确的认识,有助于你认清以前没有意识到的影响。这样做的确能把你从以往的梦魇中"解放出来"。

　　一旦获得解放,你就能用意志力,并遵循你制定的新规划,重新创造你自己以及你的生活。作家 C.S.刘易斯对此作了雄辩的说明:

　　　　每作一次选择,你都在朝着创造一个不同于以往的你的目标迈进了一步。通过无数次的选择,你的自我就会成为或天堂般的圣洁或地狱般的阴暗。

◆训练题:

思考你的童年

　　　　请思考你成长于其中的家庭环境,并在你的"思考笔记本"上回答下列问题:

　　　　△在什么程度上,家庭成员之间的关系培养了对你的自我和他人的信任,以及珍视你个人的价值和他人价值的观念?

　　　　△在什么程度上,家庭成员之间的关系鼓励你对他人表达爱和爱抚,并接受他人对你的爱和爱抚?

△你的家庭曾发生过重大的变故,从而阻碍了你对你的自我和他人的爱和信任了吗?

△你能说说你童年时与家庭成员的关系是如何对现在的你产生影响的吗? 你能找出反映这些早期关系的态度模式,特别是在信任和爱方面,你对待你的自我和他人的态度模式吗?

在这个"思考活动"中提出的问题是非常复杂的,它们是你塑造你的自我这个大厦的砖石,在你生活的过程中,通过日积月累的选择被一块块地联结在一起。无论抽出哪一块砖石都会引起令人不快,甚至痛苦的回忆,当然也有值得回忆的往事。由于你可能已经把这些问题的答案深深地埋藏在心底,因而你不可能一夜之间就能完全把这些问题的答案从记忆的深处找出来,需经无数个昼夜的努力你才能理清自我发展的脉络,了解自己童年的历史对你现在的影响。虽然这样做费时不少,但是,除此之外,没有其它的办法可用来追溯你个人的历史。如果你想全面地了解现在的你,这样做是很必要的。

认真地考察过去并不意味着停留在过去,实际上,回顾过去,重温过去发生过的事,体味过去的情感,能防止你忘记过去,并创造健康和幸福的现在和未来。如果在童年时期,你有着不堪回首的往事,个性的发展受到了压抑,那么,对你而言,重要的是承认过去,了解过去,然后在此基础上轻装前进。就像对待生活中的许多事情一样,关键是对过去和现在作出合理的调整,使两者之间保持平衡。你不能沉湎于过去的回忆而不能自拔,正确的态度应该是,把对过去的认识当作一个参照点,并以此来创造你的现在,描绘你的未来。

6

建立健康人际关系的八个方法

◆首先,你应该确认你建立某种人际关系的目标 是什么?

◆遗憾的是,人们往往不能确认目标,或有了目标而不坚持,从而损害了本来应该很好的关 系。

虽然你可能没有意识到这个方法,但是,通过本书不同的思考步骤,你一直在培养建立健康的人际关系所需要的所有能力。下面是我们将具体论述的这个方法的大纲:

△批判地思考。

△有效地沟通。

△换位思考(移情)。

△通过理性建立信任。

△培养创造性。

△珍视自由和责任。

△解决问题。

△处理好依赖和独立的关系。

为什么交往？为什么失败？

每一种人际关系都是独特的和神秘的，但是，如果你努力做到清楚地思考，就有可能对将要发生什么事情，为何会发生以及对未来的影响有一个透彻的了解。首先，你应该确认你建立某种人际关系的目标是什么，在目标中，既有适用于大多数人际关系的一般性目标，如，志趣相投，能清楚地沟通，也有只适用于某种特定问题特定关系的目标，例如什么同事、门房、父母、密友、监管人、客户、侄女，照看小孩的临时雇佣、前夫(妻)、医生、新近的情感知己等等等等。

然而，遗憾的是，人们往往不能确认目标，或有了目标而不坚持。结果，他们总是长时间与他们所厌恶的人来往，而抽不出太多的时间与他们所喜欢的人呆在一起。或者他们对交往的对方总怀有过高的期望，从而损害本来应该很好的关系，如，与恋人、好友、治疗专家、同寝室的人、网球搭档、酒友、职业顾问的关系……太多了，数不胜数！

如果对人际关系的目标确定得恰当而现实，那么，你与他人的关系就会和谐地发展，令双方满意。反之，对对方的期望值过高，总想少付出，多索取，那么，你与他人之间的关系只能走向死胡同。

对人际关系进行批判的思考，还包括另一个因素，即为了了解所发生事情的基本动态，你要学会透过表面现象看本质。在很多情况下，我们对他人的态度和行为反映了我们深层次的意识和态度。例如,有时候,小孩、成人,甚至宠物为了让他人注意自己,故意做一些惹人讨厌的举动。对一个人来说,最糟糕的事情莫过于被人忽视了,哪怕是稍加留意,甚至谴责或责骂,都比被人忽视要好。然而,父母、老师和上司,以至于每个人,并不真正了解这种惹人讨厌的行为所蕴含的真实意义,并对之给以回应,而是用谴责和责骂来对待对消极的行为,从而造成了无休止的恶性循环。正确的做法应该是提出这类的问题:"他这么捣蛋破坏这么浑的真正原因是什么?"以使搞清楚其深藏的动机。

与他人有效地沟通

与其它的因素相比,错误的沟通对人际关系中出现的问题要负更大的责任。你常常听到"我们只是不会沟通"这样悲观的话吗? 正如我们在步骤 5:"沟通合作能力训练"中发现的,有效地沟通需要把思考、语言和社交技巧结合在一起。例如,人们在交谈时,常常只想着接下来要说什么,因而并未真的用心去听。有的人彼此相识多年,然而对对方的所思所想却缺乏深入的了解,之所以会出现这种情况,就是因为他们不努力去听和了解。

为了参与有效的讨论,你必须清楚地表达自己的观点,认真地聆听他人的反应,在此基础上或作出回答,或进行提问以便更好地了解对方的观点。当两个人以这种方式进行对话时,他们就处于一个彼此尊重的气氛之中。这样一来,就能进行有意义的沟通。每个人的沟通风格是有差异的,为了避免误解、冲突以及关系破裂,你需要对不同的沟通风格有所了解。

有效沟通的另一个方面是清楚和准确地使用语言。如果某人在沟通中使用的语言很含糊,不准确,那么,对方一般就无法准确地把握说话者的真正意思,而认为他或她是在很精确地表达自己的思想。结果,人们往往会因此而导致沟通不畅,出现麻烦。如,"我爱你"是一句极其简单的表述,但由于不同的人物和地点,它却能够表达多种不同的意思。对某个人来说,"我爱你"可能意味着"我认为你是一个可爱的人,对我有很强的性吸引力",而对另一个人来说,则意味着"你是我最好的配偶,我希望我们能天长地久"。如果是这样的话,沟通的双方很可能要产生误解,甚至使双方的关系破裂。鉴于此,你自己无论在说话和行为方面,一定要努力做到清楚、准确,这样就能避免误解。误解是良好的人际关系的大敌,它往往在一开始并不显眼,但如果不注意,慢慢就会像滚雪球一样发展成为危害彼此关系的大问题。

换位思考

　　大多数亲密关系——恋人关系、家庭关系和朋友关系——的成功,直接与你能否做到移情,或换位思考相关。设身处地地站在他人的立场上想问题,善于了解他人,我们所说的这种移情就是情感上亲密关系所包括的全部内涵。在交往的过程中,如果两个人都只为自己着想,期望他人能为我做点什么,而不考虑自己应该为对方做点什么,那么,这种关系就不会顺利发展,必然会矛盾重重。健康的人际关系应该建立在利益共享,互相帮助的基础上,而不是一方付出,一方获得的基础上。了解他人,体恤他人,这是你应该具备的能力,这样做可以激发你对他人的爱、同情和理解,而这些情感是形成每一种重要的人际关系的核心。

在此,不妨回顾一下你与关系亲密的某人发生的一次最后的争吵。毫无疑问,你认为你对问题的看法是清楚无误的,而对方的看法是错误的。尽管你努力做到克制和忍让,但对方试图强迫你按照他或她不清楚的思路看问题。自然,对方可能也会与你的想法一样。一旦两个人(或多人)之间的关系建立在这种缺乏移情和利己姿态的基础上,双方的关系肯定会恶化。只有在事态发展到极为严重的情况下,双方可能才会真正地为对方着想。

一旦你与他人的关系出现这种紧张的状况,你可以采取这样一种对策,即作为一个批判的思考者,通过问对方为什么他或她会得出那样的观点,使自己能做到从不同的角度看问题,然后把自己置于对方的位置上。接下来,你可以问对方:"如果你处于我的位置,你会如何看问题,你将怎样做?"用这样的方法交换角色,移情地思考,就能使讨论有效地进行下去。这样做的结果必然是,避免彼此的交流充满仇恨("你是个白痴";"你迟钝得像榆木疙瘩"),双方能够相互了解,和谐相处,愉快合作。

建立信任,才敢高空走钢丝

正如靠理性不能完全揭开一件精美的艺术品、一段感人的音乐、一个超常的精神体验或由幽默引起开怀大笑的奥秘一样,要解开人际关系的奥秘也不能完全依靠理性。你的理性能力是强大的,但是,它也有局限,重要的是要认识这些局限,并尊重它们。人们试图能用逻辑和推理解释清楚人们所经历的一切,这是不可能的。不过,理性有助于你搞清楚你的情感生活的轮廓和模式,以及许多形成人际关系现象的其他因素。

假定和你关系很密切的某人做的一件事深深地伤害了你。当你遇见这位朋友,问他为什么要那样做时,假定他的回答是:"我没有任何理由——我只是那样做了。"对此,你会作成何种反应呢?或许是迷惑和气愤,你作出这种反应很正常,因为在通常情况下,我们期望人们——包括我们自己——能了解和解释清楚他们为何要有某种行为举动的意图,这样,他们就能对自己的选择进行某种控制。人们会因许多不同的理由——做事不加思考、自私、愚蠢、无情无义、虐待狂——而伤害与自己关系很密切的人。人们不会无端地表现出某种行为,人是有理性的动物,人们每做一件事都有其自身的考虑,你的自信和对他人的信任就是建立在这种认识的基础上。如果你的朋友对你说:"我伤害了你,我非常抱歉——当时,我只考虑自己,而没有意识到会伤害你;是我错了,今后我不会再犯这样的错误了。"那么,你就有了一个能与你的朋友在未来建立关系的基础。但是,如果你的朋友对你说:"我伤害了你,但我说不出任何理由,我不知道以后是否还会发生类似这样的事。"那么,你就很难继续信任他。继续保持这样的关系,就会伤害你的心。

理性是使人际关系成为可能的框架,人际之间的关系越亲密,理性在其中发挥的作用也就越大。在与恋人或配偶等亲密的人际关系中,你是最脆弱的,你的感情毫无保留地展示给了对方。理性是一张安全网,它能给你走高空钢丝的勇气。你之所以能建立起对他人的信任,是因为你认为他们的选择是由理性所控制的,或至少受理性的影响,你依靠的就是这个信念。当然,即使最好的意图也会被盲目的激情、难驾御的感情、预料不到的冲动所制服虽然感情可能会爆发,暂时地压倒你的理性能力,但是,你的意志和决心能再次把事情调整好,重新把理性放在首位,用理性来指导你的感情,这样,你的选择就能反映你最高的价值观。这就是为什么善于思考的人甚至在他们摔下来后,还敢继续再走钢丝的原因,因为他们坚信,善意的人们是服从理性的。

避免老套习惯的疲态

请回顾一下你最近一次开始与他人建立的一种新的关系。为了培育恋爱关系,给对方留下一个好印象,你很可能动了一番心思,投入了大量的精力。自己动手做卡、令人惊喜的礼物、独特的活动、与对方进行倾心的交谈。现在,请思考一下你目前与他人拥有的长期关系:你发现你们之间开始有厌烦的感觉或裂痕了吗?你们陷入日常的活动模式中,按照定好的计划做同样的事情了吗?你们的交谈总是离不开那几个话题,发表的见解总是大同小异吗?是不是已经不再动手做卡,送优雅的礼品,给对方小小的惊喜了?如果答案是肯定的,也不必过分责备自己,因为这是人际关系衰退很常见的征兆。

"亲昵生狎侮",这句话说明了人们惯常的一个特性,即和我们亲近的人,我们对之会报以很放心的态度,一切问题都没有了,一切都是老套的习惯常规了,这种情况就会疲耗我们与他人关系的活力。既然人与人之间的关系是有活力,有生机的,那么,若把它们当成机器一样,以为老是靠那一个马达就能运转,那将导致它们生锈,并最终无法运转。然而,在许多情况下,通过给它们注入与你在关系开始时投入的同样精力,鼓励对方意识到他或她创造性的潜力,人际关系能够重新恢复活力。其结果必然是:双方之间创造性的融合将鼓起你们生活的勇气和力量。

珍视你的自由和责任

健康的关系应该是这样的关系:关系的双方都愿意承担他们各自的责任,并珍视他人的自由。正如步骤 3:"获取自由生活的能力"中所探讨的,责任是自由逻辑的结果,虽然人们珍视他们个人的自由,但当事情没有按照原先的计划发展时,他们倾向于逃避责任。请思考这样的处境:你正与许多同事合作完成一项重要的工程,当客户提出你们研究小组的工作不符合要求时,高级主管想知道谁应该为这件事负责。依你在其中的处境来说,你该说什么呢? 或假定你是一个快要过生日的孩子的家长,你答应孩子要买一场特殊音乐会的门票,但是,你延误了时间,当你赶去买票时,票已经售完。你会给孩子作怎样的解释呢? 如果你发现你自己在这些情况下,本能地试图减小你个人的责任(扩大他人的责任),那么,这并不奇怪,通常人们都会这样去做。但是,健康的人际关系应建立在愿意承担责任而不是逃避责任的基础上。通过完全承认你的责任,他人就会被你的道德人格所折服,从而激励他们也为自己的行动承担责任。然而,如果你经常为你的错误和失败逃避责任,那么,你与他人的关系就不会存在信任和善意,你的道德人格就难以得到发展。

承担责任意味着促进自由,追求个人的自由是一件很自然和正当的事情。但是,为了建立与他人健康的关系,促进和尊重他们的自由也是同样重要的。例如,假定你绝对确信你知道怎样做对某人最有利——你的孩子应该选择某所大学,或你的恋人应该同意与你结婚。如果为了使他们作出"正确的"决定,你很巧妙地操纵了他们的思想和感情,你这样做是正当的吗? 从长远来看,这样做对对方,或对于维护人与人之间的关系不是最有利的。健康的关系重视他人自己作决策的自主权,而不能把我们的意志强加于他人。一旦他们发现你在试图对他们施压,或在操纵他们,你与他人之间关系得以建立的基础——互相信任——就会受到损害。

解决关系中存在的问题

每个人的生活中必然要有这样或那样的问题,同样,在人际关系中也会遇到大量的问题,因而关键是你应该如何处理必然要遇到的问题,也即对待问题应抱何种态度。有的人看见问题就感到恐惧和厌恶,被问题所吓倒,使人际关系受到破坏。有的人则用批判思考者的自信来对待问题,把问题看成是澄清事实,改善与他人关系的机会。尼采曾经说过:"未被逆境摧垮的人会变得更坚强。"这句话也能用来说明人际之间的关系。在人与人的关系中,最强大和最有活力的关系是那些经过考验,战胜逆境,患难与共的关系,而最脆弱的关系则是那些未经过考验的关系。因此,在后者这样的关系中,人们很难具备处理问题的技能和自信,所以一遇挫折双方的关系就出现裂痕甚至中断,也就不足为奇了。只有不断地努力去解决或大或小的问题,才能对自己解决问题的能力产生自信,与他人建立健康的关系。

例如,在任何一种人际关系中,都要涉及解决问题这个环节。有的问题是容易解决的:电视坏了;冰箱里没有储存的食品了;你俩应邀参加一个你们谁都不想去的婚礼。而有的问题则较严重:你或你的配偶在另外一个城市找到了一份很好的工作;你不同意对你的孩子灌输那种宗教信仰。而有的问题则是致命的,它们对双方之间的关系能造成严重的损害,直接威胁到你与对方关系的存亡,如,你和你的配偶之间没有了爱;你们俩只有一个人想要孩子;你与配偶之间经常互相谩骂、动手动脚。

虽然并非所有的这些问题都能得到妥善的解决,但是,通过采取步骤4:"破解生活难题的能力"中所叙述的正确解决问题的方法,就有可能明确地找到问题的症结,提出许多可能的解决问题的方案,并对它们进行评价,得出明智的结论,并用决心和灵活性去实施你的方案。

处理好依赖和独立的关系

健康的人际关系能把依赖和独立调整到最佳的平衡状态,当这个平衡被打破时,也即有的人依赖性太强或过分独立时,就会出现这样或那样的问题。在你的生活中,你可能经历过这种失衡的情况。在有的关系中,你可能对对方有很大的依赖性,而对方却较独立;而在另外的关系中,你可能感到对方不能很好地尽责,过分依赖你。

在你的生活中,你可能对不同的人扮演着这两种角色,有时候,你并不是故意这样去做,完全是一种自发的行为。例如,你可能在情感上非常依赖你的父母,但是,在与朋友的关系中,你则较为独立。或者在工作中,你可能发现你自己事事要征得老板的同意,过分依赖上司的指导,但是,在与恋人的相处过程中则能做到独立。此外,在相同的关系中,也可能有不同的发展阶段,有时较为独立,有时则表现出较多的依赖性。例如,在你的恋爱关系中,一开始可能较为独立,但是,随着关系的发展,你变得越来越依赖对方,最终无法控制你的情感。或者你与他人的友谊最初可能表现为你过分的依靠这种友谊以满足自己的许多需要,但是,随着时间的推移,你逐渐地成为较独立的角色。独立和依赖在人际关系的双方之间是可以互相转化的角色,它反映了双方关系发展的不同阶段。父母和子女之间的关系尤其如此,因为在亲子关系中不同的生活阶段,依赖和独立是常常互换的。

　　如果你发现某种关系失去了平衡,例如,你或是过分的依赖或是过分的独立,那么,你该怎样做才能使两者达到平衡呢? 如本章前边所述,健康的关系需要一个强大和安全的"自我"感。当你感到在关系中过分地依赖时,这是你的自我感软弱,你从外界寻求稳定、力量和完整的征兆。既然你不能全身心地爱你自己,那么,你就希望其他人能填补这个空隙,而这是不现实的期望。有的人总爱说:"我不知道如果你离开我,我该怎么办"这样的话,这表明他或她缺乏独立感。实际上,其他人的爱抚并不能弥补你自己自爱的缺乏,既然你都看不起自己,不认为自己有值得别人爱的地方,那么,你就不会完全地去接受他们的爱。因此,在依赖的关系中是没有安全感的,处于这种关系的人常常爱问:"你真的爱我吗? 你能再说一遍吗? 你能对我证明这一点吗?"但是,在依赖的关系中,你越渴望和急迫,对方就可能离你的期望越远。克服依赖思想要在自爱和自尊的基础上,从培养你强有力的自我感做起。

　　有趣的是,在人际关系中,过分的独立来自于与过分的依赖一样的人格动力,即软弱的自我感,缺乏足够的自爱和自尊。因为这种内心的脆弱和较低的自尊使你很难与他人建立亲密的关系,而要与他人建立亲密的关系,必须有不怕被排斥和受伤害的勇气。

过分的独立常常会逃避亲密,因为他们害怕情感的亲密有朝一日会被冷酷的分离所取代。克服这种由过分独立而引起的疏远的办法,与对待过分依赖的办法完全一样:培养你强大的、充满活力的自我感,因为这种自我感是建立在自爱和自尊的基础之上的。

7

对夫妻关系的追求

◆现代的夫妻关系变得极为脆弱,然而,人们仍
在继续寻求爱情,缔结婚姻关系,在这方面无 数取
得成功的实例激励着人们去追求天长地久 的生活。

当代的夫妻关系很脆弱,它的发展变化速度令人惊异。几个
世纪以来,"夫妻"是一种基本的社会结构,人们在有限的伙伴中
(常常只有一个),经过求婚的仪式,直接迈进结婚的殿堂,人们期
望结婚是终身的承诺。浪漫的爱情虽然是人们所向往的,但是,人
们并不把它看作是婚姻惟一的——甚至是最重要的——组成部
分,婚姻常常是父母之命,媒妁之言。比爱情更为重要的是作为社
会稳定基础的婚姻义务:养育子女、传递价值观、赡养父母,以及琐
碎的吃喝拉撒等日常生活事务。

今天,人们希望夫妻之间的关系不仅能满足所有的这些社会
功能,而且也能满足配偶所有的情感和性的需求。过去,家庭和大

家族、和社区的关系非常密切，人与人在情感上互相慰藉，生活上互相帮助。今天，夫妻们常常独自驾着一叶小舟在生活的海洋中行驶，社会由无数的核心家庭组成。夫妻双方往往都有职业，这种双职工家庭导致在孩子的抚育方面出现了前所未有的复杂性。基因技术这一勇敢的新世界意味着社会不需要"夫妻"，也能怀孕生孩子了。

在来自各个方面的影响下——过高的期望、日益严重的隔绝以及对个人幸福的过度追求——现代的夫妻关系变得极为脆弱，很容易破裂，就像当初它们极易形成一样，由于现代社会快节奏的生活和流动性更增加了夫妻关系的不稳定性。然而，人们仍在继续寻求爱情，缔结婚姻关系，生儿育女，渴望在夫妻关系中能发现源于乐观主义和个人承诺的长期亲密和意义。他们的动机可钦可敬，他们的希望和梦想可以理解，在这方面无数取得成功的实例激励着人们去追求天长地久的生活。目前，在社会上出现了这样一种新的发展趋势：尽管强大的社会变化潮流常常超出我们的控制和理解，但是，人们渴望稳定的婚姻，期盼夫妻能和睦相处，携手共度人生。在许多方面，在80年代流行的只顾自己的"我"逐渐被90年代的"我们"所取代。不过，我们还得运用我们的批判的思考能力使人们的美好愿望变成现实。

◆训练题：

反省你的婚姻关系史

在你的"思考笔记本"上，通过回答下列问题思考你个人的婚姻关系史：

△请叙述你的夫妻关系,找出夫妻关系中积极的和消极的品质。如果你的婚姻关系一直很好,请对使其成功的积极品质进行分析。如果你的婚姻关系已经结束,对导致关系破裂的因素进行分析。

△运用你想象的力量,为你自己想象一个理想婚姻关系的详细图景。它具有怎样的品质?它满足哪些需要?你的配偶属于哪种类型的人?婚姻关系会使你自己的品质发生哪些变化?

△把你理想的婚姻关系与你实际的婚姻关系进行对比,在哪些方面你真实的婚姻与理想的婚姻相一致?在哪些方面,还存在不足?你认为你理想的婚姻关系能达到吗?为什么能,为什么不能?

成功度过恋爱婚姻的周期风浪

请回顾一下你刚开始恋爱的日子,它或许是一段令人惊奇、兴奋、充满期望和发现的美好时光。你精力充沛,生命的每个方面都焕发着光芒。你感到自己聪明、机智、有魅力、性感——这些品质你是通过你所爱恋的人的眼睛看到的。你可能觉得你俩前世有缘,两个复杂的拼图完整地拼在了一起。最后,他(她)欣赏你的独特性,你发自内心的信任他(她),对他(她)有一种本能的依恋。你发现他(她)就是你要寻找的终身伴侣,你朝思暮想的另一半。你们在一起如火一般热烈,如花一样芬芳。

时光如水。随着时间的流逝,你感到激情慢慢在消退,芬芳渐渐在消失。你开始在你的配偶身上发现一些令人失望但凡人皆有的特性,更糟的是,你以前很完美的配偶也开始在你的身上发现了一些瑕疵,并加以批评指责。于是,令人乏味的生活到来了。惊喜和发现逐渐让位于单调和无聊,话不投机互不相让,最终双方撕破脸皮,大吵大闹,互相谩骂、攻击。你问自己:"我眼瞎了?我怎么会看上这么一个人作为终身伴侣呢?相信这么一个人,我是多么的傻呀!"

你的婚姻关系发展到这一步可能会结束,于是,你又开始寻找另一个完美的配偶,认为尽管你受到了伤害,但你是明智的,你会避免再犯同样的错误。或者,你可能认为你的婚姻关系还有潜力可挖,想尽力加以挽救。你和你的配偶重新开始,共同努力,经历了痛苦和失望,调整各自的期望,丢掉幻想,立足现实。虽然最初你婚姻关系中闪光的美已经变得暗淡,但是,你开始在对方身上发现了你以前没有发现的深刻、才能和睿智。你和你的配偶共同找到了解决分歧的方法,从而避免了矛盾的升级和关系的破裂。你认识到应该用移情的方法对待你配偶的观点,只要双方平心静气,互相尊重,就没有解决不了的问题。痛苦的经验告诉你,双方携手才能创造天长地久的未来。经过努力,你又恢复了刚开始谈恋爱的那种乐观情绪和激情,不过,这是在更高层次上的一种恢复。

治疗专家巴里·蒂姆和迈克尔 L.格勒恩在合著的《夫妻:对亲密关系周期的探索和了解》一书中,发现了能适用于所有持久婚姻关系的周期阶段。他们主张通过了解这些阶段的发展和演变,你就能学会如何使自己的婚姻关系保持活力,天长地久。对大多数婚姻关系来说,这些阶段都是共同的:彼此吸引、疏远,然后又走到一起,这三个阶段会多次循环发生。但是,每个发展周期既与以前的周期相似,又有很大的不同,每对夫妻度过各个周期的方式不同,因而都具有各自的"特点"。如果每对夫妻都能认识到婚姻关系中冲突以及和解的周期,并能适应这些周期,那么,他们就能具备化干戈为玉帛的能力,使夫妻关系更加亲密,生活更加幸福。最后,他们可能会达到这样一种境界:双方心心相印,生死相依。

能克服困难的人是批判思考的人,是能认真和勇敢地对待他们婚姻关系的人。从古至今,婚姻关系美满幸福一直是人类梦寐以求的理想,因为它是人们勇气和承诺的象征,代表着两个人在面对差异、干扰、灾难、怀疑的情况下,信守承诺的决心。在现实生活中,由于双方的性格不合,或缺乏维持婚姻关系的愿望和能力,致使多数婚姻关系从未达到心心相印这个阶段。要想使婚姻关系长久和亲密,夫妻双方就要学会成功地度过婚姻的周期阶段,使自己的关系经得起考验,走向更加完美的境界。

以上叙述的"思考者建立健康的人际关系的方法"为你提供了一个有益的框架,它对你处理各种人际关系都有积极的指导作用,但是,与夫妻关系相关的还有以下几条原则。

了解你的婚姻关系的形成背景

知识就是力量。通过对各种影响你的婚姻关系因素的了解,你就能对有关的问题有清楚的认识,并施加有意义的影响。例如,谁也不会把浪漫的恋爱关系看成是铁板一块,亲密的婚姻关系不会存在于真空之中。因此,你有必要在巴里·蒂姆和迈克尔 L.格勒恩称之为"文化叙事"和"个人叙事"的相互关系中来看待你的婚姻关系。"文化叙事"是大量的社会作品,它清楚地阐述了社会对人们应该如何互相联系,应该如何形成和维系浪漫关系的看法和观点,属于"常规的知识",在电影、电视、小说和流行的心理学以及故事和要人的个人经历中,都可以看到"文化叙事"的内容。

无论如何,"文化叙事"在婚姻关系中以第三者的身份出现,对婚姻关系起着扶助和批评、消除疑虑、提出疑问的作用。如果某对夫妇与传统的角色和模式相一致,那么,他们的关系就完全与文化框架契合。但是,如果某对夫妇偏离了传统的模式,那么,他人就会说三道四,什么靠老婆养活的"家庭妇男"啦、同性恋夫妇还要孩子啦、不要孩子还是一个家吗? 等等。为了对婚姻关系有深刻的认识,夫妇双方必须了解"文化叙事"的主题如何与他们的婚姻关系交织在一起,以及这些主题对他们关系产生的影响。

除了"文化叙事"以外,夫妇还要进一步由双方都带进婚姻关系中"个人叙事"予以确定。你的"个人叙事"是"由你讲述的你生活的经历",而他人的经历则与你有很大的不同。但是,依你来看,你的经历别具一格,很丰富多彩,因为你的经历把许多年积累的经验和你的自我观融会在一起,构成了生动的叙事,其中很重要的部分就包括你与他人的亲密关系。当你与未来的配偶接触时,你自己会有许多设想、期望和抱负,即你的认识"透镜",通过这个"透镜",你对未来的他或她进行评价,培育双方的恋爱关系。当然,对方也在做着与你同样的工作。正如我们在步骤 1:"思考能力训练"中所探讨的,关键的问题是人们一般意识不到形成各自认识的"透镜",因此,他们错误地认为他们看到的"现实"是客观的、真实的。这,种无意识的想法限制了对真相的了解,不可避免地导致与他人的"现实"相冲突。你对你的配偶有自己的评价,而你的配偶对自己则有与你完全不同的看法。只有夫妇双方对各自带到婚姻关系中的"个人叙事"都有明确的认识,并创造能反映他们共同"现实"的"夫妇叙事",这些潜在的混乱才能得到解决。

了解你婚姻关系的动力

　　理性给我们以力量,使我们能了解和认识人际关系中起作用的动力过程,并使我们自己能适应这些过程。有一首歌唱道:"你不能匆忙去爱",这是许多生活过程,包括每对夫妇所遇到的发展阶段的真实写照。这些阶段超出了我们的控制,就象激流一样,把我们卷起来,推着我们向前走。但是,如果我们能做到清楚的思考,那么,我们就可以通过做许多事来促进这个过程。例如,对婚姻的发展阶段以及它们的周期运动有一个清楚的认识,将给你提供一个认识框架,有助于你了解你经历了哪些阶段以及你为什么会经历这些阶段。虽然你很欣赏在恋爱初期那激情四溢和乐观向上的时光,但同时你也能意识到,你正经历的是婚姻关系中互相迷恋的阶段,而这个时期的浪漫和激情要经受后来发展阶段的严峻考验。但是,凡事预则立,由于你对婚姻关系的不同阶段有了清楚的了解,所以无论你是处于婚姻关系的顺境或逆境,你都不会恐慌。你知道你正遵循一般婚姻关系发展的道路向前走,它必然要受某些因素的影响,对此,你能意识到,并能与你的配偶一起去探求。同样,当你的婚姻关系陷入冲突和不满的泥潭时,你确信双方不必非得走离婚的道路,如果你们俩共同努力,及时调整,你们的关系就会更牢固、更亲密。

　　◆**训练题:**

了解你的婚姻关系

与你的配偶一起回答并讨论下列问题。

△运用"婚姻关系发展阶段"的思想,叙述 你们目前所走过的婚姻关系之路。你们都经历了 哪些阶段? 你认为目前你们的婚姻关系处于哪个 阶段? 在分析的基础上,你和你的配偶应该朝哪 个方向前进才能促进你们婚姻关系的活力?

△对作为你婚姻关系形成背景的"文化叙 事"和"个人叙事"进行阐述,分析这些强有力 的叙事对你们相互关系的影响。

创造和开掘幸福之源

在每一种人际关系以及你的生活中,创造性都是一种积极的力量。但是,在保持你婚姻关系的活力和新鲜感方面,创造性显得尤其重要。一般来说,当夫妻间避免消极判断,注重求新,生性合好而不交恶,那么婚姻关系就会朝着好的方向发展。爱、慈善、关心、慷慨、幽默、轻松——这些品质的蕴藏非常丰富,只要我们愿意去开采,就能得到它们,因而对于这些品质的开掘千万不要惜力。当然,我们一方愿意还不够,我们的配偶也应该与我们共同去挖掘这些积极品质的宝藏。

在婚姻关系中避免指责你的配偶

亲密的夫妻关系是在情感忠实和精神慷慨的基础上发展起来的,但是,只有当你尊重你配偶的自由意志,并为自己的思想、行为和情感完全地承担责任时,亲密的夫妻关系才能建立起来。在现实生活中,很少发现两个情感上成熟的人为他们自己的幸福承担主要的责任,更常见的是夫妇互相指责对方不能给自己带来幸福。在这方面,常听到人们这样说:"如果不是你,我肯定能获得幸福",或"我所以不幸福,就是因为你⋯⋯"。与此同时,我们常常(有意或无意)不择手段,试图操纵、控制或影响他们的思想,而不是尊重他们的意志自由和选择,从而损害了我们配偶的真正自由。

虽然某人对你说:"你使我如此地快乐",可能会提高你的自我感,但是,这是一句危险的表白,因为它很容易变成"你使我如此的不幸"。对夫妇双方来说,重要的是为他们自己而不是为他人承担责任,就象双方必须承认他们自己的自由和尊重他人的自由一样。

◆**训练题:**

丰富你的婚姻关系

强调"积极"的品质,消除"消极"的品质,会使你的婚姻关系更加丰富,充满活力。

△对你配偶积极的言行给予鼓励,作出善意的反应。如果存在着消极的品质,也不放过,并努力把

它们转变为积极的品质。

　△找出你婚姻关系中常有的"指责"陈述,对其进行分析(如果可能,与你的配偶一起进行)。这些陈述来自哪里? 它们反映了什么需要? 在什么程度上,让被指责的人负责是正当的?

　△通过建立关心、宽容、信任的婚姻关系,努力培植"理想的爱情"。在这样的婚姻关系中,双方既坚强又充满爱。

8

培养爱思考的孩子

◆如果我们想培养孩子具备优秀的品质和能力，就必须做到四个鼓励。

我们有远见和意志力来鼓励孩子们成为有思想、独立、有创造性、有道德的人吗？对许多成人来说，答案不是很明确。如果我们的确想培养孩子的这些美好品质，那么，我们必须做到：

△鼓励孩子独立思考，甚至当他们与我们有不一致的看法时，我们也要尊重他们的意见；

△鼓励孩子对接受的知识提出疑问，作出评价，甚至当我们是他们知识的传播者时，我们也要鼓励他们提出质疑；

△鼓励孩子的创造性，即使孩子的言行与公认的规则、模式或常识相反，我们也要鼓励他们独立思考；

△鼓励孩子树立有根据的道德信仰，了解其精神实质，即使他们的观点与我们的看法有出入或相冲突，我们也要尊重他们的选

择。

换言之,如果我们真的想让孩子们成为有思想、独立、有创造性、有道德的人,那么,我们必须尊重他们的人格,相信他们有能力认真思考,诚实为人。有的家长喜欢干涉孩子的事情,认为这样做是"为了他们好",其实,这是我们成人对孩子的人格不尊重的表现,我们必须放弃这种做法。此外,我们不能以高孩子一等的态度对待他们,认为我们"凡事都比他们知道得多",遇事喜欢指手划脚。当然,这样做并不意味着我们不应该尽一切努力去帮助孩子增长智慧,树立正确的价值观,而是意味着我们承认人们能做的惟一有意义的思考是他们自己独立地思考,人们能做的惟一有意义的选择是他们经过认真分析之后自己所作的独立选择。

9

如何与孩子一起思考

◆请遵循九条基本的指导原则。

"为什么上帝创造生命?""宇宙的尽头是什么?""进入天堂之后会发生什么?""人们死了以后仍然有爱吗?""假定动物与人一样能思考,世界将会是什么样子?""假定制成标本的动物有感情,你会如何对待它们?"这些问题以及其他无数与此类似的问题,是我的孩子杰西和约书亚在很小的时候曾经向我提出的,随着年龄的增长,智力的发展和知识的增加,他们一直没有停止问我具有挑战性的问题。他们的问题与其说独特,不如说一般,因为对大多数孩子来说,哲学的思考就像是玩游戏或唱歌一样,是一种非常自然的活动。那么,作为父母,为了培养他们的思考能力,扩展他们的思维,你应该怎样回答孩子提出的问题呢? 以下将告诉你九条基本的指导原则:

认真地对待孩子提出的问题和看法:这或许是你应该做的最

重要的事情。认真地对待孩子提出的问题和看法,就意味着你给予了他们尊重,证实了他们思考的价值,创造了一种互相信任的关系,在这样的关系中,他们的思想能张开翅膀自由飞翔,不必担心受到指责,也不必担心被人耻笑。同样,他们的思考也应该受到认真地对待,虽然你一开始可能没有意识到这一点,但是,当你与孩子一起探讨问题时,你常常发现孩子对问题的思考有时非常独特,很善于推理。一次,我与杰西讨论制成标本的动物如果有感情会如何的问题时,她最后说:"你或许对标本动物的看法与我不一样,我真的认为它们是真实的,它们有感情。我真遗憾不能与所有的动物一起玩。我希望我有 550 只胳膊,这样我就能同时把它们抱住。"杰西 6 岁时,当我们讨论这个问题时,杰西似乎"明白"了标本动物确实不是"真的"。但是,她也知道它们是有感情的,这对她来说特别重要。如果我一开始对杰西的看法不屑一顾,居高I艋下地对她说:"标本动物就不是真的!"那么,我们就不可能继续探讨问题。

要提问题而不要给答案:虽然孩子们是以提问题的方式表达他们的思想,但他们是想以此为契机,运用大脑进行思考,参与热烈的讨论。许多成人(不幸的是还有许多老师)认为他们应该对孩子提出的任何一个问题都能提供现成的答案,这实在是一个错误的幻觉:许多最深奥的问题不可能有简单的或结论性的答案。H. L.迈肯说:"对每一个复杂的问题,都试图有简单的答案——这是错误的!"甚至更有害的是,在孩子面前,成人试图把自己装扮成无所不知的圣人,以为这样一来孩子就会对他(或她)佩服得五体投地。孰不知,这样做反而使孩子感到别扭,弄不好还会给孩子留下一副伪君子的嘴脸。更糟糕的是,如果你不懂装懂,自认为给孩子提供了"正确的答案",那么,这不仅使讨论无法继续进行,而且阻碍了孩,子对未知领域的探索。与此相反,如果你面对孩子的提问坦率地说:"我不知道答案",那么,你不仅不会丢面子,而且还会赢得孩子对你的尊重。有一天,我正驾车,杰西提出了"为什么上帝会创造生命"的问题,令我大吃一惊。我问她:"为什么你认为上帝会创造生命呢?"她稍加思索,回答说:"这样他会觉得自己有用,否则,他有什么用呢?"好一个杰西!

进入孩子的世界而不是把自己的意志强加给他们:如前所述,成人往往把孩子看成是"不完善的成人",这完全是错误的。孩子有他们自己认识现实的方式,受他们自己的价值观和内在逻辑的指导。虽然他们对现实世界的认识远不如成人深入,但他们有比成人更丰富的想象力和创造性,这多少可以弥补他们对世界认识的缺乏。因此,如果你不努力远离自己的世界,进入他们的世界,那么,你永远不能对他们有更多的了解。这也正是伟大的文学作品要求我们的,终止我们的怀疑,进入一个由它自己的规则和逻辑统治的不同世界。进入一个与你自己的世界完全不同的世界,有助于培养你思考的灵活性,诞生新思想和新观点,并以真实的情感对待他人。约书亚6岁的时候问气象气球的工作原理是怎样的,我简单做了回答,然后问他:"你怎么看这个问题呢?"他回答说:"我想只有一个很大的气象气球,上帝无所不在,他悄悄地把天气情况告诉气球,然后,把它轻轻地放到大地上。"虽然这个回答缺乏科学性,但它却充满了想象力和诗意般的美感。

鼓励换位思考:正如我们在前边探讨的,努力从不同的观点看问题是批判思考的核心能力。孩子们虽然还小,但他们在家长的指导下,完全可以开始培养这种思考能力。通过吸取他人的观点,你就能逐渐做到移情,从而扩大视野,深化认识。这样做也有助于孩子们克服他们天生具有的自我中心主义,并净化你的心灵。一天晚上,约书亚闹着不好好睡觉,一会儿说:"如果我睡得晚,我们在一起的时间会更多";一会儿又说:"让我们去看看今天晚上的星星是什么样的"。最后,我生气地说:"好吧,你当爸爸,我当儿子,你让我去睡觉。"我们互换了角色大约10分钟,一开始,约书亚还精力充沛,兴高采烈,但过了一会儿,他就对他的新角色失去了热情。最后,他说:"当爸爸太难了,还是让我们回到原来的样子吧。"他没有再折腾就去睡觉了。几个月之后,他向我保证:"有一件工作你永远不能失去,这就是做我的爸爸。"

最近,我又遇到了一件事,给我上了一堂生动的换位思考课。一天,我与约书亚一起沿着哈德逊河的一条小路滑旱冰,我与一位从对面方向滑旱冰的男子撞在了一起。"这个白痴——他应该留心点,"我生气地抱怨说。约书亚(现在12岁)说:"爸爸,你也有错。"我对他的多嘴很不高兴。他看着我说:"假定你是批判的思考者,把你自己放在他的位置上,从他的观点来看问题。"

不要害怕处理难题:有时候成人不愿意自己的孩子经历生活的磨难,因而想方设法避免与孩子谈论某些沉重的话题,但这样的初衷常常是错误的。孩子有时候也能思考一些严肃的问题,对人的感情的细微差别很敏感。例如,死亡对我们所有的人来说,都是最痛苦的,所以人们或用委婉语("爷爷去到很远的一个地方了")代替死亡,或干脆就不谈这个话题,这些做法反映了人们对死亡的恐惧。约书亚4岁时说:"爸爸,你长大变老,然后你就会死去,我不想死。"在这种情况下,如果我还对死亡的问题遮遮掩掩,未免就显得太虚伪了,约书亚在思考中已经敢于面,对死亡的话题了,我认为我能做的就是承认他对死亡的恐惧,并使他确信这样的情感是很普遍的。

孩子喜欢认真地讨论问题。杰西4岁时她的外祖父去世了,她问:"人们死后还有爱吗?"她想知道人们在活着的时候建立的联系是否会在死后以某种形式继续存在着。因为我相信在人死后精神还会继续存在,所以我告诉她爱不会因为人死去而消失,但这是一个非常严肃和复杂的问题。我的父亲去年去世,在他去世的那天晚上,已是11岁的约书亚在就寝时间的祈祷中说:"主啊!谢谢你带走了我的爷爷,他如此安详,没有痛苦。请欢迎他进入永久幸福的天堂,把他照顾好,因为他是一个伟大的人。"在葬礼的仪式上,17岁的杰西在她的悼文中说了这样一段话:"我永远不会忘记你,不会忘记我们在一起散步的时光,某一天我们还会沿着那条路再去散步,你是我能想象的最好的爷爷,我爱你。"

孩子需要我们帮助他们去面对和处理生活给他们提出的许多困难的挑战,我们应该用多年积累的经验和认识帮助他们尽快地成长。他们需要的不是我们撑起一把大伞,为他们遮风避雨,而需要我们给他们爱和支持,使他们有勇气自己去发现生活的奥秘。

培养道德理解力:对孩子来讲,摆在他们面前的主要难题实际上是道德问题:他们应该有怎样的举止,他们应该如何对待他人。在这个问题上,成人对孩子们思考复杂道德问题的能力估计不足。"坏人为什么是坏的?"杰西在很小的时候,就向我提出了这个尖锐的问题,实际上是触及到了恶这个千古之谜。人们是生来就恶呢?还是在后天的社会环境中通过教育和熏陶才变恶的? 恶人是自己选择为恶的吗? 一次,我和约书亚一起看了电影《珍宝岛》,看完后,我们围绕着影片中的人物朗·约翰·西尔沃是好人还是坏人有过几次讨论,西尔沃在道德方面具有不确定性,一方面,他是一个死不改悔的杀人犯和小偷,但另一方面,他又表现出对吉姆·霍金斯真挚的爱,并保护他免遭伤害。他是一个"善"人还是一个"恶"人?通过分析我们认为善和恶范畴的界限有时候并不明确,我们每个人既能为善也能为恶。

精神病医生、作家罗伯特·卡勒斯在他所著的《孩子的道德理解力》一书中,对道德的本质以及道德在人们身上如何发展——或得不到发展——等问题进行了深刻的分析。

> 善意的孩子,他们关心他人,愿意象他人那样去看世界,通过他人的眼睛去体验世界,在此知识的基础上友善地为人处事——能这样做的孩子表明他们已经确立了正确的道德感。

这些孩子是如何确立了这种道德感的呢?答案就是:对他们周围的人进行观察,并积极思考。

作为成人,我们对孩子的责任是双重的。首先,我们需要认识到我们的行动是孩子的道德榜样,我们的品行通过我们所作的每一个选择以及每一个行动体现出来。孩子很敏感,有时候能一眼识破道德上口是心非的伪君子。因此,对我们来说,当务之急就是给孩子树立道德榜样,同时,也要让他们知道虽然金无足赤,人无完人,但我们要努力做到最好,善于从错误中学习,努力使自己达到更高的道德境界。其次,我们要帮助孩子培养他们的思考能力,在遇到道德二难处境时,鼓励他们依靠自己的思考能。力进行推理。在步骤7:"把握生命的大局"中所探讨的原则和结论对孩子也同样适用,我们应该帮助他们认真学习现有的道德知识,从中受益。

　　树立责任意识:20多年的教学经历使我认识到,年轻人事业发展成功的关键是"个人的责任"和"尊重"(对自己和他人)这两个支撑因素。为自己承担责任意味着你承认你有自由选择的能力,你之所以为你就是因为你的自由选择。正如在步骤3:"获取自由生活的能力"中所论述的,我们的文化中有许多影响力试图限制和腐蚀我们个人的自由感,年轻人特别容易被这些思想的控制和操纵所左右。当人们——年轻人或老人——逐渐意识到他们的自由是虚幻的或严重受限制时,他们就会感到软弱和抑郁。因此,作为成人,我们有责任帮助年轻人了解个人的责任是真实的,但是,他们必须抓住它。他们的命运掌握在他们自己的手里,但是他们必须自己作出这样的选择,不要让他人支配自己的命运。

　　善于解决问题:许多年轻人不善于解决问题,因为他们既不了解他们所面临问题的性质,也不相信他们有解决问题的能力。因此,对许多年轻人来说,步骤4:"破解生活难题的能力"这一章还是很值得一读的。解决问题的第一步是要承认并接受自己遇到的问题,关键在于要承认个人的自由,并承担个人的责任。在此基础上,他们需要系统掌握有效解决问题的方法,并把这些方法运用到实践中去。正像我多次看到的,当人们确实体验到了这些方法的效果时,解决问题的自信心就会大大增强。但是,成人需要教育年轻人解决问题时要认真、有条理,这意味着成人自己需要做有效的问题解决者。在这里,榜样的力量依然是巨大的,我们对待问题的态度和方式会对年轻人产生很大的影响,我们要像老师一样,耐心地教育他们。少儿也能完全了解解决问题方法的基础,以及他们自己运用这些方法所具有的责任。

鼓励孩子相信自己,发挥最大的潜能:在一个著名的研究项目中,老师们被派到了两个班,并被告诉一个班的学生很"聪明",而另一个班的学生智力"一般"。实际上,这两个班的学生在智力上没有任何差别。结果,在一个学期学习的过程中,老师对待两个班学生的方法不一样,学生们也表现出了极大的差异。教"聪明"班的老师,以对待聪明学生的方式进行教学,结果,学生们的自信心很强,表现极为突出。相比较之下,同样的老师以对待"一般"学生的方式进行教学,结果,学生们也认为他们智力平平,表现远比不上"聪明"班的学生。

在成人与孩子的关系上也可以发现与此相同的现象,其结果甚至更加明显。当家长以对待聪明孩子的方式对待自己的孩子时,孩子肯定会形成健康的自我意识,有很强的自信心。但是,如果家长总认为自己的孩子没出息,不如别人,动辄批评、指责、打骂,那么,孩子的自信心肯定会受挫,并认为自己确实不如他人。

这就是成人对孩子产生的巨大影响,不幸的是,我们许多作家长的对此并没有真正认识到,结果,他们仍在无意识地用错误的方式对待孩子。成人总认为严厉甚至粗暴地对待孩子是"为孩子自己好",对孩子取得的成绩不是表扬鼓励而是吹毛求疵,认为这样做会使自己的孩子"出类拔萃"。成人认为孩子是他们自己的,因而动不动就把自己在工作中的不满情绪向孩子发泄,把孩子当出气筒,或者对孩子及孩子取得的成就视而不见。人们这样对待孩子其结果是十分有害的,其影响也是持久的。一个人如果在童年受到伤害,往往要经过几年的努力才能确立起安全的自我感和积极的自尊。

　　但是，如果你能用另一种方式对待孩子，那么，情况就会大不一样。当你相信孩子，给他们以信任和支持，鼓励他们克服困难，对他们的点滴进步给予表扬时，孩子们就会用百倍的努力和成就来回报你。给孩子提供相信自己，认识自己潜能的机会，尽我们所能避免伤害他们，这是我们做家长义不容辞的道德责任。如果我们从身心上虐待孩子，孩子的心理就会留下终身难以愈合的伤疤。在此，还是让我们铭记这样一句格言：鼓励之手能把人举到属于他的巅峰。

10

人际交往能力测验

下面所描述的内容是与建立良好的人际关系相联系的主要能力和个人品质,请对你在每一项能力和品质中所处的地位进行评价,并运用下面的自我评价来指导你与他人建立良好的关系。

你把人际关系放在优先地位吗?

我努力与他人建立良好的关系。并不多加考虑。

我对建立良好的人际关系

$$5 \qquad 4 \qquad 3 \qquad 2 \qquad 1 \qquad 0$$

建立健康的和有效的人际关系需要我们对人际关系的有关理论,以及改善人际关系的方略有深入的了解和认识。

方略:在你的"思考笔记本"上,罗列出你生活中具有的各种人际关系。根据本章叙述的战略,对每一种人际关系都制定出切实可行的"行动计划",然后在你与人交往的过程中,按照你的计划去做。

你培养了强有力和完整的自我吗？

我是一个有安全感和完整的人，有健康的自爱和自尊感。

我常常没有安全感，也没有很强的自尊感。

```
 ←——5———— 4———— 3———— 2———— 1———— 0
```

为了与他人建立积极的和健康的关系，首先你必须与自己有一个积极的、健康的关系。如果你对自己没有爱和信任，那么，你就很难给他人以爱和信任...

方略：回顾"我是谁？"这一节，并把它作为培养你强有力和完整的"自我"的基础。

你对你与他人的关系进行批判的思考吗？

我为我与他人的关系确立了明确的目标，并力争透过现象看本质。

我对我与他人的关系没有明确的目标和认识，而是任其自由发展。

```
 ←——5———— 4———— 3———— 2———— 1———— 0
```

在现实生活中，许多人际关系由于交往双方的期望值过高而得不到健康的发展，有的则因为缺乏明确的方向而误入歧途。你只有确立明确的目标，对你与他人的关系有深刻的了解和认识，才能使你与他人的关系得到健康的发展，既互相联系而又保持各自的独立性。如同要把花园照看好就要为其提供最适宜的生长条件一样,你与他人关系的健康发展也需要构筑一个指导性的认识框架。

方略:要为你生活中每一种重要的人际关系确立目标,并把这些目标都写在你的"思考笔记本"上。然后对每一种人际关系是否与你确立的目标相一致进行评价,如果不一致,你准备采取什么措施来改进它们。

你能与他人清楚地沟通吗?

在与他人的交往过程中,我能做到与他人清楚地、诚实地沟通。

由于在与他人的交往中不能做到清楚的沟通,我常常无法与他人建立良好的关系。

```
   5      4      3      2      1      0
```

与他人清楚地、诚实地沟通是建立良好人际关系的生命线,它不仅有助于双方表达思想和情感,而且也能使每一方都能认真地聆听对方。诚实有助于建立相互的信任,并能促进真正的关心和移情。

方略:通过运用步骤5:"沟通合作能力训练"中所叙述的成功的沟通因素,对你与他人关系中的沟通情况进行检查。

你在与他人的关系中做到换位思考吗?

我努力站在他人的立场看问题。

我不能做到站在他人的立场看问题。

5　　　4　　　3　　　2　　　1　　　0

良好的人际关系是建立在换位思考,即站在对方的立场上看问题的基础之上,这是一种真正的移情能力,其中凝聚着在任何一种人际关系中都十分重要的爱、同情和理解等情感因素。站在他人的立场想问题有助于你在与他人交往时消除误解,使自己的反应更加灵敏。

方略:对你如何看待你与他人的关系进行描述:你对对方和你自己有哪些期望?你与对方的关系哪些方面令人满意,哪些方面还有欠缺?哪些情况能够改变,哪些则必须接受?然后,把你自己想象成对方,并回答这些相同的问题。最后,邀请对方也来完成这些相同的活动。把你们的描述进行交换,并对它们进行讨论。

你在与他人的关系中通过理性建立信任吗?

我能理智地对待与他人的关系,并使自己的行动有合理的根据。

别人常说我缺乏理性,往往不加思考就鲁莽行事。

5　　　4　　　3　　　2　　　1　　　0

理性是使各种人际关系成为可能的框架,你之所以对别人充满信任(别人对你充满信任),就是因为你相信他们的选择是受理性指导的,或至少受理性的影响,你对他人的信任靠的就是这个信念。

方略:通过培养自己说:"我这样做——或想这样做,是因为……"的习惯,为你与他人关系中的所作所为寻找根据和理由。与此同时,你也应该在与他人的交往中,让对方讲清楚为什么这样做或那样做的根据和理由。这是有责任心和开诚布公的表现,对你与他人建立良好的关系会起到积极的促进作用。

你在与他人的关系中培养
创新的和积极的态度吗?

我努力在与他人的关系中表现出创造性和积极的态度。

我由于缺乏创造性常常导致不能与他人建立良好的关系。

```
5        4        3        2        1        0
```

维护良好的人际关系的秘诀在于,始终保持你与他人建立关系初期时的那种热情、创造性和活力。如果你在生活的每个方面都能表现出创造性,那么,你与他人的关系就会永远充满活力。

方略:无论对待与任何人的关系,你都要努力积极的思考,创造性的行动,把自己最好的一面呈现给对方——要求对方也要这样去做。有时候,为了化解矛盾,不使事态扩大,你可能得忍受一些委屈。不过,用友善、尊重的态度对待他人最终会使对方或你的配偶也作出相同的反应。

你在与他人的关系中重视自由和责任吗?

在生活中,我努力承担自己应负的责任,并尊重对方的意志自由。

我发现自己在事情变糟时,总爱责备对方,并试图控制别人服从于我。

5　　　4　　　3　　　2　　　1　　　0

健康的人际关系应该是这样的:其中每一方都愿意为自己的行为承担责任,并重视他人的自由。只有双方都勇于承担责任,并放弃对他人的控制和操纵,彼此之间才能建立信任和尊重的关系。

方略:在你与他人的交往过程中,当事情变糟时,不要一味谴责对方,逃避自己应负的责任。只有勇于承担责任,才能消除对方的戒备心理,并鼓励对方也承担自己应负的责任。在人际关系中,享有你选择的真正自由,尊重他人基于大量信息基础上进行独立选择的权利。

你善于解决与他人关系中出现的问题吗?

我能有条不紊地解决我与他人关系中出现的问题。我对我与他人关系中出现的问题不能做到清楚地思考。

5　　　4　　　3　　　2　　　1　　　0

许多人在与他人交往中遇到困难时,不善于思考,喜欢感情用事。但感情一旦脱离理性的指导就如脱缰的野马难以驾驭,因此,做到理智地对待问题是维持健康的人际关系的基本条件。

方略:在你与他人亲密的关系中,找出几个较易处理的问题,与他人一起合作,运用步骤4中论述的解决问题的方法,以取得满意的结果。随着你解决问题自信心的增强,以及有关知识的增加,你应该努力去解决更复杂、更具挑战性的问题。

你善于在与他人的关系中达到
独立和依赖的平衡吗？

在与他人多数的交往过程中,我在独立和依赖之间能保持平衡。

我常常发现自己在与他人交往的过程中,不是太独立就是太依赖。

$$5 \qquad 4 \qquad 3 \qquad 2 \qquad 1 \qquad 0$$

一般来说,在独立和依赖之间能做到平衡是明智的表现,也是一种建立在强有力和稳定的自我基础之上的和谐。当你在与他人的关系中感到过分地依赖时,这是你的自我感软弱和不完整的征兆。过分地独立也来自于人们内心的脆弱和较低的自尊,这种情感障碍使你很难与他人建立亲密和友好的关系。通向成功的人际关系之路的方法是:在自尊的基础上,建立强有力和充满活力的自我感。

方略:根据依赖和独立的关系,对你生活中主要的人际关系进行评价。如果你发现有过分的依赖或独立的现象,那么,就要对本章前边提出的问题给予认真的思考。

11

得分指导

把你在上述每一项自我评价项目上给自己打的分加起来,并运用下面的得分指导对你与他人的关系和道德意识进行评价。

总　分	说　明
40—50	与他人的关系很好
30—39	与他人的关系较好
20—29	与他人的关系一般
10—19	与他人的关系紧张

在说明你的结果时,请记住:

你的分数表明目前你与他人的关系如何,而不表明你与他人发展健康关系的潜在能力如何。

如果你的得分比预期的要低,那就说明你需要按照本章的建议,全面地发展你与他人的交往能力,使你的潜能得到充分的发挥。

◆训练题：

培养健康的人际关系

　　无论你与他人的交往能力达到了怎样的程度，只要你确定了明确的目标，就能够使自己与他人建立健康和良好的关系。你的批判思考的能力能使你对生活中各种人际关系有透彻的了解，加之你为了与他人建立良好的关系所作的不懈努力，你一定能达到自己的目标。请记住：培养健康的人际关系非一日之功，它需要终身的付出和努力。通过培养本节所探讨的品质，使你在与他人的交往方面不断前进，在你的"思考笔记本"上记录下你的进步。

　　△把人际关系放在优先的地位。

　　△培养一个强有力和完整的自我。

　　△对你与他人的关系进行批判的思考。

　　△与他人清楚地沟通。

　　△在你与他人的关系中做到换位思考。

　　△在你与他人的关系中通过理性建立信任。

　　△在你与他人的关系中培养创造性和积极的态度。

　　△在你与他人的关系中重视自由和责任。

　　△解决你与他人关系中出现的问题。

　　△在与他人的关系中使依赖和独立达到平衡。

终　　篇

给你一套生活哲学

　　古希腊人说："哲学就是爱智慧。"生活智慧的结晶，就是生活哲学。

◆你的生活哲学正确与否,将在很大程度上 决定你个人能否幸福和成功,决定你生活 的质量如何。

木经审视的生活是不值过的生活。"我们在本书的 开头就引用了苏格拉底这句有争议和具有挑战性的话。现 在转了一圈,再回顾一下你在前8个步骤中的个人旅程。

如果你喜欢这本书,并能按照本书的建议去做,那就表明 你愿意过一种有意义的生活,成为一个智力发达和道德完 美的人。虽然你不可能把自己看作是一个哲学家,但是, 你想深入了解自己的生活,这种个人追求本身说明你是一 个称职的"爱智者"——古希腊对哲学的定义。这会把你 说成是象约翰－密尔所说的"不满意的苏格拉底"而不是 "满意的猪"吗? 当然不会:寻求生活深层次意义的人, 努力发挥他们潜能的人,与那些碌碌无为,饱食三日无所 用心而不思考或探求的人相比,具有更多的过"满意"生 活的机会。用哲学的态度对待生活所得到的满足,比不思考的生活得到的有限快乐是更丰富和有意义的人生体验。

本书为你提供了按苏格拉底的告诫行动,对你生活的每个重

要方面进行认真探索的机会,这就是《八项修炼》。如果你完成了本书的 8 个步骤,你将通过:

　　△强化批判的思考;

　　△发展创造力;

　　△增加自由;

　　△改善解决问题的能力;

　　△促进沟通;

　　△提高分析问题的能力;

　　△树立价值观;

　　△丰富人际关系等方法

开始把你自己转变成为一个较有见地的人。

本章的目的是帮助你把本书所有的内容串在一起,形成一个有机的整体,即理智的生活哲学。

在几千年人类思想史发展的过程中,哲学家、宗教领导人、政治思想家、心理学家、小说家、科学家等始终不懈地为构筑生活哲学而努力。他们中的许多人提出了很有见地的思想,你应该读读这些著述,这对你大有裨益。但在此基础上,你得构筑你自己的生活哲学。生吞活剥他人的思想,而不努力对这些思想进行加工和提炼,最终还是无法达到自己的生活目标。正确的做法应该是:通过大量的阅读、讨论、思考和批判的分析,认真地吸取有价值的思想材料,使其适应自己独特的需要和特定环境的需要,最终形成对自己有指导意义的生活哲学。

最后,你要为你自己选择的生活哲学负责。你的生活哲学正确与否,将在很大程度上决定你个人能否幸福和成功,决定你生活的质量如何。你是一个令他人钦佩的高尚的人吗? 你取得了显著的成就,具有健康的人际关系,从而使自己成为一个无论生前还是死后都令人怀念的人吗? 你的墓志铭将是什么? 这些问题很难回答,但是,如果你真的想过有目的和意义的生活,你必须要面对这些问题。

很久以来,你一直在努力思索你的生活哲学,尽管你可能没有意识到这一点。如果你一直在思考本书"思考活动"中的问题,并在你的"思考笔记本"上记录下了你的思想和见解,其实,你就是在表述你最重要的信仰,也就是在构筑你的生活哲学。不过,一种生活哲学绝不是信仰的任意堆砌,而是经过思考和审视后,有内在联系的信仰体系。从根本上说来,每种生活哲学都要回答这样两个"重大的问题":

△我是谁?

△我生活的意义是什么?

我　是　谁?

你是谁? 你是一个非凡的、独特的个体,一种有活力的生命力,能进行批判的思考,创造性的生活,自由的选择。当你的"自我"中这三个基本的构成因素共同合作,成为一个和谐的统一体时,你就达到了最理想的存在状态。

请思考一下你对生活的希望:过一种有目的、有意义的生活;你周围的人对你都很尊重、忠诚;经过努力取得成功;有安全感,有勇气和远见实现自己的理想。这些希望能否变成现实,完全在于你自己的努力。但是,你只有把自己的潜能发挥出来,最大限度地实现自我价值,你的这些希望才能变成现实。

"我是一个批判的思考者"

每天,你都要面临着作决定,如该走哪条路、进行怎样的选择等问题,这些选择活动慢慢就把你塑造成或是"天使"或是"魔鬼"。你的思考能力是了解你是"谁"的起点,正是这个不同寻常的能力赋予你的生存以意义。虽然从某种意义上说,每个人都在"思考",但是,并不是每个人都能进行清楚的、有见地的和正确的思考。《八项修炼》的第一个目标就是:当被问及:"你是谁?"时,你能够自信和准确地回答:"我是一个批判的思考者。"但是,你如何把自己塑造成一个批判的思考者呢? 你需要运用批判思考的认识工具,并不断把它们运用到你的日常生活中去。

批判的思考的工具

善于思考:做一个批判的思考者,要从思考的过程开始,努力对你思考的过程进行考察,明确你的"自我"感究竟达到了一个什么样的水平,并对生活提出的"重大"问题给予解答。批判的思考者能以思考的态度对待生活,自觉地对生活的意义进行探究和追问。他们要对道德问题("什么是道德上应该做的事?");精神问题("我怎样才能最好的发展我的精神本质?");人道主义问题("我如何才能最好地发挥我作为一个人的潜能?");生存问题("生活的意义是什么?")以及许多其它的问题进行思考。

为你的观点寻找支撑的理由:作为一个批判的思考者,你应该始终不移地用令人信服的理由和有说服力的根据来支撑你的结论。批判的思考者在分析问题或听他人谈论观点时,都习惯于问他们自己"为什么?"问"为什么?"能训练你的思维,使你能透过现象找到支撑观点的理由和根据,使你在鱼龙混杂的观点中能辨别真伪对错。一定不要对复杂的问题仓促下结论——如:"我认为波士顿的保姆看起来不像是一个能杀死婴儿的人"——如:在得出一个有见地的结论之前,要认真地考察事件双方的证据。

努力做到宽容:虽然提出支撑你自己观点的理由和根据是必要的,但是,站在他人的立场上去想问题,即使他人的观点与你最初的结论截然相反,也是同样重要的。站在他人的立场上看问题是一个批判思考的工具,它对于培养你思维的灵活性,以及对世界有全面的了解是很重要的。任何一种观点,无论其多么的正确,都不可能把时间万象复杂的人和事都阐释清楚。你需要不断的努力学会从、多种不同的角度看问题,尽量去理解那些有支撑根据的不同观点。

意识到你个人的"透镜":所有的人都是通过他们自己独特的"透镜"来看待世界的,每个人的透镜决定他们具有怎样的认识,如何加工和处理信息,以及如何决定行动。你独特的透镜反映了你的价值观、过去的经验、兴趣、偏见、倾向等一切决定你之为你的因素。为了批判的思考,你必须考察就问题与情势所发表的种种观点,由此来认识你的"透镜"(以及他人的透镜)。认识自己的透镜能使你意识到自己本来具有的偏见,并努力克服它们,同时,这样做也能鼓励他人认识自己的偏见,并努力加以纠正。

对信息的准确性和来源的可靠性进行检查:不要轻信你读到、听到或看到的一切事情,所有的信息都可能是有偏见的和不完整的,均由可信度不同的媒体提供。不轻信作为一个批判思考的工具,有助于你养成健康的怀疑习惯,在遇到信息时能运用正确的标准进行甄别。对诸如超市小报上登的"我生了外星人三胞胎"的无稽之谈,或向你保证"一瓶药就可壮阳"的广告,你肯定会提出疑问,不屑一顾,但即使由"有信誉的"的新闻机构和个人提供的信息也常常被歪曲、带有偏见或受人操纵。因此,你需要充分地运用你的推理能力,对你读到或听到的各种观点进行评价、分析,以发现其中的谬误。

"我是有创造力的"

运用《八项修炼》作为指导,你对"我是谁?"这个问题的第二个回答应该是:"我是一个有创造性的个人,对生活有独特的理解"。虽然批判的思考能力使你的生活变得有序,也使你对生活有了更深入的了解,但是,创造性的思考则能使你的生活充满活力,变得更有意义。许多人把创造性看得过于神秘,认为只有孩子和艺术家才具备创造性。这无疑否认了绝大多数人的创造性,这样他们实际上也就否认了他们是谁的基本方面。你怎样做才能激发你潜在的创造性呢? 对大多数人来说,创造性仍然处于沉睡的状态或未被本人意识到。正如我们在步骤2:"新能力训练"中所探讨的,大多数人生来都具有创造的冲动,只不过由于从众的压力,日常生活的单调和琐碎,以及害怕大胆尝试而失败的心理等因素,人们的创造冲动受到了抑制。在现实生活中,类似这样泯灭创造性的力量比比皆是。实际上,大多数人、团体和组织都不希望你是一个个性很强、有创新精神的人,他们喜欢你消极被动,易受操纵,服从现有的规矩,不要太出风头。

你的创造"本质"是"你是谁?"基本的组成部分,由于从众的压力而摒弃创造性要付出巨大的代价。当你立志要过创造性的生活时,你将发现你创造的"本质"是用之不竭的能量。一旦释放出来,你生活的各个方面都会发生变化,充满活力和意义,每天都有新鲜感,渴望着去探索未知世界的奥秘,你生活的世界将生机勃勃,五彩缤纷,回荡着交响乐般美妙的旋律。

创新的工具

你如何才能达到这种创造性的存在状态呢? 步骤 2:"创新能力训练"为释放你的创造性能量,发现你的创造性"本质",提供了一些实际的方略。

学会了解和信任创造的过程:虽然创造性没有诀窍,但是,也有一些发展你创造性的具体做法:

△全面地考察创造的环境。

△专心致志地工作,培养注意的品质。

△用群策攻关法和思想图这样的活动来促进创造性的发展。

△为思想的酝酿成熟留出时间。

△当新思想一出现就要抓住它们,并对它们进行追踪。

随着你调整自己进入创造性的过程,创造性将逐渐渗透到你生活的所有方面。你将发现你用不着有意识地去"创造",因为创造已成为你的一种习惯,你将自然地用创造性的方式对待你生活的所有方面。在创造性直觉的基础上,你每天会有新的发现,并用创造性的思想指导你的选择。

消除"判断之声"：你的"判断之声"代表了你生活中已经内化的所有消极的限制和否定的看法。为了创造性的生活，你必须克服"判断之声"，虽然这样做很难，但是，通过运用步骤2阐述的方略，你可以做到这一点。

建立一个创造的环境：创造性的生活只有通过你周围的人都鼓励你发挥创造性的条件下，才能最好地实现，反过来，他人也希望你能对他们的创造性给予支持。具有创造性的人在一起工作所产生的作用是不可想象的，它能促进个人的发展，并取得令人惊异的创造成果。

做一个有创造性的人：实现你的创造潜能意味着你想成为一个有创造力的人，并愿意在日常生活中努力去履行这个承诺。在坚持不懈的基础上，你需要进行选择，把创造性放在优先的地位，敢于冒创造的风险，培养想象力，努力做到独立，做事专心、集中注意力，遇事多问"为什么?"避免消极的判断。你作的这些选择越多，创造的思考方式就越多，你的生活自然就会融入创造性的情感和行动。

"我是自由的"

对"我是谁?"这个问题的第三个回答应该是："我是对创造的自我负责的自由的个人。"如果你不去自由地选择运用批判性思考和创造生活的能力，那么你的这些个能力也就对你的生活无用可言。

用萨特的话来说，你"命定"是自由的，因为自由是你本性内在的组成部分。你是被创造你自我的能力所创造的,受你创造"本质"的智力和自然直觉所指导。但是,个人的自由也不是你随心所欲就能享受到的,你只有抓住它以及伴随它而来的责任时,你自由选择的能力才会成为真正的现实。在许多情况下,人们不能进行真正的自由选择,因为他们的自由被外部的威胁或内在的冲动所限制,而对此他们往往意识不到。此外,人们常常试图逃避他们的自由,因为他们不想承担自由带给他们的责任的重担。

比较起来,当你完全地承认你的自由时,你就会以一种全新的观点重新规定你每天的生活和你的未来。通过努力消除对你意志自由的限制,用积极的思想指导你的生活,你会看到更多的可供选择的行动方案,而这些行动方案以前由于你的视野所限是看不到的。你的未来将更加开阔,充满了丰富的可能性,你能在其中进行更多的探索和选择。自由的生活是一种充满活力和令人兴奋的生活,充满了无法预料的机会,以及来自幸福生活的成功和个人的成就。

实现自由的工具

承认你的自由和责任:为了成为完全自由的人,你必须承认你的自由以及随之而来的责任。许多人愿意拥有自由而不愿意承担责任,但是,这是不可能的。你需要坚定地说:"我自由地选择成为现在的我,我完全为我所做的一切负责,我有能力把自己创造成为一个我想成为的人。"作这些陈述并加以解释需要巨大的个人勇气,但是,它们却是正确的生活哲学的反映。通过改正自己出了错却指责,他人的习惯,你就能使你成为你自己生活的主宰,通过自由选择决定自己的命运。

冲破对你自由的限制：当你进行自由的选择时，如果它不是被外部的力量所强制或被内心的力量所驱使，那么，你的自由可以被看成是真正的自由。虽然随着你努力朝着解放和加强自由意志的目标而奋斗，这样做不算太难，但它仍是一件具有挑战性的工作。你需要运用你批判的思考能力意识到外部的影响，然后，运用你的意志力把自己从外部的力量中解放出来。另外，你也受到许多来自内心力量的限制和影响，这些内心力量并不代表你最真实的愿望和最深层的价值观，它们可能最初来自于你生活中的某些事件，但是，通过你用来与自己交谈的内心音信，使它们得以永久存在。我们所有的人都容易受到"我是一个失败者"，"我从来都不值一提"，"我一点都不可爱"等这些消极的自我交谈的影响，通过一次又一次的反复对自己说这些话，它们无疑会以自我毁灭的方式塑造着我们的.思想和感情。在此，又是你批判的思考能力使你能意识到这些内在的消极声音，制定出切实可行的行动计划用积极的和建设性的声音代替消极的声音，而你选择的自由给了你实施计划的力量和决心。

为你自己和他人选择"幸福的生活"：根据心理学家卡尔·罗杰斯的观点，每个人的"幸福生活都是在存在着可以向任何方向运动的心理自由的情况下被选择的结果"。把你自己从外部和内心的限制中解放出来，你就能够发挥你真正的个人潜能，过有价值的生活。一旦实现了心理自由和高层次认识，你就能信任你的直觉，因为它们准确地反映了你最深层次的价值观，你真实的愿望，以及你真正的自我。在这种条件下进行的选择，再加上你个人的自由，就有助于你创造一种丰富、令人兴奋、有挑战性、有意义和有成就的生活,并最大程度地发挥你潜在的能量。你的个人追求不是孤立的,因为你生活在复杂的社会关系网之中。你自己要过上"幸福的生活"必然离不开他人的合作,只有互相帮助,每个人才有可能实现"幸福生活"的目标。

我活着的意义是什么?

本书的目的是想为你个人的自我发现和自我转变的旅程提供指导,使你能用思考能力、认识工具和个人见识来武装自己,努力去发现你自己的答案,而不能希望本书为你提供答案。每个"步骤"阐述人类经验的一个基本方面,它们提出的问题为你所期望的有明确目标和丰富意义的生活,形成了一个综合的蓝图。

为了使你能发现你生活的意义,你需要积极地去寻求意义,自己去做有意义的工作,并用勇气和尊严去迎接生活向你提出的挑战。如果你认为生活的意义靠等待能够得到或实现,或者你坚持认为你自己是生活的受害者,那么,你就不会有获得意义的机会。如果你总认为生活对你"不公正",或沉溺于自怜之中,那么,在你的生活中将不会为真正的意义留下任何空间。要把这种消极的倾向扭转过来,需要彻底的转变观念,从抱怨生活"亏欠"你到承担起满足生活期望的责任。即使在集中营恐怖的环境下,也有像维克多·弗兰克尔这样的人,他们选择了英雄的行为,宁愿自己受苦,也要让他人获得幸福,把生的希望留给他人。他们以自己的实际行动证明了这样一个真理:生活能剥夺一个人的一切,但它不能剥夺"在特定条件下,一个人的选择态度、选择自己方式的自由。"

虽然你可能必须承受痛苦和个人的灾难,但是,你仍然有机会通过选择你对待痛苦的方式,来给你的生活注入意义:无论是你让它击败你,还是你去战胜它。用德国哲学家尼采的话说就是:"知道为什么而活着的人能承受生活中的任何苦难"。你如何自由地选择对待生活的态度最终会规定你成为怎样的人,决定你存在的意义。

但是,你怎样选择能给你的生活注入意义的道路呢? 这就需要批判的思考、创造性的生活和自由的选择等等本书已教你训练了的所有思考能力和生活态度,除此之外,别无他途。你在把自己创造成为一个有价值的个人,过有目的和有意义生活的过程中,它们将为你提供所需要的远见和道德力量。你在本书所进行的探索已经给你提供了熟悉你自己和你具有的潜能——你独特的智力才能、想象力、创造能力——的机会。就象心理学家马斯洛说的,你是如此的独特,你会成为越来越完美的人,发挥你的潜能,你能成为任何你想成为的人。在所有的可能性中,你自己可以决定你将作怎样的选择:哪些选择将被受到谴责,哪些选择可能实现,并使自己流芳百世。

很清楚,你生活的最终意义从来不能在你自己的自我局限中完全得以实现。只有通过努力超越自己,才能去寻求意义和创造意义。就象弗兰克尔说的那样:

生活的真正意义是在世界中而不是在个人身上或他自己的心理中被发现的……

作为人,总应该关注他人或外界的事,而不是自己——这就是生活的意义。

一个人把自己忘掉的越多,他就越能成为一个真正意义上的人,就越能实现自我。

就象"幸福"和"成功"是有目的和有意义的生活的结果，而不是它们的终结一样，因此，你生活的意义只能从超越你自己，关注他人生活中产生，是这种行为的自然结果。自我超越有不同的形式，如，生产创造性的产品、或他人有难能见义勇为、与他人建立爱和亲密的关系、乐于奉献等。

你生活的意义是什么？通过你每天的选择，努力把自己创造成为一个真正的人，立志要促进他人的生活，发挥自己的潜能，既关注你自己精神的实质也关注宇宙的奥秘，你将发现你生活的意义。随着你选择用勇气和尊严对待生活中的悲欢，你将发现你生活的意义。快乐和痛苦，坦然和担心，出生和死亡——这些是生活提供给你的原始素材，你面临的挑战和责任是把这些素材凝聚成有意义的整体，而要做到这一点，你必须用批判的思考、创造性的生活和自由的选择能力所构筑的"生活哲学"作指导。为了像高尚之人和英雄人物那样，过一种有意义的生活——由《八项修炼》所引导的生活——你必须这样去做。

图书在版编目

决定一生的八种能力/（美）钱斐（chaffee.J.）著；杜晋丰
译.—北京：九州出版社.2005,4

ISBN7－80114－379－5

Ⅰ.决… Ⅱ.①钱…②杜… Ⅲ.个人－修养－普及读物

Ⅳ.B825

中国版本图书馆 CIP 数据核字（2004）第 02490 号

八种能力

作　　者/（美）约翰·钱斐（chaffee.J.）　译者/杜晋丰

出　　版/九州出版社

出 版 人/徐尚定

邮政编码/100081

总 经 销/九州出版社发行部

经　　销/各地书店

法律顾问/北京法大律师事务所

印　　刷/大厂回族自治县彩虹印刷有限公司

开　　本/850×1168毫米　1/32 开

印　　张/15

字　　数/280 千字

版　　次/2005 年 4 月第 1 版

印　　次/2005 年 4 月第 1 次印刷

书　　号/ISBN7－80114－379－5/C·15

定　　价/24.00 元